KB032568

그 신부를 믿지 마세요

III

* 이 책은 ㈜디앤씨미디어가 저작권자와의 계약에 따라 발행한 것으로 저작권법의 보호를 받는 저작물입니다. 본서의 내용을 무단 전재 및 무단 복제하는 것을 금합니다.
* 작가와의 협의에 의해 인지는 생략합니다.

III
그 신부를 믿지 마세요
윤온 장편소설
D&C BOOKS

목 차

11. 선택의 기로에 서서

11. 선택의 기로에 서서

돌이킬 수 없는 실수를 했다는 사실을 깨달은 순간, 단숨에 현실로 끌어당겨졌다. 당황하는 보랏빛 눈동자와 마주한 엘로라는 빠르게 결정을 내렸다.

이곳에서 벗어나야 한다.

그것만큼 중요한 것이 없었다.

라하트를 뿌리쳤다. 그가 쥔 모자만 빼앗아 들고 그대로 달렸다.

억지로 머리에 구겨 넣은 모자, 시큰거리는 팔목과 엉덩이, 축축하게 젖은 몸. 그리고 그런 몸을 날카롭게 스치는 바람.

무엇 하나 제대로 흘러가지 않았다.

한두 방울씩 떨어지던 빗방울은 금세 세차게 쏟아졌다.

덕분에 누구도 잔뜩 젖은 엘로라를 신경 쓰지 않았다. 빗물이 젖은 몸을 타고 흘러내렸다. 내릴 듯 내리지 않더니 갑자기 비가 쏟아진 탓에 자리를 피하기 바쁜 사람들, 개의치 않고 비를 맞으며 축제를 즐기는 사람들, 행상을 다급하게 정리하는 사람 등으로 거리는 가득 찼다. 시끌벅적했던 축제도 끝을 향하고 있는 것이었다.

인파에 섞인 엘로라는 모자가 바람에 날아가지 않도록 꽉 부여잡으며 한 번도 뒤를 돌아보지 않은 채 달리고, 또 달렸다.

온몸에 감각이 없었다.

발끝이 향하는 목적지는 알 수 없었다.

거친 숨을 몰아쉬다가 그대로 두 눈을 질끈 감았다.

외면하고 싶은 현실이 너무나 차가웠다.

"나, 고백받았어."

고요한 틈을 타, 치고 들어온 갑작스러운 고백에 다들 하던 일을 멈췄다.

멍하니 있던 엘로라는 화들짝 놀라 두 눈을 동그랗게 떴다. 무의식적으로 이 엄청난 사실을 실토한 줄 알고 입술을 더듬다가 자신이 한 말이 아님을 뒤늦게 깨닫고 소리가 난 쪽으로 고개를 돌렸다.

말을 꺼낸 사람은 엘로라가 아니었다.

아몬이었다.

갑자기 쏟아진 비로 인해 홀딱 젖은 채로 들어온 터라 방금 씻고 나온 아몬은 덜 말린 머리카락처럼 축 늘어진 고개를 들지 못했다. 갈색 머리칼에 가려진 얼굴을 지그시 보던 엘로라는 예상했던 상황이 성큼 다가왔음을 깨닫고 아무것도 모르는 척 시치미를 떼며 물었다.

"누구한테?"

분명 아히발트가 고백했을 거였다. 만난 지 겨우 이틀밖에 되지 않았는데 고백했다는 사실이 의외였지만 첫 만남부터 운명의 상대를 운운했으니 이상할 것도 없었다.

게다가 그들은 타국의 사신이 잔뜩 모여 있는 연회에서 만났다. 처음 보는 인물이니 아히발트는 아몬을 타국 사람이라고 인식했을 것이다. 타국의 사신은 건국제가 끝나면 떠날 수밖에 없으니 성급하게 고백했다고 생각하면 앞뒤가 맞았다.

신기루처럼 사라질 상대를 붙잡기 위해 아히발트는 필사적이었다.

"엘로라, 너는 알고 있잖아."

아몬의 힘없는 중얼거림에 움찔했다. 전날 인간과 결혼할 생각이 있냐는 물음을 했던 탓에 엘로라가 아히발트의 마음을 눈치채고 있다는 사실을 들키고 말았다.

"이미 다 알고 있었잖아. 그가 내게 고백할 거라는 사실을."

비난하는 어조였다. 무방비한 상태에서 받은 사랑 고백이 퍽 충격적이었는지 아몬은 그동안 한 번도 드러낸 적 없는 적의를 보였다.

"어째서 내게 아무런 얘기도 해 주지 않은 거야?"

아몬이 고개를 들어 엘로라를 보았다. 마주한 에메랄드빛 눈동자에는 슬픔이 가득했다. 그 감정과 맞닥뜨리는 순간 엘로라는 어떤 변명도 할 수 없었다.

아몬은 작은 낌새도 눈치채지 못했다. 어쩌면 외면했을지도 몰랐다. 자신을 바라보는 아히발트의 눈빛과 말투에 어떤 감정이 담겨 있는지 모두 무시한 채 과거의 향수에 젖어 있었을 수도 있었다.

아몬에게 필요한 건 볼흐라스의 황금기를 주도할 아히발트가 아닌 건국 왕 케르단이었다.

"……엘로라, 나 힘들어."

금방이라도 울음을 터트릴 듯 얼굴을 구겼다.

어디서부터 손을 대야 할지 감이 잡히지 않았다. 엘로라 본인 또한 혼란스러운 상태여서 더욱 그랬다.

겉으로는 침착하게 아몬을 상대해 주고 있는 듯해도 몇 시간 전까지만 해도 라하트에게 진심 어린 고백을 받은 데다 민낯을 들켰다.

엉망진창이 된 상태로 빗속을 뚫고 어찌어찌 돌아왔는데

어떻게 돌아왔는지 기억도 나지 않았다. 제대로 떠올릴 수 있는 건, 비를 흠뻑 맞은 몰골로 돌아오자 잔뜩 당황한 히나의 얼굴뿐이었다.

엘로라보다 한참 늦게 돌아온 탓에 아몬은 이러한 사정을 몰랐다. 그래도 힘들다는 친구 앞에서 징징댈 수 없었다.

엘로라는 금방이라도 무너질 것 같은 아몬과 눈을 마주친 채 최대한 이성을 유지하도록 노력했다.

"고백에 대한 답은 했어?"

조심스럽게 질문을 던졌다. 아몬이 어떤 답을 할지 이미 물어봐서 알고 있지만, 실제 대답은 또 다를 수 있다고 생각했다.

"아무 말도 할 수 없었어. 다들 죽었다고 말하는 내 친우와 같은 얼굴로 간절한 표정을 짓는데 안 된다고 어떻게 말해!"

아몬이 물기 어린 목소리로 외쳤다. 눈물은 흐르지 않았으나 언제 울어도 이상할 것 없는 얼굴이었다. 그녀는 꾹꾹 눌러 왔던 슬픔을 게워 내는 중이었다.

"너라면 할 수 있겠어?"

지금까지 아몬은 언뜻 잘 지내고 있는 것처럼 보였지만 실제로는 속이 썩어 들어가고 있었음을 엘로라는 최근 눈치채고 있었다. 한숨 자고 일어났더니 다른 세상이라는 건 역시 받아들이기 힘든 일이었다.

함께 웃고, 떠들며, 슬픔을 공유했던 사람들이 모두 없는 세상. 과거가 돼 버린 자신의 세상을 외면하고 앞으로 나아가기에는 소중한 것들이 너무나 많았다.

'클라우디아'나 '케르단', 그리고 '헤르시아'에 관해 얘기할 때 아몬이 짓는 표정이 모든 진실을 얘기하고 있었다.

"어떻게 해야 할지 모르겠어."

"……."

"너무 혼란스러워."

아몬이 하고 있는 말 모두 엘로라가 하고 싶은 것들이었다. 할 수만 있다면 앵무새처럼 아몬이 한 말을 반복했을 터였다. 하지만 본인의 감정에 충실했다가는 돌이킬 수 없는 상황에 발을 내디딜 것이라는 사실을 알았다.

이 자리에 있는 사람 중, 중심을 잡아 줄 사람은 엘로라밖에 없었다.

"히나, 따듯한 차를 내어 올 수 있어? 셋이서 마시자."

"예, 갔다 올게요."

둘 사이에 애매하게 끼어 어쩔 줄 몰라 하던 히나가 엘로라의 부탁에 고개를 끄덕였다. 힐끔 아몬의 얼굴을 본 그녀는 빠른 걸음으로 방을 나갔다.

문이 닫히고 오롯이 둘만이 남았을 때, 표정을 잔뜩 굳힌 엘로라가 단호하게 말했다.

머릿속을 복잡하게 만드는 라하트에 대한 생각은 잠시 뒤로 미뤄 둬야 할 순간이었다.

"솔직하게 말해."

"하지만……."
"떠날 거잖아."
북풍한설처럼 냉정한 음성이었다. 송곳처럼 찌르는 엘로라의 차가운 말에 아몬이 움찔했다.
"돌아오지 않을 거잖아."
아몬이 한 번 떠나면 다신 돌아오지 않을 거라는 걸 알았다. 그것이 자의든 타의든. 자신이 살던 세계를 그리워하는 아몬이었다. 함께하는 이 순간에 미련이 있을 리 없었다.
당장 느끼는 미안함과 죄책감 때문에 다신 돌이킬 수 없는 거짓말을 하느니 진실을 고백하는 편이 낫다고 생각했다. 하지만 그것이 얼마나 어려운지 엘로라 본인 또한 잘 알고 있었다.
맨얼굴을 들켰지만 진실을 고백하기보다는 어떤 식으로 거짓말을 해서 상황을 모면해야 할까 고민하지 않았는가.
평생 감춰 왔던 비밀이었다. 진실이 들통났다 하더라도 회피하고 싶다는 생각이 가장 먼저 들었다.
솔직함만큼 어려운 건 없었다.
"……그래도 괜찮을까?"
힘든 일이라는 걸 알아도 아몬을 위해서라면 한 걸음 물러서서 상황을 판단하고 조언해 줄 수밖에 없었다. 자신의 일이 되면 객관적인 판단이 불가능했다. 타인이기에 할 수 있는 얘기였다.
"상처받는 건 똑같아. 네가 그를 받아 준다 하더라도 오롯이 자신을 보는 것이 아니라 머나먼 과거의 인물을 투영하고 있다는 사실을 알게 되면 크나큰 상처를 받겠지."

아몬과 거리를 좁혔다. 아몬은 무언가 하고 싶은 말이 있는지 입술을 달싹였다.

굳이 목소리를 내지 않더라도 지금 아몬이 하고 싶은 말이 무엇인지 알 수 있었다. 머나먼 과거의 인물이 아니라고 부정하고 싶은 것이겠지. 아몬에게 있어 그들은 당장 나타난다 하더라도 이상할 것 없는 인물들이었다.

"아몬, 살아 있는 사람은 죽은 자를 이길 수 없어."

아름답게 박제된 추억을 이길 수 있는 사람이 몇이나 될까. 서로를 소중한 친구라 여기는 아몬과 엘로라지만 엘로라는 자신이 클라우디아를 이길 수 없다는 걸 알았다. 아몬이 평생 이곳에서 지낸다 하더라도 엘로라가 클라우디아 이상의 친구는 될 수 없을 것이었다.

마찬가지로 아히발트 또한 케르단을 이길 수 없었다. 아몬은 케르단을 계속 그리워할 테니까.

케르단과 아몬 사이에 흐르는 감정이 사랑이 아닌 우정이라 하더라도 애초에 싸움이 되지 않는 경기였다.

엘로라는 아몬의 어깨에 대충 걸쳐져 있는 타월을 들어 머리를 말려 주었다. 향긋한 샴푸 냄새가 번졌다. 엘로라의 말에 생각할 게 많은지 침묵을 유지한 아몬은 복잡한 표정으로 얌전히 앉아 있었다.

과거 속 인물이 아니라고, 죽은 이가 아니라고 힘껏 부정하기보다는 진정하고 찬찬히 상념에 젖어 있길 택한 것이었다.

"내일 또 만나기로 했어."

머리칼을 거의 다 말렸을 때쯤, 손가락을 꼼지락거리던 아몬이 드디어 입을 열었다. 목소리에는 아직 불안이 담겨 있었다.

"내일은 말해. 원래 그에게 해야 할 얘기가 따로 있었잖아."

"괜찮을까?"

아몬이 고개를 들어 엘로라를 올려보았다. 간절한 에메랄드빛 눈동자는 확신을 받고 싶어 했다.

괜찮다고 단언해 주고 싶었으나 스스로 마음을 굳히지 않는 이상 옆에서 여러 번 말한들 소용없었다. 깊이 뿌리 박힌 불안을 없앨 사람은 아몬, 본인밖에 없었다.

"무작정 피하려 하지 말고 어떤 선택을 해야 네가 후회하지 않을지 천천히 생각해 봐. 만약 그의 고백을 받아들인다 해도 말리지 않을게. 네 선택이니까."

살갗에 생생히 닿는 책임감의 무게를 느낀 아몬이 쉬이 입을 열지 못했다. 홀로 골몰하는 아몬을 보고 있자니 엘로라 또한 고민이 깊어졌다.

무슨 선택을 하든 지켜보겠다고 말했으나 아몬이 어떤 선택을 내릴지 매우 신경 쓰였다. 더불어 잠시 뒤로 미뤄둔 라하트에 대한 생각이 기다렸다는 듯이 끼어들었다.

여러모로 복잡하게 얽힌 상황에 절로 깊은 한숨이 내쉬

어졌다.

문제가 하나였다면 덜했을 텐데 한 번에 쏟아진 탓에 떠올리기만 해도 가슴이 답답했다. 어떻게 헤쳐 나가야 할지 아몬이 고뇌하는 동안 함께 고심했다.

제법 시간이 흐른 후, 아몬의 떨리는 목소리를 먼저 들을 수 있었다.

“역시 거절하는 게 맞겠지?”

“네가 그렇게 생각한다면.”

“하지만 케르, 아니. 아히발트가 실망한 얼굴은 보고 싶지 않아.”

머리로는 알고 있지만 마음이 선뜻 내키지 않는지 아몬은 아직 주저하는 모습을 보였다. 살짝이라도 건드리면 넘어갈 듯, 중심을 잡지 못한 그녀를 보던 엘로라는 단호히 말했다.

“수락한다면 더 슬픈 얼굴을 보게 될 거야. 그걸 알기 때문에 거절하려는 거잖아.”

“응……. 그렇지.”

“끝까지 감정에 휘둘릴 것 같으면 내가 따라갈게.”

“엘로라, 네가?”

화들짝 놀란 아몬이 두 눈을 휘둥그레 뜬 채 바라보았다. 덤덤히 아몬과 눈을 마주친 엘로라는 느릿하게 고개를 끄덕였다.

“어차피 너희와 축제를 즐기기 위해 외출할 생각이었어.”

아히발트의 운명적인 사랑을 찾아 주겠다는 계획은 강에 떠내려간 지 오래였다. 아몬과 아히발트 사이의 문제가 해결된다면 더는 급하게 움직여야 할 일이 없기 때문에 원래 하고자 했던 대로 아몬과 히나와 함께 축제를 즐길 생각이었다.

"거절하고 나면 황태자 전하와 헤어질 거잖아. 마음이 편치 않은 채로 방구석에 있는 건 상태만 악화시켜. 그러니 같이 축제를 즐기자. 이런저런 생각은 잠시 지우고 놀면 조금은 괜찮아질 거야."

"……응."

아몬의 대꾸가 끝남과 동시에 때마침 히나가 들어왔다. 차뿐만 아니라 같이 먹을 과자까지 준비해 온 히나는 슬쩍 눈치를 보았다.

나갈 때보다 분위기가 유해진 것을 바로 알아챈 그녀는 안심하고 테이블에 다과를 올려놨다.

"오늘 밤은 운치 있게 빗소리를 들으며 티타임을 가져 보자."

으쌰 하고 일어난 엘로라가 아몬에게 손을 뻗었다. 잠시 머뭇거리던 아몬은 그 손을 잡았다.

"고마워, 엘로라."

엘로라만이 들을 수 있을 정도로 작은 속삭임이었다. 그걸 들은 엘로라는 가만히 웃어 주었다.

날이 밝았다. 커튼을 걷어 내자 찬란한 햇살이 쏟아졌다. 일어나자마자 날씨를 확인한 엘로라는 구름 한 점 없이 맑은 하늘을 올려다볼 수 있었다. 어제의 흐린 날은 전혀 떠오르지 않을 만큼 맑았다.

보는 이마저 기분 좋아지는 화창한 날씨였다.

비는 어제 잔뜩 왔다. 밤새 우울한 기운을 털어 낸 후 새로운 날의 시작이었다.

아침 식사를 마친 엘로라는 아몬의 약속 시각에 맞춰 외출 준비를 시작했다. 히나 또한 나가는 단체 외출이었다.

"저까지 나가도 될까요?"

"안 될 것도 없지. 어차피 다들 축제 마지막 날이라 바빠서 이곳에는 신경도 쓰지 않아. 그리고 히나, 너도 하루쯤 축제를 즐길 필요가 있잖아."

혹시 모를 상황을 대비해 자신만큼은 궁을 지켜야 한다는 의무감 탓인지 준비를 하면서도 히나의 표정은 영 좋지 않았다. 그런 히나의 부담을 덜어 주도록 노력했다. 안 그래도 히나를 억지로 끌어들였다는 죄책감이 있는 엘로라였다.

원래 계획대로였다면 홀로 감당해야 할 황궁 생활이었다. 외로움은 나누면 절반이 된다지만 관련 없는 사람을 수렁에 빠뜨린 듯해 마음이 편치 않았다.

비밀 통로 덕에 바깥에 자유로이 나갈 수 있다 하더라도 제약이 있었다. 히나 또한 자신과 함께 이혼할 때까지 묶인 몸이 되었으니 오늘 축제만이라도 편히 즐기게 두고 싶었다. 오늘 함께할 시간이 묵묵히 곁을 지켜 준 것에 대한 보답은 될 수 없을지라도.

외출 준비는 빠르고 정확하게 끝낼 수 있었다. 마지막 확인까지 마친 엘로라는 아몬을 앞장세우고 밖으로 나갔다. 일정 거리를 유지한 채였다.

약속 시각에 딱 맞춰서 도착했음에도 불구하고 일찍 와서 기다리고 있던 아히발트는 반갑게 아몬을 맞이했다. 어색하게 웃은 아몬은 엘로라와 히나를 의식한 탓인지 힐끔 뒤를 보았다. 하지만 일찍이 몸을 숨긴 그들을 볼 수 있을 리 만무했다.

안절부절못하다가 결국 만나자마자 고백에 대한 거절을 할 수 없었던 아몬은 아히발트를 따라갈 수밖에 없었다.

숨어 있던 엘로라와 히나는 아직 그들 사이에 이렇다 할 대화가 이루어지지 않았음을 눈치채고 쫓아갔다.

인파가 몰린 거리로 나오자 두 사람을 놓치지 않도록 조심해야 했다. 축제의 마지막 날인 만큼 수도에 거주하는 사람이란 사람은 다 나온 듯이 붐볐다. 누구 한 명 미아가 된다고 해도 이상하지 않을 정도였다.

히나의 손을 꼭 부여잡고, 아몬의 뒤통수에 시선을 고정시킨 엘로라는 주의를 기울이며 거리를 유지한 채 따라갔다. 가면을 쓴 데다 워낙 주변에 사람이 많아 뒤를 밟고 있다는 사실을 들킬 일은 없었지만 아히발트는 라하트의 형이었다. 이상한 데에서 덜미가 잡힐 수도 있다는 생각이 들었다.

아몬과 아히발트는 열심히 축제를 즐겼다. 아몬이 몇 번이나 말을 꺼내기 위해 시도를 한 듯했으나 계속해서 실패했다. 그러니 제삼자의 입장에서 보면 흔한 남녀의 데이트였다. 엘로라와 히나는 데이트 중인 남녀를 쫓는 수상한 사람이었다.

그들이 길거리에서 음식을 사 먹으면 같이 사 먹고, 공연을 구경하면 은근슬쩍 껴서 같이 구경하고, 잠시 걸음을 멈추면 똑같이 멈췄기 때문에 더욱 그랬다.

사람이 정신없을 정도로 많은 데다 무난해도 너무 무난한 변장을 했기에 다행이었다.

이 기묘한 동행이 계속되는 동안에도 아몬은 아무 말도 하지 않았다.

전날 여러 번 고뇌한 만큼 쉬이 거절할 수 없을 거라 예상했다. 본인 입으로도 직접 말했지 않은가. 케르단과 닮은 그 얼굴이 슬퍼하는 걸 보고 싶지 않다고. 아히발트와 마주할 때마다 마음이 약해지는지 고백에 대한 거절은 계속 미뤄졌다. 그렇게 속절없이 시간만 흘러갔다.

엘로라와 히나는 얼떨결에 아몬과 아히발트와 같은 데이트 코스를 밟게 됐다. 먹고, 마시고, 구경하고, 걷고. 그들이 황태자와 요정인 것을 고려한다면 정말 평범한 축제 즐기기였다.

쉼 없이 걸었다. 계속 돌아다니다가 지쳤는지 아몬과 아히발트가 근처 벤치에 앉았다. 빠르게 히나를 잡아당겨 풀숲에 숨은 엘로라는 그들을 주시했다.

아몬도 슬슬 느끼고 있을 것이다.

이제 그 말을 꺼내야 한다는 것을.

더는 미룰 수 없었다.

"아가씨."

눈에 힘을 팍 주고 아몬이 어떤 말을 할지 지켜보고 있는 와중에 들리는 작은 부름에 고개를 돌렸다. 이때까지 군말 없이 따라 주던 히나가 살짝 걱정스러운 눈빛으로 보고 있었다. 무슨 문제라도 생겼나 싶었다.

"저, 아가씨께서는 괜찮으세요?"

"무엇이?"

"어제 아가씨께서……."

선뜻 말을 꺼내기가 어려운지 히나가 머뭇거렸다. 가만히 듣고 있던 엘로라는 때마침 '고백'이라는 단어를 내뱉는 아몬의 목소리를 듣고 말을 자를 수밖에 없었다.

"히나, 미안해. 이따가 얘기하자."

다급하게 양해를 구한 후 곧바로 아몬과 거리를 좁혔다.

기척을 죽인 채 살금살금 다가가자 소음 사이로 아몬의 목소리를 들을 수 있었다. 귀를 기울인다면 충분히 엿들을 수 있는 크기였다.

"……지금 대답할게."

"내게 희소식이라면 좋을 텐데. 반응을 보아하니 아닌 모양이지?"

불길한 기운을 감지했음에도 불구하고 아히발트가 다정하게 속삭였다. 의도치 않았지만 아몬의 죄책감만 가중되는 행동이었다.

차마 아히발트와 눈을 마주치지 못하고 고개를 숙인 아몬이 크게 숨을 들이쉬었다가 지금까지 하지 못했던 그 말을 꺼냈다.

"미안해."

"……."

"네 고백에 응할 수 없어."

불안을 잔뜩 담은 목소리가 떨렸다. 이 순간에도 만감이 교차하는 듯했다. 다신 돌이킬 수 없는 행동을 벌인 아몬이 살짝 아히발트를 올려다보았다. 그 어떤 슬픔을 담은 얼굴을 마주할 거라 생각하면서.

"나를 닮았다는 남자 때문인가?"

"아니야, 그 이유 때문은 아니야."

"첫 만남에 나를 불러 세운 이유도 닮았기 때문이었지."

방금 차인 사람답지 않게 어떤 흥분도 담기지 않은, 고저 없는 목소리는 여전히 다정함을 담고 있었다.

'운명적인 사랑'이라고 칭한 데다 따로 시간을 내어 몰래 데이트를 즐겼을 만큼 아몬을 좋아하던 아히발트였다. 심적 타격이 꽤 클 법도 한데 거절에 대한 어떤 부정적인 감정도 내비치지 않았다.

"얼마나 닮았지?"

"동일 인물이라고 해도 믿을 정도로 닮았어."

"그 정도로 닮았다고 하니 어떤 사람인지 한 번쯤은 만나고 싶군."

"착하고 상냥한 사람이야. 너처럼."

"방금 그 말은 가장 듣고 싶지 않은 칭찬이었어."

"미안."

재빠른 사과에 아히발트가 살포시 미소를 지었다.

"성급히 말을 꺼낸 듯해 걱정했는데 실제로 걱정했어야 할 건 그쪽이 아니었군. 느긋하게 시간을 들여 고백했다 해도 같은 대답이 돌아왔겠지."

이런 결말을 맞이한다는 걸 이미 예상하고 한 듯했다. 만난 지 얼마 되지 않아 고백할 만큼 좋아한다고 하더라도 상대 또한 똑같은 마음일 거란 보장은 없었다. 감정이란 일방적이지 않다는 걸 익히 알고 있는 아히발트였다.

"그를 사랑하는가?"

"'반려'의 개념인 사랑을 뜻하는 거라면 아니야. 내게 있어 소중한 친구야."

“남녀 사이에 우정이 있을 순 없지. 조금 더 솔직히 얘기해 줘도 괜찮다고 생각한다.”

“어째서 성별로 나누는 거야? 인간은 이성끼리 좋아하면 무조건 반려자가 되어야 해?”

정말 이해할 수 없다는 듯이 말하는 아몬을 보고 아히발트가 낮게 웃음을 터트렸다.

“친구에게 밀리다니. 가장 굴욕적인 날이군.”

“앗, 기분 상했다면 미안해.”

“전혀. 오히려 색다른 기분이다.”

고개를 저은 아히발트는 여전히 웃고 있었다. 당연히 우울한 얼굴을 하고 있을 거라 생각했는데 전혀 그런 기색이 보이지 않으니 당황한 아몬이 아히발트를 살피다가 조심스럽게 말을 꺼냈다.

“있잖아. 슬프지 않아?”

“슬프지.”

“그런데 어째서 웃고 있어?”

“네게 흉한 꼴을 보이고 싶지 않으니까.”

아히발트의 대꾸에도 아몬은 전혀 이해하지 못한 표정을 지었다. 슬프면 슬프다, 화가 나면 화가 난다, 솔직하게 표현하는 것이 어째서 흉한 꼴이 되는지 납득하지 못한 거였다. 아히발트가 슬퍼한다면 아몬은 마음이 아플 뿐이었다. 그것을 전혀 흉하다고 여기지 않았다.

“감정을 드러내는 것조차 사치일 때가 있지.”

"인간은 잘 모르겠어."

"또 이상한 표현을 쓰는군."

"정말로 잘 모르겠는걸."

'인간'이라는 표현에 문제가 있음을 자각하지 못한 아몬이 뚱한 표정을 지었다.

솔직함이 항상 정답이 아니라는 걸 모르니 열심히 머리를 굴려 봐도 도돌이표였다. 전혀 진전이 없었다.

입술을 꾹 다물고 생각에 빠진 아몬을 가만히 내려다보던 아히발트는 그 얼굴을 기억 속에 담아 두기 위해 조용히 지켜보다가 시간이 지난 후 어쩔 수 없이 이별을 종용했다.

"그러면 이만 자리에서 일어나 볼까. 내게도 네게도 황궁으로 다시 돌아가는 편이 낫겠지."

"있잖아, 아히발트. 그리움 때문이 아니지?"

"무슨 소리지?"

조금 전 대화와 전혀 관계없는 말이었다. 갑작스레 이상한 방향으로 튀어 버린 아몬의 발언에 아히발트가 동요했다.

"너에 대한 얘기를 들었어. 다들 그리움 때문에 네가 새로운 반려를 들이려고 하지 않는다고 하던데 실제로 그 이유가 아니지?"

"……그 얘기는 다른 데서 하지 않기로 약속하는 게 좋겠군. 남들이 알아서 좋을 것 없으니까."

"응, 약속할게!"

크게 고개를 끄덕인 아몬이 약속한다는 의미로 손가락을 내밀었다. 스스럼없는 그 행동에 아히발트가 머뭇거리고 있으니 아몬이 해사한 미소를 지으며 말했다.

"손을 쫙 펼친 후에 사 번 손가락까지 접고 오 번 손가락을 걸면 돼. 맞아, 일 번 손가락으로 도장도 찍자."

"이렇게?"

"응! 약속의 증명이야."

입꼬리를 올린 아히발트가 새끼손가락을 걸었다. 새끼손가락이 엮이고, 아몬은 엄지로 도장까지 야무지게 꾹 눌렀다. 딱히 경건한 의식이라고 보이지 않았으나 그들에게 있어서는 의미 있는 행동이었다.

"절대 얘기하지 않을게."

"평생 보았던 그 어떤 맹세보다 믿음직스럽군."

웃음기가 담긴 아히발트의 대꾸에 아몬은 마주 보며 웃었다. 손가락처럼 엮인 시선은 떨어질 줄 몰랐다. 죄책감으로 인해 얼굴 한 번 보지 못했던 방금과 달리 또렷하게 아히발트와 눈을 마주쳤다.

점차 웃음기를 지워 간 아몬은 작지만 선명한 목소리로 속내를 털어놓았다.

"네가 행복했으면 좋겠어."

"……."

"비록 나는 네 마음을 받아 주지 못하지만 날 좋아하게 된 것처럼 또 다른 누군가를 좋아할 날이 분명 올 거야."

"……오늘따라 잔인한 말만 골라 하고 있다는 사실을 자각하고 있는가?"

"어쩔 수 없는걸. 지금이 아니면 할 수 없는 말이잖아. 하지 못한 말로 후회하고 싶지 않아. 너 또한 그래서 내게 고백한 거잖아. 맞지?"

깊게 한숨을 내쉰 아히발트가 복잡한 얼굴로 천천히 고개를 끄덕였다.

"네가 짊어지고 있는 무게로 인해 어쩔 수 없는 선택을 해야 할 때가 자주 오겠지만 슬퍼하는 날보다 기쁜 날이 더 많았으면 좋겠어. 두렵고, 겁이 나고, 불안하겠지만 도망만 치기에는 삶은 짧으니까."

"마치 내가 겁에 질려 있는 것처럼 말하는군."

"고백하기 전까지만 해도 두려워했잖아. 얼굴이 똑같아서 쉽게 알아봤는걸. 아, 이런 얘기는 하면 안 됐나."

"……."

"혹시 기분 나빴어?"

"아니. 괜찮다. 하던 얘기 마저 하도록 해. 네 말대로 지금 아니면 하지 못할 말이니."

"거창한 듯이 말했지만 별거 없어. 하고 싶은 말은 이게 끝이야."

말을 끝낸 아몬이 조심스럽게 손을 놓았다. 맞닿았던 온기가 멀어지자 그 손을 붙잡으려 했던 아히발트는 가까스로 충동을 억눌렀다. 붙잡아서는 안 된다는 걸 머리로 알고 있었기 때문에 가능한 일이었다.

"그리고 기다리는 사람이 있어서 같이 돌아가지 못할 것 같아."

"본국으로는 내일 아침에 떠나는 건가?"

"응?"

타국의 사신들은 대부분 내일 중으로 떠났다. 하지만 아몬은 사신이 아니었기에 떠날 이유가 없었다. 본인이 지금 정체를 숨긴 채 이 자리에 있다는 사실을 잊어버린 아몬이 멍청히 되물었다.

대화를 숨죽여 훔쳐 듣던 엘로라는 당장 그들 사이에 끼어들어 방해해야 할지 잠깐 고민했다. 아몬이 떠나지 않는다고 한다면 아히발트는 어째서 떠나지 않느냐고 물어볼 테고 그러면 아몬이 아모몬 궁에서 묵고 있다면서 자신이 요정이라는 사실까지 밝힐지도 몰랐기 때문이었다.

아히발트로서는 아몬이 요정이라는 사실이 얼토당토않을 테니 역정을 낼 것이었다. 제아무리 넓은 아량을 가졌다고 소문난 아히발트지만 이제껏 존재가 부정당한 초자연적인 존재를 단번에 납득할 리 없었다. 눈앞에 있는 사람이 사실 사람이 아니라 뱀파이어라고 한다면 짓궂은 장난이라고 치부하듯이.

시간과 고민은 짧았다. 엘로라의 머릿속에 있는 고민이 단숨에 지나가는 동안 아히발트는 다행히 아몬의 되물음을 그냥 넘어가 주었다. 내일 떠나지 않기 때문에 무슨 말이냐는 표정을 짓는다고 생각하지 못한 모양이었다.

“당일 작별 인사는 하지 못할 테니 실질적으로 오늘이 정말 마지막이로군.”

이별이 코앞임을 절절히 느낀 아히발트가 자리에서 일어났다. 기다리는 사람이 있다고 하니 더 시간 끌 것 없이 떠나는 게 옳다고 판단한 것이었다.

“다시 만날 수 있기를.”

목소리가 떨리지 않도록 부단히 애쓴 아히발트가 예의 바르게 고개를 숙였다.

황태자가 고개를 숙였다는 건 굉장히 뜻깊은 행동이었다. 잠시 지위를 숨기고 황궁을 벗어났다 해도 그는 태생이 황족이며 황제가 되기 위해 자란 사람이었다. 쉬이 고개를 숙일 인물이 아니라는 뜻이었다.

살짝 고개를 들어 이를 지켜보던 엘로라는 헛숨을 들이켰으나 아무것도 모르는 아몬은 떠나려는 아히발트를 위해 손을 흔들었다. 그런 아몬을 보고 살포시 미소를 지은 아히발트가 등을 돌렸다. 이제 끝인가 싶어 슬슬 나갈 준비를 하던 엘로라는 한두 걸음 나아가다가 아히발트가 문득 멈춰 서서 뒤를 돌아보는 것을 확인하고 다시 숨었다.

“헤어지기 전에 한 가지 묻고 싶은 게 있다. 그녀를 그리워하지 않는다는 얘기는 일절 하지 않았는데 어떻게 눈치챈 거지? 나를 닮았다는 그 사람 때문인가?”

“거울을 봤는데 그리워하는 사람의 표정은 너와 달랐어.”

"……."

"아닐 수도 있었는데 정답이었네."

아무렇지 않게 얘기하는 아몬을 지그시 바라보던 아히발트가 "그렇군."이라고 대꾸하고는 다시 가던 길을 갔다. 이번에는 돌아보지 않았다.

아몬은 곧은 걸음으로 사라지는 아히발트의 뒷모습을 멍하니 지켜보았다. 아히발트가 인파에 섞여 사라졌을 때도 그가 있었던 자리를 주시했다.

아히발트가 시야에서 완전히 벗어난 후 슬금슬금 나온 엘로라와 히나는 넋이 나간 사람처럼 앉아 있는 아몬을 발견할 수 있었다. 육체에서 아예 영혼이 빠져나간 것 같은 모습을 가만히 보고 있자니 원래대로 돌아올 기미가 전혀 보이지 않았다.

이대로 둘 수는 없었다. 아몬의 바로 뒤에 선 엘로라는 그대로 그녀의 시야를 손바닥으로 가렸다. 갑자기 눈앞이 컴컴해지자 깜짝 놀란 아몬이 움찔했다.

아몬의 영혼이 제자리에 돌아왔음을 알아챈 엘로라가 손을 치웠다. 곧바로 아몬이 시야를 가린 범인을 찾기 위해 뒤를 돌아보았다.

"엘로……, 읍!"

한눈에 엘로라임을 알아본 아몬이 반가움으로 인해 '엘로라'의 '라'까지 외치기 전에 재빠르게 입을 틀어막았다.

아몬은 다 좋은데 이렇게 부주의할 때가 있었다. '엘로라'라는 이름이 어디 흔한 것도 아니니 괜히 누가 들어 주의를 끌 필요는 없었다.

엘로라는 동그랗게 눈을 뜬 아몬을 바라보며 낮은 목소리로 속삭였다.

"목소리가 너무 커."

"아, 미안해. 깜빡했어. 그러니까…… 뭐라고 불러야 하더라?"

"그 이름을 빼고 모두. 적당히 알아들을게."

"그러면 그냥 안 부를래!"

"마음대로 해."

굳이 외울 필요 없이 아무 이름으로 부르라고 했으나 반사적으로 본명이 튀어나오는 건지 아몬은 결국 부르지 않는 선택지를 골랐다. 아예 부르지 않겠다고 했지만 아몬의 성격상, 계속 의식하고 있을 리 없었다.

머지않은 미래에 그녀가 또 부주의하게 이름을 부르리라는 사실을 감지했다. 그러나 재차 '엘로라'라는 이름은 안 된다고 강조하지 않았다. 고백을 거절하기까지 마음고생을 많이 했을 친구에게 스트레스를 주고 싶지 않았기 때문이었다.

"수고했어. 지쳤지?"

"응! 몸도 마음도 전부!"

"근처에 맛있는 디저트를 파는 가게를 아는데 거기 갈래? 맛있는 걸 먹으면 조금이나마 충전될 거야."

"좋아, 좋아. 어서 맛있는 음식을 먹고 싶어."

금방이라도 박차고 달려갈 듯, 아몬이 엘로라와 히나의 손을 잡고 끌어당겼다. 제 딴에는 즐거움을 표현한 것이었겠지만 평소보다 배로 과장된 행동과 말투 탓에 부자연스러움이 강조되었다.

아몬은 지금 아무렇지 않아 보이기 위해 애쓰고 있었다.

"좋아할 거야."

"응?"

"디저트 말이야."

"아……. 그렇게 맛있어?"

"히나도 맛있다고 칭찬하는 곳이야. 그렇지, 히나?"

"몽블랑을 잘하는 그 가게 말씀하시는 거면 정말 맛있죠."

빠르게 상황을 파악한 히나가 옆에서 거들어 주었다. 맛있는 디저트를 파는 가게라는 건 아몬이 기운을 차리게 하기 위한 거짓이 아닌 사실이었다. 부족한 당분을 충전하기에는 제격인 곳이었다.

"늦게 가면 디저트가 동이 날지도 몰라. 어서 가자!"

아몬이 자신을 쥐어짜 내면서까지 긍정적인 모습을 보여 주기 전에 엘로라가 앞장서서 그들을 이끌었다.

솔직한 심정으로는 아히발트와 아몬이 나눈 대화가 찜찜해서 당장에라도 무슨 뜻인지 묻고 싶었으나 아몬의 상태도 상태이고 말하지 않겠다고 조금 전에 약속한 걸 들었기에 캐묻지 않았다. 비밀을 억지로 파내는 건 예의가 아니었다.

히나도 맛있다고 칭찬한 디저트 가게는 멀지 않은 곳에 있었다. 축제 기간이라서 그런지 평소보다 배로 사람이 많은 듯했다.

단내가 코끝을 찔렀다. 워낙 사람이 많았기 때문에 그들은 다른 생각을 할 틈도 없이 곧바로 줄을 섰다. 그동안 아몬은 전시돼 있는 디저트를 구경했다.

몽블랑뿐만 아니라 마카롱, 에끌레어, 밀푀유 등을 판매하고 있었다. 침을 흘리며 전시된 디저트를 보고 있자니 줄이 점점 줄어들었다.

아몬은 전시된 디저트에서 시선을 떼지 못했다. 디저트별로 종류가 많기도 했고 데코도 예쁘게 돼 있는 터라 시선을 끌기 충분했다. 심지어 맛도 좋으니 가히 최고라 할 수 있었다.

긴 기다림 끝에 계산할 차례가 된 엘로라는 고민하지 않고 말했다.

"종류별로 세 개씩 다 주세요."

"헉, 정말이야?"

엘로라의 말에 히나는 덤덤해했지만 옆에 있던 아몬이 반응했다. 카운터에 있던 점원이 살짝 놀랄 정도로 큰 소리였다. 안 그래도 큰 눈을 더욱 크게 뜨고 엘로라와 거리를 좁혔다.

"왜? 못 먹겠어?"

"아니! 넌 정말 배운 사람이야!"

환호성과 같은 외침 끝에 아몬이 엘로라를 꼭 껴안았다. 격한 환영이었다.

평소에 먹을 걸 좋아해서 디저트를 반길 거라 예상하긴 했지만 이만큼 좋아할 줄은 몰랐다. 아직 디저트를 먹지도 않았는데 아히발트에 대한 상념을 떨쳐 내기라도 한 듯한 모습이었다.

얼싸안고 방방 뛰는 아몬을 겨우 진정시키고 계산을 마칠 수 있었다. 가게 내부에 앉아서 먹을 테이블이 준비돼 있었지만 안타깝게도 자리가 없어서 포장 후 바깥에서 먹기로 했다.

돈을 내고, 설렘 가득한 기다림 끝에 엘로라와 히나, 그리고 아몬은 양손 가득 포장한 디저트를 들고 가게를 빠져나올 수 있었다.

그들의 얼굴은 가게에 들어갈 때와 다르게 굉장히 상쾌했다. 맛있는 음식 앞에서 인상을 찌푸릴 사람은 없었다.

그 어느 때보다 가벼운 발걸음으로 디저트를 지키며 나아간 그들은 빠르게 앉을 자리를 찾아봤다. 벤치에 빈자리는 많았다. 금방 자리를 잡은 엘로라, 히나, 아몬은 경건하게 디저트를 꺼냈다.

하나씩 꺼내도 아직 잔뜩 쌓여 있는 디저트를 보고 있자니 기분이 좋아졌다. 역시 먹을 것만큼 사람의 마음을 달래 주는 건 없었다.

"사람이 세 명인데 이 정도는 먹어 줘야지."

"그래도 무리해서 드시다가 탈 나시면 안 돼요."

"내가 언제 무리한 적 있어?"

"혹시나 해서 드리는 말씀이에요."

굳이 잔소리를 하지 않아도 다 알아서 하는 엘로라였기에 히나가 평소에는 절대 하지 않는 말이었다. 그렇기에 의아해하던 엘로라는 아몬의 기분을 달래 주기 위해 열심히 먹다가 과해질까 싶어 미리 선을 긋는 것이라는 걸 눈치챘다. 이곳에서 엘로라를 걱정하는 건 히나뿐이었다.

"이걸 다 못 먹어?"

"그럴 리가. 먹을 수 있으니까 샀지."

"그렇지!"

빠르게 고개를 끄덕인 아몬이 몽블랑을 꺼내 먹기 시작했다. 그리고 몽블랑은 게 눈 감추듯 사라졌다. 어찌나 빨리 먹는지 흡입하는 것 같았다.

혹시 배가 고팠냐고 물어보려던 엘로라는 아몬이 부족한 당분을 충전 중이라는 걸 떠올리고 묵묵히 먹기 시작했다.

다들 정말 조용히 먹는 것에 집중했다.

먹고, 먹고, 또 먹고.

아몬이 혼자서 사 온 디저트를 반쯤 해치웠을 때 엘로라가 먼저 서두를 던졌다.

"어땠어?"

아몬의 볼은 터질 듯이 빵빵했다. 우물우물 먹고 있던 그녀는 엘로라의 질문에 무엇이 어땠는지 잠시 고민하는 듯한 기색을 보였다. 사실 대답하고 싶어도 입 안의 음식 때문에 곧바로 대답하지 못하는 상황이었다.

느릿하게 디저트를 먹으며 엘로라는 아몬이 대답해 주길 기다렸다. 우물우물 열심히 씹던 아몬이 한참 지나서야 목구멍으로 꿀꺽 넘겼다.

“솔직하게 얘기하길 잘한 것 같아. 엄청 떨렸는데 막상 이야기를 시작하니 괜찮았어.”

“다행이네.”

“그치. 다 네 덕이야.”

“내 덕이라니. 그렇다고 하기에는 한 게 없는걸.”

“네가 없었으면 종일 고민해도 답을 내리지 못했을 거야. 시간이 다 닳아 없어질 때까지도 고민만 하고 있었겠지.”

“그 사람이 소중한 만큼 결정을 내리기가 어려웠을 테니까.”

“맞아, 소중해서 어려웠던 것 같아.”

빛의 속도로 에클레어를 먹어 치우던 아몬이 착잡한 표정으로 천천히 한입 베어 물었다. 깊게 가라앉은 에메랄드빛 눈동자는 허공을 향하고, 과거를 반추하듯 그 무엇도 담지 않았다.

“잘한 거겠지?”

“후회돼?”

“그건 아니야. 그냥…… 무언가 말로 표현 못할 그런 감정이 남아 있어. 이걸 뭐라고 할까.”

상념에서 깨어난 아몬이 자신의 감정을 정확히 표현할

단어를 찾기 위해 고민했다. 팔짱을 끼고 골똘히 생각하는 그녀를 본 엘로라는 온화한 미소를 지었다.

"굳이 정의를 내리려고 하지 마. 너만의 감정이겠지."

"그런가?"

"응, 세상에는 언어로 표현할 수 없는 것도 있는 거야."

"그렇구나."

엘로라의 말에 기분이 좋아졌는지 고개를 끄덕인 아몬이 활짝 웃었다. 그리고 더는 고민하지 않고 처음과 같은 속도로 디저트를 먹어 치우기 시작했다.

결론적으로 디저트는 모두 살해당했다.

5할이 아몬의 배 속으로 처참히 떠내려갔고, 나머지 5할은 엘로라와 히나가 나눠 먹었다. 애초에 많은 양을 산 터라 5할을 나눠 먹어도 부족함을 느낄 수 없었다.

아몬의 무자비한 독주는 부스러기 하나 남지 않았을 때야 끝이 났다. 어찌나 열심히 먹었는지 포장 상자가 마치 새것처럼 깔끔했다.

잘 먹는 아몬을 보니 덩달아 기분이 좋아진 엘로라는 흡족한 미소를 지었다. 이렇게 좋아할 줄 알았더라면 평소에도 자주 사 올 걸 그랬다. 이제라도 알았으니 기회가 날 때마다 같이 밖에 나와서 사 먹는 것도 나쁘지 않을 듯했다.

세상에서 제일 행복한 사람이 된 아몬을 확인하고 뒷정리를 했다. 정리를 끝내고 나니 이제 무엇을 할지가 걱정이었다.

이왕 나온 김에 맛있는 음식도 많이 먹고, 재미있는 구경도 많이 하고, 추억도 잔뜩 쌓고 싶은 터라 또 무엇을 먹고 즐기며 축제를 즐길지 고심하던 엘로라는 황가의 무덤이 일반인에게도 개방된다는 사실을 떠올렸다.

오늘 외출에는 여러 이유가 있지만 그중 하나는 아몬과 건국 왕, 케르단의 무덤을 방문하는 것이었다. 평소에는 일반인의 출입을 엄격히 금하지만 건국제에는 지난 황실의 영예를 공개적으로 알리기 위함인지 누구든 보러 갈 수 있었다.

실제 살아 있는 케르단과는 만나지 못하더라도 이런 식으로나마 아몬을 달래 주고 싶었다.

"오늘 일반인에게도 황가의 무덤을 개방하고 있어. 가 볼래?"

'황가의 무덤'이라는 말에 아몬이 흠칫했다.

그것이 긍정적인 반응인지 부정적인 반응인지 감을 잡지 못한 엘로라는 말을 이었다.

"건국 왕의 무덤도 있을 거야."

"……아니, 괜찮아. 그보다 저거 먹고 싶어!"

고개를 저은 아몬이 빠르게 말을 돌렸다. 그녀의 손가락은 솜사탕을 향하고 있었다.

케르단의 무덤을 보게 하는 건 아직 이르다는 걸 깨달은 엘로라는 마치 그런 제안을 한 적이 없었던 것처럼 다시 얘기를 꺼내지 않고 아몬의 요구를 들어주었다.

벤치에서 일어난 세 사람은 솜사탕을 파는 곳을 찾아 돌아다녔다. 솜사탕을 들고 있는 사람에게 묻고 물어 얼굴만 한 솜사탕을 파는 곳을 찾아낼 수 있었다.

제법 커다란 솜사탕 세 개를 사서 먹으려고 하니 아몬이 불쑥 튀어나와 이것보다 더 크게 만들 수 있냐고 물어봤다.

가능하다는 대답에 함박웃음을 지은 그녀는 세 배로 큰 솜사탕을 부탁했다. 제아무리 입에 넣으면 살살 녹는 솜사탕이라지만 체구도 작은 손님이 특대 사이즈를 주문하자 상인은 놀란 표정을 지었다. 게다가 다 먹을 수 있을 거라는 확신에 찬 저 언행!

조금 전 아몬의 디저트 흡입 쇼를 보지 못한 사람의 입장으로서는 손님이 너무 욕심내는 것 아닌가 하는 생각이 들 수 있었다.

"돈만 낸다면 만들 수야 있지만, 다 먹을 수 있겠어요?"

조심스러운 물음에 아몬이 혀를 쯧쯧 찼다. 마치 너무나 당연한 사실을 확인하고 있다는 얼굴이었다.

"그것만큼 세상에서 제일 어리석은 질문은 없어. 솜사탕 먹고 싶어. 어서 만들어 줘!"

아몬의 재촉에 결국 솜사탕은 기존보다 서너 배 정도 큰 크기로 만들어졌다. 솜사탕을 들고 있으면 아몬의 얼굴이 보이지 않는 건 기본이었다.

아몬이 솜사탕을 드는 게 아니라 솜사탕이 아몬을 들고 있는 게 아닐까 싶을 정도로 커다란 존재감이었다.

"만족스러워?"

"응! 너무 좋아!"

함박웃음을 지은 아몬이 앙 하고 솜사탕을 한입 베어 물었다. 한입 먹어서는 사라진 티도 나지 않았다.

마주 보며 미소를 지어 준 엘로라는 아몬이 좋아하니 됐다고 생각하며 그녀가 먹고 싶다고 하는 음식 위주로 가게를 돌아다녔다.

위장은 정식을 먹을 때와 디저트를 먹을 때를 구분 지어 사용한다는 이야기가 있다. 엘로라만 해도 디저트 배가 따로 있다고 생각하는 사람이었다. 그러니 세 명이서 몰려다니면서 다양한 음식을 먹는 건 그다지 무리가 되지 않는 일이었다. 단지 아몬이 평소보다 폭식을 하는 듯해 걱정이 될 뿐이었다.

조금 더 먹으면 몰라도 평소보다 배로 먹어 대니 걱정을 안 하고 싶어도 마음대로 되지 않았다.

아몬의 식욕은 어딜 가나 많은 이를 놀라게 하여 자주 주목받았다. 정작 본인은 기뻐하니 괜찮냐고 물어보는 것도 웃긴 일이었다.

그동안 먹는 양을 숨겼다거나 축제이기 때문에 흥이 나서 식욕이 늘었다기보다는 스트레스를 먹는 걸로 푸는 성격이구나 싶었다.

본인이 먹는 걸 고통스러워하면 말리겠으나 한계가 없는 듯이 기쁘게 먹고 있으니 말리지는 않았다. 하고 싶은 대로 내버려 둬야 할 때가 있는 법이었다.

함께 먹고, 돌아다니고, 먹고, 돌아다니고를 반복하다 보니 어느덧 해가 뉘엿뉘엿 지고 어둠이 내렸다. 황혼이 드리울 때부터 주위에서는 등불을 나누어 주었다. 건국제의 주요 행사라고 할 수 있는 등불 띄우기를 준비하는 과정이었다.

당연히 엘로라와 히나, 그리고 아몬의 손에도 등불이 하나씩 쥐어졌다. 건국제의 마지막을 장식하는 큰 행사이니만큼 주위에는 등불을 들고 있지 않은 사람을 찾기 힘들었다. 등불을 들고 있지 않은 게 더 이상하게 보일 정도였다.

"지금 하늘로 보내 주면 안 돼?"

"아직 안 돼. 조금만 더 기다려 봐."

"하늘을 둥둥 떠다니는 걸 어서 보고 싶어."

건국제를 처음 맞이하는 아몬이 등불을 어서 띄우고 싶은지 옆에서 재촉했다. 하지만 보고 싶다 하더라도 바로 볼 수 있는 게 아니었다.

국민과 제국의 안녕을 빌며 아무런 탈이 없이 건국제가 끝났음을 축하하는 연설이 끝나고 황제가 먼저 등불을 띄워야 다른 이들이 등불을 띄울 수 있었다.

모두 이를 알았기 때문에 제 몸집만 한 등불을 든 어린아이 또한 밤이 되자 몹시 흥분된 표정을 지었지만 부모에게 칭얼대지는 않았다. 그저 목이 빠져라 하늘만 쳐다보았다. 언제든 등불을 놓을 자세를 취한 채로.

인파에 섞인 엘로라 일행 또한 잠시 멈춰 서서 시발점이 될 작은 불빛 하나를 기다렸다. 일반적으로 정각이 되면 황제가 자신의 등불을 띄웠기 때문에 엘로라의 시선은 자연스럽게 시계탑으로 향했다.

'내일은 시계탑에 올라가서 등불 띄우는 걸 구경하자.'

라하트의 목소리가 머릿속을 울렸다. 실재가 아니었으나 마치 바로 옆에서 들리는 것처럼 생생했다.

'가장 높은 곳에서 구경하는 등불 날리기만큼 아름다운 광경은 없지.'

느릿하게 두 눈을 깜빡였다.

그런 대화를 나눴었다.

수락한 적도 없으니 지키지 않는다 하여도 상관없는 약속이었다. 아니, 약속이라고 하기에도 너무 일방적이었다. 그러니 무시하면 됐다.

그렇다. 무시하고 잊어버리면 되는 일이었다.

그럼에도 시선을 뗄 수 없는 이유는, 보이지 않지만 지금 저곳에 라하트가 있을 거라는 걸 알기 때문이었다. 그라면 기다리고 있을 것이었다. 상대가 오지 않음을 알면서도.

숨이 턱 하고 막혔다. 아몬의 문제로 인해 뒤편으로 미뤄두었던 라하트와의 문제들이 하나둘씩 수면 위로 떠올랐다. 잠시 잊고 싶었던 것들이었다.

엘로라가 라하트에 대한 생각으로 인해 시계탑에서 시선을 놓지 못하고 있을 때 까만 하늘에 밝은 빛이 솟아올랐다.

그것을 시작으로 사람들이 들고 있던 등불을 놓아주었다. 아몬과 히나 또한 기쁨을 감추지 못한 채 등불을 띄웠다.

벌어진 입술이 닫히지 않을 정도로 아름다운 광경이었다.

이 순간만큼은 모두가 하늘을 올려다보고 있었다.

수많은 이들의 소원을 담은 등불의 행진이었다.

시야를 가리는 빛으로 인해 엘로라 또한 뒤늦게 잡고 있던 등불을 놓았다. 그러나 남들처럼 떠나는 등불을 지켜보지 않았다. 여전히 라하트가 있을 거라 확신하는 시계탑을 향한 채였다.

앞으로 어떻게 해야 할지, 어떻게 되는 건지 예측되지 않았다.

약속, 고백, 발각.

그 무엇 하나 어디서부터 손을 대야 할지 엄두가 나지 않는 것뿐이었다.

아히발트의 고백에 대하여 아몬에게 차분하게 조언해 주었지만 라하트에게 받은 고백 하나 대답해 주지 못하고 있었다. 혼란스러운 아몬의 중심을 잡아 주기 위해 노력했지만 제일 혼란스러운 건 엘로라, 본인이었다.

차라리 농담 삼아 한 고백이었더라면 엘로라 또한 가볍게 넘어갔을 터였다. 얼굴을 들킨 것에 관해서만 어떻게 얼버무릴지 고민하고 있었을 거다. 그것 또한 큰 문제지만 큰 문제가 하나인 것과 두 개인 건 달랐다.

엘로라는 알았다.

라하트가 진심이라는 것을.

그 눈빛이 거짓일 리 없었다.

진심 어린 고백을 받은 것도 황당한데 그런 상태에서 그토록 숨겼던 얼굴을 들켰으니 라하트와 마주하게 된다면 무어라 해야 할지 첫마디도 떠오르지 않았다.

완벽한 어둠이었다.

축제 동안 이혼 후 얻을 수 있는 자유를 위해 아히발트가 결혼을 마음먹도록 이것저것 시도해 보려고 했건만 짚어보자면 정작 무엇 하나 이룬 것이 없었다.

아히발트는 사랑을 발견했지만 이루어질 수 없는 사랑이었다. 그리고 이혼하고자 하는 상대는 좋아한다고 고백했다.

이래서야 빠른 이혼이 가능할지부터가 미지수였다.

항상 원하는 것을 쟁취하기 위해 노력하는 엘로라였다. 노력하면 노력한 만큼 결실을 맺었다. 그녀의 인생에 있어 이토록 노력에 대한 결과가 돌아오지 않은 적이 없었다.

꼬일 대로 꼬인 상황은 푸는 방법이 있는지 의심이 들었다.

벼랑 끝에 몰린 신세였다.

"예쁘다."

"매년 보는 광경이지만 정말 예뻐요."

감탄을 금치 못한 히나가 엘로라를 돌아보았다.

그리고 엘로라가 같은 곳을 보고 있지 않음을 뒤늦게 알 수 있었다.

"아가씨?"

머릿속이 복잡할 대로 복잡한 엘로라에게 들릴 리 만무한 부름이었다. 재차 불러도 돌아오는 대답은 없었다.

낌새는 눈치챘지만 더욱 심각해진 엘로라의 상태에 히나는 걱정스러운 기색을 비쳤다. 하지만 그 시선조차 느끼지 못한 엘로라는 빛을 받으며 오도카니 서 하염없이 시계탑만 보았다.

한참을.

12. Dear My Fairy

12. Dear My Fairy

축제의 열기는 하룻밤 만에 사그라졌다. 그렇다고 하여 고뇌마저 사라진 건 아니었다.

답이 없는 문제를 마주한 엘로라는 최대한 평소처럼 행동하도록 애썼다. 하지만 신경을 쓰면 더욱 부자연스러워지기 마련이었다. 눈을 깜빡이거나 숨을 쉬는 방법을 의식하기 시작하면 언제 눈을 깜빡여야 할지 모르게 되고 호흡은 거칠어지는 것처럼.

그나마 엘로라에게 다행인 것은 다년간 연기해 왔다는 것이었다. 그녀의 인생에서 많은 부분이 타인의 삶을 흉내 낸 채 지내 온 시간이었다. 그 덕에 평소와 같은 아침을 맞이할 수 있었다.

오늘은 최근의 다른 날에 비하면 굉장히 여유로웠다. 당장 어제와 비교해 봐도 그러했다. 축제가 끝남으로 인해 엘로라의 하루 일정에는 정원 꾸미기와 그 외 실내에서 할 수 있는 취미 생활밖에 없었다.

차라리 당장 급한 일이 있어서 바빴더라면 잠깐 라하트에 대한 문제를 잊을 수 있을 것이었다. 그러나 아침부터 작은 라하트가 머릿속에서 증식하는 듯해 식사가 끝나자마자 아몬을 끌고 정원에 갔다.

머릿속이 복잡할 때는 단순한 노동을 하는 것만큼 제격인 일이 없었다. 문득문득 라하트가 떠오르긴 했으나 아무것도 하지 않고 있을 때보다는 덜했다.

일손이 늘어나니 속도가 붙었다. 누가 옆에서 말을 걸어도 듣지 못할 정도로 집중했다. 어찌나 열심히 일했는지 전생에 정원을 가꾸지 못해 한이라도 있는 사람처럼 보였다. 처음에는 그러려니 하던 아몬도 걱정스레 쳐다볼 정도였다.

정말 무서울 만큼 몰두하고 있었다.

아몬의 시선을 뒤로한 엘로라는 해가 높이 떠, 햇살이 따가워질 때쯤에야 실내로 들어왔다.

몸은 지쳤지만, 마음만큼은 산뜻했다.

땀이 흘러 엉망진창이 된 몸을 가볍게 씻고 돌아왔다. 그러고 나니 또 라하트에 대한 문제가 해일처럼 덮쳐 왔다. 딱히 이렇다 할 답은 나오지 않는데 머리만 아파 오는 터라 의자에 앉은 엘로라는 안절부절못하다가 우선 하나가

갖다준 오늘 자 신문을 팔랑팔랑 넘겼다.

입궁 전에는 굳이 신문을 읽지 않더라도 귀동냥으로 최근 트렌드나 화제를 알아내고는 했지만, 황궁에 있는 시간이 길어지면 길어질수록 외부와 단절되는 건 불가피한 일이었다. 이렇게라도 어떤 일이 볼흐라스를 들썩이게 했는지 관심을 둘 필요가 있었다.

신문에서는 주로 축제 날 벌어졌던 일에 관해 다루고 있었다. 사람들의 호기심을 돋울 자극적인 문구와 절묘한 타이밍에 찍은 흑백의 사진이 줄을 지었다.

가벼운 마음으로 신문을 읽던 엘로라는 문득 시선을 강탈하는 한 단어를 발견할 수 있었다.

시선이 한 지점에서 멈췄다. 혹 잘못 읽은 건가 싶어 여러 번 눈을 깜빡이고 다시 봤지만 변한 건 없었다. 활자는 처음 봤던 그대로 박혀 있었다.

[탕아의 귀환! 라하트 황자, 은밀한 밀회를 즐기다!]

'라하트'의 '라' 자만 봐도 반응하게 되는데 '라하트'라는 이름이 온전히 찍힌 활자는 매우 강렬하게 다가왔다. 게다가 은밀한 밀회라니. 대체 무슨 일이 일어나고 있는지 당황스러웠다.

마른침을 삼킨 엘로라는 차분히 마음을 가다듬고 신문을 읽기 시작했다.

기사 내용은 이러했다. 볼흐라스의 대표 추녀와의 결혼으로 인해 온갖 가십지를 휩쓸었던 라하트가 한동안 여자를 만나지 않더니 바람둥이 기질이 재발했는지 축제 기간 동안 한 여성과 밀회를 즐겼다는 것이었다.

기술한 사람은 라하트의 행동이 너무 당연한 일이라는 반응이었다. 그도 그럴 것이 라하트는 볼흐라스의 대표적인 탕아였다. 결혼 후 잠깐이라도 여자를 만나지 않은 것이 더 이상하다고 했다.

라하트에 대한 대외적 인식이 어느 정도인지 다시금 느낄 수 있는 대목이었다.

굉장히 착잡한 기분으로 기사를 끝까지 읽은 엘로라의 시선이 흑백 사진으로 옮겨졌다. 그곳에는 라하트가 한 여성과 함께 있는 사진이 실려 있었다. 동행인이 가면과 모자를 쓰고 있었으나 체구나 차림새를 보아 단번에 여성임을 알 수 있었다.

라하트는 그렇다 쳐도 옆에 있는 여성은 너무나 익숙한 외양이었다.

흑백의 사진이 엘로라의 눈에는 색이 덧입혀진 채 보였다. 저 모자가, 저 가면이, 저 원피스가 어떤 색상인지 정확히 짚어 낼 자신이 있었다.

당장 드레스 룸에서 똑같은 디자인의 물건을 꺼내 올 수도 있었다. 잃어버린 가면을 제외하고.

기술된 것처럼 라하트의 바람기가 재발한 게 아니었다.

그가 만난 사람은 다름 아닌 엘로라였다.

라하트가 해당 지면을 읽게 된다면 제법 억울해할 일이었다.

혹 다른 사진이 더 있을까 봐 신문을 끝까지 살핀 엘로라는 다시 라하트에 관한 기사가 실린 페이지로 넘어왔다.

한참 거리를 돌아다닐 때만 사진을 찍은 듯, 추가로 다른 사진을 발견할 수 없었다. 신문 내에서도 엘로라를 '묘령의 여인'이라고만 지칭해 놓았다. 추녀 엘로라와 똑 닮은 은발이니 뭐니 하는 수식어는 붙지 않았다.

분수대까지 따라오지 않아 가면을 벗은 얼굴은 보지 못한 듯했다.

운이 좋았다. 신문사에서 한 건 잡기 위해 미행했지만 결정적인 순간은 놓친 것 하며, 행진에 이목이 집중되어 제법 요란하게 분수대에 엉덩방아를 찧었지만 지나가던 행인이 민낯을 보지 못한 것까지. 불행 중 다행이라 할 수 있었다.

의도치 않게 비밀이 들통나는 건 라하트 하나만으로 충분했다.

그 생각 하나만으로도 머리가 터질 것 같은데 대중에게까지 알려졌다면 이번 생은 끝이라고 한탄했을 터였다.

엘로라는 눈싸움하듯 사진 속 라하트를 노려보았다. 그런다 하여 사진이 움직이는 것도 아닌데 말이다.

앞모습이 깔끔하게 찍혀 있었다. 즐거워 보이는 라하트와 가면을 쓴 여인. 다가올 재앙도 모른 채 동행하는 모습이 박제돼 있었다.

마음 같아서는 민낯이 드러나기 전의, 아니 고백을 받기 전의 과거로 돌아가 라하트를 뿌리치고 아무도 모르는 곳에 숨어 있고 싶었다. 그랬더라면 이렇게 골머리를 앓고 있지 않을 거였다.

하지만 이루어질 수 없는 바람이었다.

깊은 한숨을 내쉰 엘로라는 턱을 괸 채 신문을 내려다보았다. 가만히 보고 있자니 그때의 기억이 새록새록 떠올랐다. 고백을 받기 전까지만 해도 그렇게 나쁘지는 않았다.

최악의 상황에 비교하면 무엇이 안 나쁘겠냐만 객관적으로 보아도 그러했다. 축제를 즐기고 그대로 헤어졌더라면 좋은 추억으로 남았을 거였다.

문제는 고백을 기점으로 모든 게 뒤틀렸다는 거다.

어찌 해결할 엄두가 나지 않는 일이 한꺼번에 연달아 터졌다. 꼬박 하룻밤을 고민해도 마땅한 답은 나오지 않았다.

오늘 당장 죽지 않는 이상 가까운 시일 내에 라하트를 보긴 봐야 하는데 어떤 표정을 지어야 할지부터가 문제였다.

표정 관리할 자신이 없었다. 되도록 뻔뻔하게 나가야 할 것 같은데 라하트의 얼굴을 보자마자 멍하니 있을 미래가 훤히 보였다.

라하트를 만난 후 그로 인해 당황하고 난처한 일이 많았는데 하루하루 그 기록을 경신하여 정점을 찍은 기분이었다. 라하트의 앞에서 연기하는 것이 점점 더 어려워지고 있었다.

고백했을 때 라하트의 얼굴이 눈앞에 어른거렸다.

진심이었다. 일말의 거짓이나 장난기가 담기지 않은 그 얼굴이 엘로라를 짓누르고 있었다.

누군가 강한 악력으로 심장을 움켜쥐고 있는 것처럼 답답했다. 상대의 진심을 들여다보게 되었는데 마음이 편할 리 없었다.

일단 고백에 대한 거절은 당연했다.

이건 마음이 편치 않은 것과 상관없었다.

엘로라는 라하트를 사랑하지 않았다.

라하트가 어떤 계기로 그런 감정을 갖게 되었는지 몰라도 엘로라는 같은 감정을 품고 있지 않았다. 라하트와의 이혼만을 손꼽아 기다리는 현재였다.

존재하지도 않던 사랑이라는 것이 고백을 받았다고 하여 단번에 싹틀 리 없었다.

고백을 받았다는 사실은 다시 생각해도 너무나 당황스러웠다. 몇 번이나 곱씹어 봐도 당시 충격이 고스란히 남아 있었다.

언제, 어떤 식으로 좋아하게 되었는지 짐작도 가지 않았다. 매번 못생긴 얼굴로 나가서 좋은 말 한 번 하지 않는데 짐작이 갈 리 없었다.

추녀인 데다 성격이 더러운 사람을 좋아하지 않는 이상 맨정신으로 절대 고백할 수 없었다.

라하트가 원래 그런 취향이었다고 생각하기에는 앞뒤가 맞지 않았다. 좋아했다면 처음부터 좋아했을 것이다. 타인을 이용해 파혼할 생각 따위는 하지 않았을 거였다.

라하트는 못생긴 얼굴이 아무렇지도 않은 걸까?

엘로라는 화장하지 않은 얼굴을 손가락으로 더듬었다.

굳이 거울을 보지 않더라도 예쁘장하게 생긴 얼굴이라는 걸 알았다. 아름다움에 절대적인 기준선은 없었으나 적어도 어디 가서 얼굴로 욕먹지 않을 생김새였다.

이 얼굴로 최악의 성격을 연기했더라면 라하트가 얼굴에 넘어가서 사랑 고백을 했다고 지레짐작할 수 있었을 거다. 그러나 아니었다.

엘로라는 최악의 최악을 연기했다. 애초에 사랑받지 않기 위해 외모도 성격도 모두 최악인 사람을 만들어 냈는데 라하트는 이를 모두 무시하고 고백했다.

자연스레 항상 진실을 꿰뚫어 보는 듯한 보라색 눈동자가 떠올랐다. 그 누구도 제대로 보지 못했던 얼굴을 매번 또렷이 마주했던 눈이었다.

단 한 번도 라하트 쪽에서 먼저 피한 적이 없었다.

신혼여행을 갔을 때야 운이 좋아서 얼굴이 드러나도 어영부영 넘어갔으나 이번에는 바다 요정이라는 말도 안 되는 존재를 들먹일 수 없었다.

얼굴이 드러나는 순간 라하트의 뒷목이라도 내리쳤어야 했을까.

주먹을 쥐었다가 폈다. 한 가지는 확실했다. 이번에는 뒷목을 내리쳤다 하더라도 진실을 숨길 수 없었다. 그때의 특수한 상황이 이번에는 적용되지 않았다.

가면이 벗겨짐과 동시에 덮어 두었던 위태로운 거짓 또한 벗겨졌다.

가면을 벗기자마자 알아차렸을 거다. '바다 요정'이라고 칭했던 인물과 엘로라가 동일 인물이라는 사실을. 꽉꽉 숨긴 비밀이었건만 한순간에 밝혀졌다. 최악이었다.

그동안 필사적으로 지켜 왔던 진실이니만큼 사실대로 말하기는 싫고, 변명을 하자니 정황상 어떤 변명도 통하지 않을 게 뻔했다.

신문에 박힌 라하트의 사진을 열정적으로 노려보며 고민하고 있는데 지나가던 히나가 어깨 너머, 엘로라의 시선이 꽂힌 곳을 힐끔 쳐다보았다. 그 끝에 라하트와 가면을 쓴 여성이 나란히 서 있는 사진이 있음을 빠르게 훑은 히나는 상황 파악을 마치고 조심스레 물음을 던졌다.

"사진 속 인물, 아가씨 맞죠?"

"응, 바로 알아보네."

"다른 누구도 아닌 아가씨잖아요. 알아봐야죠."

히나의 목소리에는 단번에 맞혔다는 것에 대한 자부심이 듬뿍 담겨져 있었다. 우쭐해하는 히나가 귀여워 살포시 미소가 지어졌다.

"사진이 찍혀서 그러신 거예요? 아까부터 계속 표정이

안 좋으시네요."

"아, 사진 찍힌 건 괜찮아. 머리카락 한 올 찍히지 않은 걸. 크게 걱정할 필요 없을 것 같아."

"다행이네요."

빠르게 표정을 갈무리한 엘로라가 그제야 신문에서 시선을 떼어 냈다. 구구절절하게 사연을 털어놓아서 굳이 히나에게 짐을 지워 줄 필요는 없었다. 스스로 해결해야 할 일이기 때문에 진실을 숨기도록 애썼다.

하나, 이미 비에 젖은 생쥐 꼴로 귀가한 걸 들켰다. 황궁에 도착했을 때는 누가 보아도 다급히 도망치는 꼴이었다. 거친 숨 하며 엉망이 된 복장과 불안한 눈빛. 그리고 잃어버린 가면.

오랜 시간 함께해 온 히나가 이런 선명한 변화를 둔하게 받아들일 리 없었다.

분명 무슨 일이 있었던 것 같은데 엘로라가 숨기려고만 하니 심상치 않음을 느낀 히나는 쉬이 넘어가지 않았다. 어제만 해도 고민 끝에 물어보려다가 타이밍이 좋지 않았던 적이 있었다.

엘로라가 정말 얘기하기 싫다고 하면 어쩔 수 없지만 혼자서 모든 일을 감당하려는 거라면 조금이나마 도움이 되고 싶었다.

"이날 무슨 일 있으셨죠?"

"있었지. 나도 모르는 사이에 사진이 찍혔잖아. 그나마 사진 찍힌 날이 건국제라서 다행이야."

"그것 말고요. 비 맞은 채로 혼자 돌아오셨잖아요."

"우산이 없었어."

한 치의 망설임도 없이 엘로라가 빙긋 미소를 지으며 대꾸했다. 작위적인 미소였다.

"밤에 올 줄 알았는데 돌아오는 길에 내렸으니 운이 없었던 거지."

운이 없었다.

그날의 일은 이 한마디로 정의 내릴 수 있었다.

하필 뒤에 분수대가 있어서 넘어졌고, 잔뜩 젖었으며, 제대로 된 사고를 할 수 없을 정도로 당황한 채였기 때문에 가면을 벗기는 라하트의 손길을 뿌리치지 못했다.

운이 없었기 때문에 일어난 일들이었다.

선명하게 떠오르는 그날의 일을 반추하자면 퍽 우울해지지만 히나 앞에서 우울한 꼴을 보여 줄 수 없었기 때문에 잠시 라하트에 대한 생각을 털어 내고 깔끔하게 보고 있던 신문을 접었다.

"오후에는 무엇을 할까. 음, 퍼즐을 맞추거나 오랜만에 직접 쿠키를 굽는 것도 괜찮겠지. 히나가 생각하기에는 무엇을 해야 유익하게 시간을 보낼 수 있을 것 같아?"

"지금 아가씨께서 하고 싶은 거라면 그 어떤 것도 괜찮아요."

"그러면 쿠키를 만들까? 오랜만에 만드는 거라 실력은

나도 장담하지 못하겠지만 가벼운 간식거리는 될 거야."

자연스럽게 대화 주제가 바뀌었다. 히나의 의심을 완전히 피할 수는 없어도 이런 식으로나마 회피하는 게 옳다고 생각했다.

말을 꺼내지 않겠다는 의지가 강건한 엘로라에게 따져가면서까지 진실을 털어놓게 하고 싶지 않은 히나는 그 회피를 받아 주었다.

"아 참, 아가씨. 에곤 도련님께서 직접 만나 뵙고 싶다고 얘기하셨어요."

"오라버니가?"

"예. 오늘 저녁, 저번에 만났던 골목에서 기다리고 있으시겠대요."

"그 외에 별다른 말은 없었어?"

"예."

"오늘 저녁이라니. 무슨 일이라도 생겼나 봐."

히나를 통해 말을 전하면 될 것을 굳이 만나자고 하는 걸 보아하니 히나가 알아서는 안 될 일이 있다는 것 같았다. 혹 아히발트 황태자 문제로 자세한 얘기를 나누고 싶은 걸까?

그냥 얼굴 한 번 보고 싶어서 부를 사람이 아니었기 때문에 고개를 갸웃거린 엘로라가 자리에서 일어났다.

"오라버니 것도 만들어야겠네."

그렇게 중얼거린 엘로라는 최대한 느릿한 걸음으로 방을 빠져나갔다. 아무 일도 없었던 것처럼 보이기 위해.

오랜만에 구운 쿠키는 제법 맛있게 구워졌다. 처음에는 손을 풀 겸, 간단히 만들려고 했는데 에곤뿐만 아니라 다른 가족들 몫까지 만들어 줘야 한다는 생각이 들어 처음 예상한 양의 배로 만들었다. 엄청난 양의 쿠키에 기뻐한 건 아몬이었다.

가족들 몫을 예쁘게 포장한 엘로라는 맛있게 먹어 주는 아몬을 보고 흡족한 미소를 지었다. 만든 음식을 맛있게 먹어 주는 사람이 있다는 건 행복한 일이었다.

칭찬을 아끼지 않으며 쿠키를 하나씩 집어 먹던 아몬은 결국 엘로라가 외출 준비를 하는 동안 그 많은 양을 다 먹었다. 아몬이 잘 먹는 편이긴 했지만, 확실히 어제를 기점으로 먹는 양이 늘었다는 걸 다시금 느끼는 순간이었다.

돌아오는 길에 간식거리를 더 사 와야겠다고 마음먹은 엘로라는 모든 준비를 마치고 비밀 통로를 열었다. 배웅하려는 히나, 아몬과 함께였다.

"우와, 엘로라. 너도 이 길을 쓰는구나."

오랜 세월 동안 숨겨져 있던 문이 열리자 아몬이 감탄했다. 그것은 비밀 통로의 존재에 대한 감탄이 아니었다. 의문을 느낀 엘로라가 아몬을 보며 되물었다.

"'너도'라니?"

"몰래 나가야 하는 일이 있으면 클라우디아가 이 길을 이용했어. 늦게까지 돌아오지 않는 날이면 주위에서 난리가 났지. 클라우디아와 케르단 외에는 나만이 아는 길이었거든."

그날을 떠올리듯, 아몬이 행복한 표정을 지으며 비밀 통로 내부를 응시했다.

"오로지 우리만 알았어. 케르단이 클라우디아를 위해 만든 길이었으니까."

또다. 이럴 때마다 엘로라는 아몬과의 거리감을 느끼게 되었다. 아몬은 함께 있지만 다른 곳에 있는 사람이었다. 좁혀질 수 없는 거리가 존재하고 있었다.

"곳곳에 이런 길이 숨겨져 있어."

"그래, 맞아."

"다른 길도 잘 있어? 나중에 확인할래."

"확인하는 건 괜찮아. 대신 저번에 말했듯이 혼자서 바깥에 나가면 안 돼. 길을 잃을 수도 있으니까."

"응! 꼭 지킬게."

눈을 반짝반짝 빛낸 아몬이 빠르게 고개를 끄덕였다. 저렇게 좋아하는데 과거의 흔적을 좇겠다는 아몬을 말릴 수 없었다. 애초에 말릴 만한 위치에 있는 것도 아니었다.

"조심해서 갔다 오세요."

"금방 갔다 올게."

잔뜩 들뜬 아몬과 그와 대조되게 차분한 히나를 뒤로하고 예쁘게 포장한 쿠키를 챙긴 엘로라는 비밀 통로를 통해 바깥으로 나갔다.

이제는 익숙한 길을 걸어가자 금방 약속 장소에 도착한 엘로라는 미리 도착한 에곤을 만날 수 있었다. 어둠에 몸을 숨기고 있던 그는 엘로라의 기척이 느껴지자 모습을 드러냈다.

"오라버니!"

라엘이나 요제프가 있을지도 모른다는 예상과 다르게 에곤은 혼자였다. 보통 둘이서 얘기할 일이 있어도 라엘이나 요제프가 따라오고는 했기 때문에 의외였다. 하지만 의문을 표하기보다는 에곤에 대한 반가움이 먼저였기에 기쁜 마음으로 성큼 다가갔다.

"많이 기다렸어?"

"아니."

무뚝뚝한 표정으로 있던 에곤이 살며시 입꼬리를 올렸다. 엘로라를 볼 때부터 표정이 풀렸던 그였다.

"못 본 동안 별다른 일은 없었겠지."

단순한 안부 인사일 뿐인데 찔리는 게 한두 가지가 아닌 터라 속으로 뜨끔했다. 그러나 표정 관리에 익숙한 엘로라는 속내를 겉으로 드러내지 않고 빙긋 미소를 지어 보였다.

"응, 없었어."

단호하게 부정하고는 혹 눈치 빠른 에곤이 이상한 낌새를 챌까 봐 서둘러 말을 덧붙였다.

"황궁에 있다는 걸 제외하면 작년이랑 비슷했어."

"그렇다니 다행이군."

"오라버니는 축제 때 바빴지? 큰 행사가 끝났으니 이제 한숨 돌릴 수 있겠네."

"그러지 못할지도."

"어째서?"

황실은 마른걸레를 억지로 짜내듯이 귀족을 착즙하는 악덕한 곳이 아니었다. 밤새워서 준비한 큰 행사를 무사히 끝마치고 나면 다음 행사를 위해서라도 휴식 기간을 주었다. 안 그래도 다음에 있을 행사는 3년마다 한 번씩 개최되는 무투 대회였다.

금세 바빠질 텐데 쉬지 못할 수도 있다니. 필시 무슨 일이 생긴 거였다. 그것도 일반적이지 않은 큰일이.

엘로라는 본능적으로 오늘 에곤이 자신을 부른 이유와 연관이 있음을 알아챌 수 있었다.

"대체 무슨 일이야? 오늘 만나서 얘기할 이야기랑 관련이 있는 거지?"

쏟아지는 엘로라의 물음에 미미하게 인상을 찌푸린 에곤이 다소 힘겹게 말을 꺼냈다.

"아히발트가 혼인 의사를 내비쳤다. 최근에 들어온 제의도 있고 하니 동맹을 위해 타국의 여인을 신부로 맞이하겠지."

"……뭐?"

너무 당황스러워 순간 말문이 막혔다.

믿어지지 않았다. 그 아히발트가 혼인하겠다고 했다고? 타인이 등을 떠밀었기 때문이 아닌 본인의 의지로? 에곤이 농담할 리가 없는데 꼭 농담 같은 내용이었다.

놀라움을 금치 못한 엘로라가 재차 확인 과정을 거쳤다.

"정말이야?"

한 치의 거짓이라고는 담기지 않은 진지한 표정으로 에곤이 고개를 끄덕였다. 그 또한 현재 상황이 썩 믿어지지 않는 듯했지만 직접 보고 들은 것이 있어 납득할 수밖에 없는 듯했다.

"그토록 미루던 일이었는데 최대한 빨리하고 싶다고 재촉까지 했다더군."

본인 입으로 혼인하겠다고 한 것도 놀라운데 재촉까지 했다니. 내일은 해가 서쪽에서 뜰지도 몰랐다.

충격으로 인해 두 눈을 동그랗게 뜬 엘로라는 하룻밤 사이에 아히발트가 짐작도 하지 못할 심경 변화를 느꼈음을 알 수 있었다.

"공개적인 발표가 있기 전까지 이 얘기는 너만 알도록

해. 라엘이나 요제프에게도 비밀이다."

"알겠어."

에곤이 순순히 고개를 끄덕이는 엘로라를 가만히 내려다보았다. 그 시선을 피하지 않고 얼굴로 마주하고 있으니 에곤이 먼저 입을 열었다.

"이번 일은 네가 손을 쓴 것이지?"

"음, 글쎄."

에곤은 아히발트의 결정에 엘로라가 지대한 영향을 끼쳤다고 확신하고 있었다. 하지만 그녀는 애매한 대답을 해줄 수밖에 없었다.

오라버니들의 도움을 받아 이런저런 계획은 짰지만 전부 무산되었다. 실제로 엘로라가 한 일은 아무것도 없었다. 결과만 보면 의도했던 방향으로 흘러갔으나 엘로라가 짠 판은 아니었다.

에곤은 엘로라가 몇 수 앞서가고 있다고 생각했다. 하지만 그녀 또한 예상치 못한 사건의 연속이었다. 무엇 하나 예상대로 진행되는 것이 없었다.

에곤이 아히발트의 결심을 알려 주지 않았더라면 공개적인 발표가 있기 전까지 이혼은 물 건너간 일일지도 모른다며 한탄하고 있었을지도 몰랐다. 실연당한 사람이 하루만에 재혼을 결심할 거라고 그 누가 생각하겠는가. 게다가 상대는 순애보로 소문난 남자였다.

"어떤 마법을 부렸는지는 모르겠다만 홀로 너무 무리한

건 아니었으면 좋겠다."

"걱정하지 않아도 돼. 난 마법사가 아니잖아."

"그렇기에 더욱 걱정이지."

한숨을 내쉰 에곤이 엘로라의 머리를 쓰다듬어 주었다. 다정한 손길이었다.

엘로라는 가발이 흐트러지지 않도록 조심스럽게 쓰다듬는 에곤을 뿌리치지 않고 가만히 있었다.

"원하는 대로 되었는데 이혼은 언제 하는 것이지?"

"당장은 못해."

"하긴. 쉬이 무를 수도 없는 것일 테니."

"그렇지. 시간이 조금 더 필요할 거야."

"내가 너무 성급하게 굴었군."

아히발트가 결혼을 결심했다 하여 모든 것이 해결된 게 아니었다. 먼저 결혼 상대를 물색해야 하고 그다음은 결혼식 준비를 해야 했다. 엘로라의 경우에는 정말 소규모로 진행한 터라 짧은 기간에 결혼식 준비를 마쳤지만 아히발트는 아니었다.

미래에 황제가 될 황태자인 만큼 아히발트의 결혼식은 무조건 최고의 규모로 진행될 것이었다. 그 준비만 하더라도 몇 달이 걸렸다.

그리고 결혼식 직후 이혼했으면 좋겠지만 기분 좋게 결혼식을 지켜본 황제와 황후가 곧바로 들리는 이혼 소식을 기꺼이 받아들일 리 없었다. 아히발트에게 후계 소식이 들릴 무렵 정도는 돼야 큰 반대 없이 이혼 절차를 밟을 수 있었다.

귀족이 아닌 평민으로 태어나, 단순히 남녀가 사랑하여 결혼했다가 마음이 멀어져 이혼했더라면 이 정도로 눈치를 보지 않아도 되겠지만 그것이 아니었다. 참으로 피곤한 이혼 수속이었다.

그 모든 과정이 아직 까마득한 미래처럼 느껴지지만 아히발트가 되도록 빠르게 결혼을 하고자 마음먹은 만큼 그렇게 머나먼 일은 아니었다.

적어도 기약 없는 기다림이 아니니 다행이라고 할 수 있었다.

"그리고 만난 김에 얘기를 꺼내자면 일전에 네가 부탁한 자료는 소실된 것이 많은 데다 황족에 관련된 것이라 보안상 황실의 일원만이 열람이 가능하다고 하더군. 혹 다른 방법으로 열람이 가능한지 알아보았지만 불가능했다."

클라우디아 왕녀에 관해 알아보기 위해 부탁한 건국 초기 자료를 말하는 거였다. 그 뒤로 다른 일도 많았고 에곤 또한 얘기가 없어서 잠시 잊고 있었다. 하지만 자료를 찾아내기 위해 시간이 오래 걸려서 그렇지 에곤은 전혀 잊지 않고 끈질기게 알아봐 주었다.

"전부 나의 실책이다."

"아니야, 오라버니가 얼마나 유능한지 세상 사람들이 다 아는걸. 신분 때문이라면 어쩔 수 없는……, 아. 황실의 일원이면 나도 포함되는 거지?"

"그렇지."

에곤이 떨떠름한 표정을 지었다. 그도 그럴 것이 라하트와의 결혼을 인정하고 싶지 않은 에곤에게 엘로라는 아직 아르미트 가문의 사람이었다.

"그렇다면 이제부터는 내가 직접 찾아 볼게."

"하지만……."

"이럴 때 쓰는 게 권력이잖아. 언젠가 잃을 지위인데 한 번쯤은 사적으로 써 줘야지."

"무서운 기세로군."

엄청난 포부였다. 단단히 마음먹은 엘로라를 보고 에곤이 살짝 입꼬리를 올렸다. 가만히 있어도 귀여운 동생인데 기껏 사적으로 쓰는 권력이 서가에 가는 거라니. 잔뜩 결심한 말투나 반짝이는 눈망울이 사랑스러웠다.

"바쁜 와중에 알아봐 줘서 고마워. 요즘 계속 오라버니에게 신세를 지게 되네."

"신세라니. 그런 표현 쓰지 않아도 된다. 그리고……."

느릿하게 말을 고르던 에곤이 고개를 숙여 엘로라와 눈높이를 맞췄다.

에곤의 회색 눈동자에 평소 알던 엘로라와 다르게 생긴 소년이 비쳐졌다. 전혀 처음 보는 얼굴이지만 마주한 사람이 자신의 동생이라는 걸 알고 있었기에 다정함을 가득 담아 바라보았다.

“가족 모두 네가 의지하는 걸 기껍게 여기니 부담 갖지 않았으면 한다. 세상에는 혼자서는 해결할 수 없는 일이 많아. 그러니 지금처럼 편하게 털어놨으면 하는 게 우리의 바람이라는 것만 알아다오.”

“……응, 알겠어.”

가만히 에곤의 말을 듣던 엘로라가 미소 지었다. 눈꼬리까지 휘어지는 예쁜 미소였다.

“아 참, 오라버니한테 줄 게 있어.”

“내게?”

엘로라가 주머니에서 쿠키를 꺼냈다. 혹 쿠키가 부서지지 않을까 싶어 매우 조심하며 온 덕에 쿠키는 제 모습을 온전히 보존하고 있었다. 속으로 안도의 한숨을 내쉰 엘로라는 정성스레 포장한 쿠키를 에곤에게 건네주었다.

“만드는 김에 오라버니들이랑 아버지 몫까지 만들었어. 유모가 만든 것에는 비할 수 없지만 먹을 만할 거야.”

“너의 정성을 타인의 것과 비교할 수 없지. 잘 먹으마. 아버지께서도 좋아하실 게다.”

“그렇게 말해 줘서 고마워.”

기쁨을 가득 담아 대답한 엘로라가 하늘을 올려다보았다. 몰래 나온 입장이었다. 늦은 시간까지 에곤과 함께 있을 수 없었다. 슬슬 돌아가야 할 때였다.

엘로라가 하늘을 보는 것만으로 이를 재빠르게 눈치챈 에곤이 나서서 헤어짐을 종용했다.

만날 때마다 느끼는 거지만 조금 더 같이 있고 싶다는 바람이 있었다. 아쉬움이 역력한 표정으로 인사한 엘로라가 먼저 자리를 뜨기 위해 걸음을 옮겼다.

몇 발자국 나아갔을까. 엘로라가 문득 뒤를 돌아보았다.

"오라버니."

줄곧 엘로라에게서 시선을 떼지 않고 있던 에곤이 갑작스러운 부름에 어리둥절해하면서 다정한 눈빛으로 쳐다보았다. 표정이 풀렸으나 기본적으로 차가운 인상이 남아 있었다.

타인 앞에 서면 차갑다 못해 바라보기만 해도 꽁꽁 얼어붙을 듯한 사람으로 변한다는 걸 알았다. 그런 에곤을 보면서 그가 가족을 얼마나 아끼는지 다시금 깨달은 엘로라는 배시시 웃으면서 말했다.

"정말 고마워."

거짓이라고는 한 톨도 담기지 않은 진심이었다.

너무 갑작스러워서 얼떨떨해하는 에곤에게 손을 흔든 엘로라는 등을 돌려 장난꾸러기처럼 달려갔다. 빠르게 벌어지는 엘로라가 시야에서 사라질 때까지도 에곤은 부동의 자세로 그 뒷모습을 바라보았다.

엘로라가 떠난 자리는 적막하기 그지없었다.

한참이 지난 후, 깊게 내려앉은 침묵 속에서 남몰래 한숨을 쉴 수밖에 없는 그였다.

엘로라가 궁에 돌아오자마자 가장 먼저 한 일은 황제에게 보낼 편지를 쓰는 것이었다. 에곤마저 두 손 두 발 다 들 정도의 철저한 보안을 자랑하는 만큼 황실의 일원이라는 지위를 내세운다 하여 자유롭게 입장할 수 있는 곳이 아니라는 걸 쉬이 예상할 수 있었다.

막무가내로 돌진해 봐야 괜히 소란만 생길 뿐이었다. 최대한 이목을 피하고 싶은 엘로라였기에 모든 결정권을 쥐고 있는 황제에게 연락하는 방법을 선택했다.

그 엘로라가 서가에 가기 위해 청하는 것부터가 충분히 논란의 소지가 있었지만, 아몬을 떠올리면 포기하고 싶지 않았다.

다행히 황제는 자료를 훼손하지 않는다는 전제하에 황실 서가의 출입을 허가했다. 뭣 모르는 여자가 소중한 자료를 제멋대로 만질까 봐 그런 전제 조건을 붙인 듯했다.

그는 엘로라의 갑작스러운 부탁이 당황스러우면서도 단순히 치기 어린 행동이라고 생각하는 것 같았다. 편지에도 그런 마음이 적나라하게 드러나 있었다. 황실 서가에 보관돼 있는 도서 대부분이 현재는 사장된 고대 언어로 집필되었기 때문이기도 했다.

어차피 읽을 수도 없을 텐데 차라리 따로 도서를 구입하는 게 어떠냐는 황제의 물음에 엘로라는 서가를 구경하는 김에 방문하고자 하는데 혹 불가할까 봐 먼저 여쭈어본다고 답장을 보냈다.

사심이라고는 전혀 담기지 않은 순수한 필체였다.

그것을 보고 황제는 읽지도 못할 글을 엘로라에게 보여준다 하여 문제가 생길 것 같지도 않다고 판단했다. 더불어 저번 만찬에서 라하트와 사이좋은 부부라는 오해를 풀지 않아 호감을 산 듯했다.

후계 생산에 눈이 먼 황제와 황후만의 오해였다.

서가 출입을 허락받기까지 제법 오랜 시간이 걸렸다. 편지도 생각보다 많이 주고받았다.

황제는 궁을 바꾸지 않더라도 전속 시녀를 두는 게 어떠냐는 제의도 했는데 무례하지 않은 선에서 거절하는 것으로 마무리를 지었다.

완곡히 거절하는데 여러 번 제의하는 것은 체면이 서지 않는 터라 황제도 순순히 물러서 주었다. 대신 원한다면 언제든 얘기해도 된다고 덧붙였다.

시간이 오래 걸렸다는 점과 황제에게 편지가 오는 날에는 답장을 쓰는 데에 종일 신경을 쏟았다는 것을 제외하면 의외로 순탄하게 진행됐다. 하지만 엘로라의 마음 한편에는 불안이 싹트고 있었다.

다름 아닌 라하트 때문이었다.

라하트가 조용했다.

조용해도 너무 조용했다.

혼자 걱정하고 고민하나 싶을 정도로 라하트는 그 어떠한 행동도 취하지 않았다.

혹시 맨얼굴을 제대로 보지 않은 건 아닐까, 하는 말도 안 되는 상상도 했다. 마음의 짐을 덜기 위한 최대한의 발악이었다. 그러나 상상하고 나면 차가운 현실에 맨몸으로 부딪치게 되는지라 망상은 고이 접었다.

라하트는 맹인이 아니었다. 바로 코앞에서 얼굴을 마주했는데 못 봤을 리가 없었다.

결국 참다못한 엘로라가 히나에게 라하트의 동태에 관해 알아 와 달라고 지나가듯이 부탁했다. 그리고 다음 날, 아무것도 하지 않고 궁에 칩거하고 있는 라하트의 근황을 들을 수 있었다.

한곳에 가만히 있지 못하는 성격을 고려한다면 굉장히 놀라운 일이었다. 내부에서도 너무 의외인 상황인지라 여러 추측과 소문이 난무했다.

그중 엘로라를 당황케 했던 것은 불륜 기사를 목격한 그녀가 저주를 내렸다는 소문이었다. 저주 인형 하나 소지하고 있지 않은 엘로라로서는 퍽 억울한 얘기였다.

자신이 저주를 내렸다는 소문을 듣고 나니 식중독이나 감기, 심지어 치질 같은 질병 관련 추측은 애교로 느껴졌다.

평소 행실 탓에 바깥에 나가서 난리를 치는 것보다 은둔 생활을 하는 것이 더욱더 큰 파장을 일으키는 라하트였다.

신빙성 없는 소문을 쭉 듣고 나니 라하트의 칩거 이유가 자신 탓이라는 걸 확신할 수 있었다. 시기도 딱 건국제 이후였다.

한 번쯤은 라하트를 만나 얘기를 나눠야 된다고 거듭 생각했다. 언제까지 회피만 할 수 없는 노릇이었다. 궁색한 변명이라도 해야 했다.

아직까지는 라하트가 아무 말도 하지 않고 있으나 언제 그가 진실을 폭로할지 모를 일이었다.

누구도 믿지 않을 진실일 테지만 오해의 불씨를 남겨 두고 싶지 않았다.

어떤 얘기를 해야 할지 고민하고 또 고민하고, 그를 만나야 한다고 생각하고 또 생각하고.

결국 제자리걸음이었다.

먼저 다가가기가 결코 쉽지 않았다.

어영부영 시간만 흘렀다.

엘로라는 매일 밤 꿈에 나올 정도로 머릿속을 무겁게 짓누르는 라하트를 뒤로한 채 클라우디아 왕녀의 행적을 좇기 위해 서가로 이동했다.

오랜만의 외출이었다.

서가에 들어서자 안경을 쓴 사서가 엘로라를 맞이했다. 황제로부터 미리 언질을 받은 그는 가장 먼저 장갑을 건네주었다. 책에 지문이 묻지 않게 하기 위함이었다. 이미 장갑을 끼고 있었던 엘로라는 사서가 건네준 장갑으로 바꿔 꼈다.

서가보다는 파티장에나 어울릴 법한 엘로라의 화려한 옷차림을 힐끗 흘겨본 사서는 장갑을 끼는 것을 확인하고 엘로라를 안내했다.

황족 외에는 출입을 철저히 금하는 곳인 만큼 깊숙한 곳에 위치해 있었다. 저보다 훌쩍 큰 거대한 문 앞에 선 엘로라는 사서가 문을 여는 동안 뒤에 서서 기다렸다.

"책은 연대별로 정리돼 있습니다. 구경하시다가 도움이 필요하시면 언제든 불러 주십쇼."

곧이어 문이 열리고, 서가에 들어가자 책 특유의 냄새를 맡을 수 있었다. 조금 전보다 더 짙은 향취였다. 마치 고향에 온 듯, 포근한 느낌이 들었으나 티를 내서는 안 됐다.

뚱하니 서 있는 엘로라를 사서가 할 말이 많은 표정으로 힐끔 보다가 먼저 자리를 떴다. 굳이 물어보지 않아도 그가 무슨 생각을 하는지 훤히 들여다보이는 듯했다.

뜬금없이 네가 왜 이곳을 방문하느냐, 이것이었다. 고명한 학자가 와도 모자랄 판에 학문과는 전혀 거리가 멀어 보이는 여자가 왔으니 달가워할 리 없었다.

그 안에 담긴 불안 또한 읽어 냈지만 아무것도 모르는 척 시치미를 뚝 뗐다.

이곳의 자료에 대한 가치는 엘로라 또한 잘 알았다. 실수로라도 훼손하는 일은 절대 없을 것이었다.

사서가 사라진 후에도 최대한 사심 없는 표정으로 주위를 살핀 엘로라는 근처에 있는 책 한 권을 꺼냈다.

책을 펼치자 평소 보던 문자가 아닌 지렁이가 기어가는 것처럼 생긴 문자가 줄을 이었다. 오래전에 사장된 고대 문자였다.

모국어처럼 줄줄 읽을 정도는 아니어도 배운 적이 있었기 때문에 아예 까막눈은 아니었다.

고대 시극을 원문으로 즐기고자 하는 마음에 독하게 배운 교양이 이런 식으로 활용될 줄은 전혀 몰랐다. 역시 인생은 알 수 없는 일의 연속이었다.

사서의 말대로 책은 시대별로 정리가 잘 돼 있었다. 클라우디아 왕녀에 관해 알기 위해서는 볼흐라스가 케르단의 통치하에 다스려졌을 때의 자료만 뒤져 보면 됐기 때문에 범위가 굉장히 좁혀졌다. 물론 그렇다고 하여 한두 권만 뒤지면 되는, 매우 적은 양이 아니었다.

범위를 축소한다 하더라도 뒤져 봐야 할 자료가 많았다.

혹시 모르니 조금 더 범위를 넓게 잡아, 케르단의 사후 30년까지 자료를 찾아보기로 했다. 그러니 절대 하루 만에 찾을 수 있는 양이 아니게 됐다. 이틀도 모자랐다.

대출이 불가능하여 낮에만 책을 열람할 수 있는데, 한정된 시간 동안 눈알이 빠져라 자료만 뒤져 본다 하더라도 일주일 내에 모두 끝낼 자신이 없었다.

자료 대부분이 고대 문자로 집필된 원문인 탓에 읽는 속도가 더뎌질 것 또한 고려하면 어느 정도 시간이 필요할지 정확히 감이 잡히지 않았다.

이곳은 보석상이 아닌 서가였다. 학문과 거리가 먼 엘로라가 너무 자주 오게 되면 분명 의심받을 거였다.

이번 방문으로 인해 이미 이상하다고 생각하고 있겠지만 한두 번쯤이야 기행으로 넘어갈 수 있었다. 그 횟수가 세 번이 되고, 네 번이 되고, 다섯 번이 된다면 의심을 불러일으키기 충분했다.

학문과 보석을 즐기는 못난이 엘로라?

학문과 보석을 동시에 즐기는 사람은 충분히 있을 법했으나 지적인 이미지는 엘로라가 그동안 쌓아 온 부정적인 이미지와 상충되었다. 차라리 현학적인 사람이라는 소문을 퍼뜨렸으면 몰라도 갑작스레 학문을 즐기다니. 그냥 학문도 아닌 무려 역사였다.

스스로 만들어 낸 캐릭터가 붕괴되고 있음을 절절히 느꼈다.

그러나 하루 이틀 대충 자료를 훑어보고 끝낼 수 없었다. 엘로라에게 있어서 중도 포기란 있을 수 없는 일이었다. 그 중심에 소중한 친구가 있다면 더더욱.

사람들이 이상하다고 생각할 행동을 하는 김에 계속 이상한 사람 행세를 할까, 하고 짧게 고민한 엘로라는 일단 책을 꺼냈다. 조금이라도 훼손될까 싶어 조심스러운 손길이었다.

책을 넘기는 것 또한 잘못 건드리면 깨질 듯한 도자기 인형 다루듯이 신중했다. 바짝 곤두선 신경은 마치 가시를 세우는 고슴도치 같았다.

집중력이 흐트러지면 문자 또한 흩어졌기 때문에 오로지 독서에 몰두한 엘로라는 처음부터 만족스러운 결과를 얻을 수 없었다.

이에 실망하지 않고 차근차근 책을 돌파해 갔다.

왕녀에 대한 정보를 찾기는 생각보다 힘들었다.

성인이 된 그녀가 타국의 왕자와 결혼하여 볼흐라스 왕실과 멀어진 것도 있었고, 애초에 역사는 왕위를 잇지 못한 왕녀가 아닌 왕자에게 초점을 맞추고 있었다.

그녀가 왕녀로 살았던 시절 또한 마찬가지였다. 클라우디아 왕녀가 마법에 특출났다는, 다소 신화적인 내용을 제외하면 계속해서 별다른 소득을 얻지 못했다.

책을 덮은 엘로라는 원래 있던 자리에 그것을 꽂아 두고 다음으로 읽을 만한 서적을 찾아봤다. 어느 때보다 진지한 표정으로 냉철하게 책등을 훑은 엘로라의 시야에 책 한 권이 잡혔다.

발견하자마자 책을 뽑기 위해 까치발을 들었다. 이번에는 클라우디아의 행적을 찾길 바라며.

손을 뻗어 봤지만 멀었다. 키가 조금 더 컸더라면 뽑을 수 있었을 텐데 안타깝게도 닿지 않았다.

사서에게 도움을 요청하려다가 굳이 높은 곳에 위치한 책을 읽겠다고 하면 해괴한 표정을 지을 게 안 봐도 뻔했다. 의심스러운 표정으로 엘로라와 책을 번갈아보다가 어쩔 수 없다는 듯이 뽑아 줄 터였다.

깡충 뛴다면 스스로 뽑을 수 있을 것 같은데 자진해서 어색한 분위기를 만들고 싶지 않았다. 어금니를 꽉 깨문 엘로라가 두 눈을 불태우며 책을 뽑기 위해 고군분투했다.

까치발을 든 채로 콩콩 뛰기도 하고, 더 늘어나지 않는 팔을 어깨가 아플 정도로 뻗고, 손가락을 쫙 펴서 최대한 길이를 늘이고 있는데 엘로라의 등 뒤에 나타난 누군가가 책을 뽑아 줬다.

타인의 손으로 뽑히는 책을 쳐다볼 수밖에 없었다.

그토록 노력한 것이 허망하게 느껴질 정도로 너무나 손쉬웠다.

제아무리 발버둥 쳐도 신장 차이는 이길 수 없음을 절실히 깨닫는 순간이었다.

멍하니 시야에서 사라지는 책을 보다가 자신 외에 또 다른 사람이 있다는 것을 깨달은 엘로라가 잔뜩 당황했다. 보다 못한 사서가 뽑아 준 듯한데 필사적인 모습을 들켰다고 생각하니 후회가 먼저 들었다. 차라리 일찍이 부탁했더라면 이런 모습은 보이지 않았을 것이었다.

후회해도 늦었다. 모든 모습을 목도했겠지만 아닌 척해야 했다. 빠르게 표정을 갈무리한 엘로라가 몸을 돌렸다. 입을 꾹 다물고, 최대한 뻔뻔스러운 얼굴을 한 채였다. 그리고 그 표정은 순식간에 무너졌다.

헛숨을 들이켰다. 상대방을 올려다보자마자 심장이 입 밖으로 튀어 나가는 듯한 착각을 느꼈다.

"이 책 꺼내려고 했지?"

피곤해서 환각을 보고 있는 것일까. 이곳에 있어서는 안 될 사람이 눈앞에 있었다.

엘로라는 느릿하게 두 눈을 깜빡였다.

환각이 아니었다. 착각도 아니었고.

차라리 지금 앞에 있는 사람이 사서인 게 나았다.

아직 마음의 준비가 되지 않았는데 남자가 바로 코앞에 있었다.

"혹시 옆에 있는 책을 꺼내려고 한 거야?"

라하트였다.

짙은 금발에 언제나 멍한 보랏빛 눈동자. 어딜 가나 눈에 띄는 잘생긴 얼굴은 절대 다른 이로 혼동할 수 없었다. 낮은 목소리를 듣고 있자니 라하트의 손에 들린 책은 눈에 보이지도 않았다.

조금 전까지 뽑기 위해 그토록 노력했다는 것도 잊고, 본능적으로 도망치기 위해 옆으로 슬금슬금 자리를 옮겼다. 당황하여 새하얘진 머릿속에는 도망쳐야 한다는 생각밖에 들지 않았다.

"가지 마."

흠칫 몸을 떨었다. 도망칠 수 없었다. 단 한마디만 했을 뿐인데 절절히 느껴지는 간절함이 발목을 붙잡고 있었다.

"너와 얘기를 나누고 싶었어."

다정한 목소리였다. 금방이라도 경계가 풀어질 듯한.

필사적으로 가면을 쓴 엘로라는 목소리를 짜냈다.

"얘기를 나누고 싶어 했던 것치고는 연락이 없던데요."

"필담보다는 얼굴을 보고 목소리를 들으며 대화를 나누고 싶었으니까."

까칠한 응대에도 불구하고 라하트는 불쾌한 기색 하나 보이지 않았다. 안개를 걷어 낸 듯, 선명한 보랏빛 눈동자를 반짝이며 자신을 바라보는 라하트의 행동에 엘로라는 더욱더 어떻게 해야 할지 모르게 되었다.

"서로에게 시간이 필요할 거라고 생각했어. 당장 만나자고 하면 거절할 거라는 걸 예상하기도 했고."

"더 주세요."

깊게 생각할 틈이 없었다. 당장 머릿속에 떠오르는 언어도 없었다. 잔뜩 굳어 있던 엘로라는 아직 그 어떤 확신도 없는 만큼 뻔뻔하게 나가기로 했다.
"시간을 더 주세요."
"언제까지?"
"제가 괜찮다고 생각할 때까지요."
"난 되도록 우리가 살아 있을 때 대화하고 싶은걸."
라하트는 엘로라가 계속 시간을 끌 거라는 걸 알고 있었다. 엘로라 또한 본인이 그러지 않으리란 자신이 없었기 때문에 무어라 반박하지 못했다.
"내게 하고 싶은 말이 있을 거야. 그렇지?"
라하트의 말이 옳았다. 해야 할 말이 있었다.
그것도 매우 많이.
너무 많아서 어디서부터 어떻게 정리할지 모를 정도로.
라하트와 헤어진 후 긴 시간 동안 수십 번 아니, 수백 번 머릿속으로 만남을 예상했다. 자칫 말 한마디 실수했다가는 돌이킬 수 없는 상황이 될 듯해 여러 가지 가능성을 떠올렸다.
하지만 그 많은 상상 속에서도 이런 식의 당황스러운 만남은 없었다. 더불어 첫 단추부터 잘못 끼운 듯한 느낌이 너무 강하게 들었다.
"아니면 그날처럼 또 사라질 거야?"
"……."
"떠올려 보면 너는 항상 내게서 도망쳤었지."
"……무슨 얘기를 하시는 건지 잘 모르겠네요."

시치미를 뚝 떼고 있으니 라하트가 눈꼬리를 접어 가며 웃었다. 해사한 미소였지만 거짓말이 간파당했음을 곧장 느낄 수 있었다.

백 마디 말보다 한 번의 미소가 더 많은 의미를 내포할 때가 있었다. 그리고 지금이 딱 그랬다.

퇴로가 완벽히 차단됐다. 애당초 퇴로가 있을 거라 생각하고 잔꾀를 쓰려 했던 자신이 멍청했던 거였다. 입술을 깨물었다. 자책만이 가득했다.

가만히 그 얼굴을 바라보던 엘로라는 못난이 엘로라의 가면을 쓸 때마다 보였던 까칠함을 잠시 내려놓았다. 그렇다고 하여 복잡한 머릿속이 명쾌한 해답을 찾은 건 아니었다.

"그날 전하께서 본 모든 것을 잊어 주세요. 부탁할게요."

"싫어."

부탁한다는 말까지 덧붙였건만 잠깐 고려하는 척도 하지 않았다. 너무나 단호한 대꾸라서 한순간 당황하고 말았다.

지금 싸우자고 선전 포고를 한 걸까?

절대 협상하지 않겠다는 단호한 의지를 보여 준 듯했다. 생각보다 상황이 더 진창을 구를 것 같았다.

"만약 본인이 약점을 쥐고 있다고 생각하신다면 어디 한 번 떠벌려 보세요. 아무도 안 믿을걸요. 누가 믿겠어요. 자진해서 평생을 추녀로 살아온 여자라니. 단순히 헛소리로 치부될 뿐이에요."

찬물을 온몸에 뒤집어쓴 듯했다. 한숨도 쉬지 않고 속사포처럼 말을 뱉어 낸 엘로라가 라하트를 날카롭게 노려봤다. 푸른 눈동자는 얼음장처럼 차가웠다.

적대 가득한 시선을 그대로 맞받아친 라하트는 사뭇 진지한 표정으로 입을 열었다.

"소문내지 않을 거야. 그 누구에게도 얘기하지 않을 거고."

"그렇다는 말은……."

"상관없어. 어떤 모습을 하든 너는 결국 너니까."

그냥 가볍게 던진 농담이 아니었다. 언제나 그랬던 것처럼 얼굴을 피하지 않고 눈을 마주치며 말했다. 베일에 가려진 진실된 모습을 보듯, 깨끗한 보라색 눈동자가 주시하고 있었다.

"애초에 겉모습에 현혹돼서 고백한 것도 아니야."

'고백'이라는 단어가 나오자 속으로 뜨끔했다. 그동안 엘로라를 괴롭힌 문제 중 고백에 대한 답 또한 있었기 때문이었다. 잠깐 잊고 있었는데 어영부영 넘어간 그날의 대답을 해야 했다.

해야 할 답은 정해져 있었다.

이 답만큼은 몇 번을 생각해도 변치 않았다.

"저는 전하를 좋아하지 않아요."

"예상은 했지만 바로 앞에서 들으니 조금 충격인걸."

"이제 변심할 건가요?"

"변심? 어떻게?"

"소문내지 않겠다는 말이요."

"날 너무 치졸한 사람으로 본 거 아니야?"

두 눈을 커다랗게 뜬 라하트가 유쾌한 웃음을 터트렸다. 두 사람 외에는 아무도 없다고 하지만 서가인데 소리가 컸다. 다급하게 주위를 둘러본 엘로라는 아무도 없음을 확인하고 다시 라하트를 보았다.

이런 엘로라의 행동으로 인해 자신이 너무 큰 소리를 냈음을 뒤늦게 자각한 라하트가 최대한 웃음을 참았지만, 아직 웃음기가 지워지지 않았다.

"그런 식으로 손바닥 뒤집듯 가볍게 변할 마음이라면 처음부터 고백하지 않았어."

"사람 마음이라는 게 항상 원하는 대로 되지 않잖아요."

"네가 거절하리라는 걸 알고 있었어. 알면서 말한 거야."

이해할 수 없다는 듯이 라하트를 쳐다봤다.

그 누가 거절당할 생각으로 고백하는가. 모두가 행복한 결말을 맺길 바란다. 슬픈 결말을 위해 나아가는 사람은 없을 것이다.

혹시나 하는 일말의 희망을 갖고 고백하지, 완벽한 거절에 도달할 거라 단언하고 고백하지 않는다. 그런데 라하트는 아니라고 하고 있었다.

"네가 거절한다 해서 사라질 마음이 아니라는 것 또한 알았기 때문에 일종의 선전 포고를 한 거야."

"선전 포고요?"

역시 싸우자는 건가.

경계 태세를 늦추지 않고 라하트를 보았다.

예상 못할 기행을 자주 저지르는 사람인만큼 언제 훅 치고 들어올지 몰랐다.

"적극적으로 널 좋아하겠다는 의미야."

"……예?"

엘로라는 느릿하게 두 눈을 깜빡였다.

정확한 뜻은 제대로 이해되지 않았다. 그 와중에도 한 가지 확실한 건 싸우자는 의미에서 한 말이 아니라는 것이었다.

"내 감정에 더 충실하게 행동할게."

"원래부터 본능에 충실하신 분이잖아요."

"자각한 상태와 자각하지 못한 상태는 미묘하게 다르지. 함께 맛있는 것도 많이 먹고, 좋은 것도 구경 많이 하고, 이때까지보다 더 널 위하고 싶어. 이왕이면 대화도 많이 나누는 것도 좋겠지. 생각보다 서로에 관해 모르는 게 많잖아."

엘로라는 라하트를 완전히 이해하지 못했다.

어째서 노력하는 걸까. 좋은 모습 한 번 보여 준 적이 없었다. 좋아하게 된 과정도 의문이지만 이토록 마음을 돌리기 위해 힘쓰려고 하는 것도 이해할 수 없는 행동이었다.

라하트의 마음을 거부했다. 그러니 단념하고 돌아서는 게 일반적인 반응이 아니던가.

"도대체 왜 그렇게까지 하시는 거예요?"

"음, 좋아하니까?"

짧게 고민하는 기색을 보인 라하트가 장난스러운 미소를 지었다.

“좋아하는 사람에게는 누가 강요하지 않아도 잘해 주고 싶지.”

“어차피 이혼할 거예요.”

“아, 맞아. 형이 곧 결혼할 거라고 하더라.”

아직 공표되지 않은 탓에 조심스럽게 얘기했던 에곤과 다르게 라하트는 옆집 이웃이 결혼하듯이 가볍게 말했다. 황태자의 결혼. 무려 국혼인데도 그 안에 담긴 진중함 따위는 전혀 찾을 수 없었다.

“형이 결혼하고 내가 작위를 받게 된다면 너는 뒤도 돌아보지 않고 나를 떠나겠지.”

“그러려고 결혼한 거니까요. 시작부터 저희의 의지와는 상관없는 결혼이었어요. 이혼은 당연한 절차예요.”

“세상에 당연한 건 없어.”

“…….”

“예전에 네가 나한테 반했냐고 물어봤었잖아. 아니라는 가정하에 한 말이었지만 결국 현실이 된 것처럼 당연한 일이라도 쉽게 단정 지어서는 안 돼. 언제든 변수가 생길 수 있으니까.”

“하지만 저는 정말 전하를 좋아하지 않아요.”

“알고 있어. 하지만 네 기분이 상하지 않는 선에서 내 마음을 표현할 수 있잖아. 그것마저 안 된다고 할 거야?”

타인의 마음을 무시한 채, 무작정 안 된다고 떼를 쓸 수도 없는 노릇이었다. 무어라 말하지 못하고 입술을 꾹 다물고 있는 엘로라를 보며 라하트가 물었다.

"설마 좋아하는 사람이 이미 있는 거야?"

대꾸하기 위해 입을 열자 라하트가 빠르게 말을 덧붙였다.

"잠깐, 네 오라비라는 대답은 빼 줘."

도로 입을 닫았다. 아무 말도 할 수 없었다.

"없지?"

확신에 가득 찬 라하트를 보고 있자니 없다고 대답하면 안 될 것 같다는 예감이 들었다. 거짓말을 하고 싶지는 않았으나 감을 무시할 수 없었다. 결국 눈 딱 감고 거짓말했다.

"있어요."

"정말?"

"네."

양심이 콕콕 찔렸다. 없는 사람을 만들어 내려니 죽을 맛이었다. 게다가 상대는 라하트였다. 어설픈 거짓말은 금방 들킬 거였다.

최대한 머릿속을 가족이나 히나, 그리고 아몬 같은 사랑하는 사람으로 가득 채웠다. 그래야 눈빛마저 속일 수 있었다.

"서로 사랑하는 사이야?"

"……아니요."

증거를 내놓을 자신이 없었기 때문에 서로 사랑하는 사

이라는 물음에까지 거짓 답변을 하지 못했다. 힘겹게 대꾸하니 라하트가 이를 예상했다는 듯한 표정을 지었다.

"그러면 너도 사랑을 쟁취하도록 노력해. 나 또한 그럴 테니."

다른 이를 좋아한다고 거짓말하면 물러설 줄 알았다.

하지만 그건 오산이었다. 라하트는 이 정도에 무너질 사람이 아니고, 예상 가능한 범위 내에서 행동하는 사람도 아니었다.

지금까지 제법 오랜 시간을 라하트와 보냈으면서도 간과하고 말았다. 결론이 이런 식으로 날 줄 알았더라면 좋아하는 사람이 있다는 거짓말은 하지 않았을 거다. 괜한 거짓말을 한 것 같았다.

더불어 좋아한다고 했으면서 오히려 그 상대의 다른 사랑을 응원하는 듯해 기분이 이상해졌다. 굉장히 복잡한 심경으로 서 있는데 라하트가 들고 있던 책을 건네주었다. 대화를 나누느라 뒷전이 되었던 책이었다.

"이거 읽으려고 했던 거 아니었어?"

"아니요, 필요 없어요."

"필요하면 말해. 언제든 꺼내 줄게."

근처에 아무 책이나 집어 든 엘로라는 자리에 앉아 책을 넘겨 봤다. 그러나 바로 맞은편 자리에 라하트가 앉아 있는데 집중될 리 없었다. 그는 엘로라가 읽으려고 했던 책을 팔랑팔랑 넘겼다. 자리를 뜰 생각은 없어 보였다.

몸도 마음도 한 치의 물러섬이 없는 라하트를 의식한 탓에 오만상을 찡그리며 책을 노려봤다. 종이를 태워 버릴 듯이 노려봤음에도 불구하고 문자는 제대로 해석되지 않았다.

한참을 같은 페이지에서 서성이던 엘로라는 결국 예상했던 것보다 일찍 서가에서 나왔다.

라하트가 쫓아올까 봐 빠른 걸음으로 나갔기 때문에 사서가 이상하다는 듯이 쳐다봤지만 그다지 신경 쓸 일은 아니었다.

다음 날, 히나가 다급히 신문을 들고 왔다. 신문을 들고 온 건 일상이었기 때문에 이상하지 않았으나 히나의 표정이 평소와 달랐다. 당황한 것 같기도 하고, 놀란 것 같기도 하고. 꼭 유령이라도 본 듯했다.

오는 길에 유령을 목격했는지 농담 삼아 물어보려던 엘로라는 가타부타 설명 없이 건네진 신문을 받자마자 히나와 똑같은 표정을 지었다. 그리고 거기서 어이없음이 추가됐다.

신문 1면에는 커다랗게 아래와 같이 쓰여 있었다.

[탕아의 종말? 라하트 황자, 적극 해명!]

이런 기사가 머리기사를 차지하다니. 라하트가 권력을 충실히 활용했음을 짐작할 수 있었다. 내용을 읽지도 않았는데 벌써부터 다 읽은 듯한 느낌이었다.

깊은 한숨을 내쉰 엘로라는 차분히 기사를 읽어 내렸다.

축제 후 기사화됐던 불륜설에 관해 무려 황자인 라하트가 직접 인터뷰를 한 것이 주 내용이었다. 그는 불륜을 전면 부정하며, 현재 결혼 생활에 관해서 자신이 엘로라에게 일방적인 구애를 하고 있다고 했다.

공개적인 선전 포고였다.

무려 신문의 1면을 차지했다. 이제 라하트가 엘로라를 짝사랑한다는 얘기는 수도를 중심으로 전국에 퍼질 예정이었다.

아르미트 가문의 사람들은 물론이고 시골에서 고양이를 키우며 살고 있는 누군가까지 라하트가 엘로라에게 일방적인 구애 활동 중이라는 걸 알게 될 것이다. 어쩌면 그 누군가가 키우고 있는 고양이까지 알게 될지 몰랐다.

라하트는 신문의 1면을 차지하는 일이 무시할 수 없는 파급력을 가지고 있음을 알면서 이런 짓을 저지른 것일까. 너무 유명인이라서 신문의 1면을 차지하는 것쯤이야 아무렇지 않게 여기는 탓에 별생각 없이 일을 저질렀을 것 같았다.

수많은 사람이 신문을 구독한다. 구독하지 않더라도 신문을 본 사람은 지인에게 이 얘기를 할 테고, 지인은 또 자신의 지인에게, 지인의 지인은 또 지인에게……. 발 없는 말이 무서웠다.

잔뜩 굳어 있던 엘로라가 빠르게 신문을 넘겼다. 엘로라의 눈에는 라하트와의 인터뷰 외에도 중요한 기사는 많았다. 아니, 라하트와의 인터뷰를 제외하면 모두 중요한 기사였다! 신문의 마지막 페이지까지 도달하고 나니 더욱 확실해졌다.

수많은 화젯거리 중에서 굳이 라하트와의 인터뷰가 1면을 차지한 데에 온갖 비리와 부패가 있었음을. 그렇지 않고서야 고작 불륜설을 부정하는 기사가 1면을 차지할 리 없었다. 라하트가 필시 무슨 수를 썼으리라. 이래서 다들 돈과 권력을 가진 자를 적으로 돌려서는 안 된다고 말하는 거였다.

다시 신문의 1면으로 넘어가, 미소 짓고 있는 사진 속 라하트를 노려봤다. 이번 라하트의 기행으로 인해 엘로라와 라하트가 사이가 좋다는 근거 없는 소문이 근거 있는 소문이 돼 버렸다.

선물을 보내 줬을 뿐인데도 크나큰 오해를 한 황제와 황후가 소식을 접했을 생각을 하니 골치 아파졌다. 정말 산 넘어 산이었다.

“미친 걸까.”

"예?"

뜬금없는 엘로라의 말에 깜짝 놀란 히나가 토끼 눈으로 보았다. 머릿속으로 혼자 해야 할 생각인데 앞뒤 다 자르고 입 밖으로 내뱉었으니 놀랄 만도 했다.

"아가씨에 대한 이야기라서 급하게 들고 왔는데 제가 괜한 짓을 저지른 걸까요?"

라하트에 대한 분노를 표출하고 있음을 알아챈 히나가 살살 눈치를 보며 물었다. 그 목소리에 신문을 잠시 치우고, 히나의 얼굴을 봤다. 이러니 아까보다 훨씬 진정되는 듯했다.

"아니, 아니야. 이런 건 조금이라도 일찍 보는 편이 낫지."

당당히 1면을 차지한 이상 언젠가 보게 될 기사였다. 남들 다 알고 있을 때 뒤늦게 소식을 접하는 것보다 남들 알 때 같이 아는 게 나았다.

"다 보셨으면 신문은 치울까요?"

"괜찮아."

생각을 정리할 필요가 있었다. 흥분하지 않은 상태에서.

신문 속, 당당하게 미소 짓는 흑백의 라하트를 노려봤다.

가장 먼저 걱정되는 건 후계를 생산하라는 황제와 황후의 요구였다. 그들은 사이가 나쁘면 몸의 대화를 나누는 것도 괜찮다고 생각하는 분들이었다. 아히발트가 단호히 결혼 의사를 밝힌 상황이니 저번처럼 억지로 떠밀지 않길 바랄 뿐이었다.

그 외에도 조용히 지내고 싶은 결혼 생활이 너무 많은 관심을 받게 되어 부담스러웠다. 추녀와 미남이 결혼한 것도 모자라 미남이 추녀를 쫓아다니다니. 딱 호사가들의 입에 오르내리기 좋은 이야기 아닌가.

내버려 뒀다면 아무도 관심 주지 않았을 텐데 라하트가 꺼져 가는 불씨에 불을 지폈다. 그것도 매우 화려하게.

사람들이 몰려들고 싶지 않아도 몰려들 수밖에 없는 상태로 만들었으니 이제 거리에 나가면 심심치 않게 들을 수 있을 거였다.

시체처럼 조용히 있는 게 목표였는데 예상치 못한 고난의 연속이었다.

불행 중 다행은 라하트가 맨얼굴에 관해 타인에게 밝힐 생각이 없다고 못을 박았다는 거였다. 실제로 신문 기사 속, 그의 인터뷰에는 엘로라의 맨얼굴에 대한 언급이 전혀 없었다. 엘로라는 엄청난 추녀이지 않느냐, 라는 질문에 그게 무슨 문제인지 모르겠다고 대꾸했을 뿐이었다.

충분히 진실을 실토할 수 있었는데 그는 그러지 않았다. 물론 진실을 암시하는 대답을 조금이라도 했다면 엘로라는 신문부터 찢어 버렸을지 몰랐다.

다행히 신문은 멀쩡했고, 엘로라의 비밀은 대중에게 밝혀지지 않았다.

얼굴이 드러난 후 그토록 끙끙 앓았는데 고민한 시간이 무색할 정도로 큰일은 일어나지 않았다. 생각해 보면 그날 이후 처음 대면한 라하트와의 대화도 굉장히 빨리 끝난 편이었다. 고민은 길고, 대화와 결론은 간결했다.

여러 가지 최악의 상황을 고려했는데 그중 한 가지도 일어나지 않았다. 신문 1면에 라하트가 자신의 애정을 과시한 것은 예상치 못한 상황이긴 했으나 최악까지는 아니었다. 무려 고백을 거절했는데도.

찜찜했다. 의문이 아직 남아 있기 때문일까.

다양한 생각이 곰팡이처럼 진득하게 눌어붙어 있었다. 그 많은 생각 중 계속 머릿속을 맴도는 것이 하나 있었다.

라하트는 왜 자신을 사랑한다고 말하는 것일까.

그것도 맨얼굴을 보기 전부터.

풀리지 않은 수수께끼였다.

"히나는 사랑해 본 적 있어?"

"네? ……네."

히나의 얼굴이 순식간에 달아올라, 홍당무처럼 빨개졌다.

적당한 질문 상대를 바로 찾았다. 히나에게 가까이 붙은 엘로라가 빠르게 물었다.

"사랑에 빠질 때 상대의 외모가 비중을 크게 차지하지 않아?"

"크게 차지하죠. 사람은 모름지기 내면이 중요하다고 하지만 내면이 겉으로 드러나는 것은 아니잖아요. 딱 보게 되는 게 얼굴인데 보이는 걸 안 보인다고 할 수는 없죠."

꾸밈없이 솔직한 대답이었다. 그만큼 엘로라가 생각했던

그대로이기도 했다.

역시 외모는 무시할 수 없는 요소였다.

꼭꼭 숨어 있어서 긴 시간과 노력이 필요한 내면과 달리 외면은 곧바로 보였다. 만났을 때부터 헤어질 때까지 쭉.

"얼굴이 못생겼는데 사랑에 빠질 수 있을까? 심지어 성격도 더러워."

"음, 콩깍지가 씐다면 가능하지 않을까요?"

"콩깍지?"

"상대가 어떻게 생기든, 무엇을 하든 모두 사랑스러워 보이게 만드는 효과예요."

"콩깍지도 계기가 있어야 생기는 게 아닐까?"

"네, 사소한 것이라도 계기가 있으면 생길 수 있죠."

엘로라는 라하트와 부딪쳤던 지난 시간을 떠올려 봤다.

콩깍지가 씔 만한 사소한 일이 있었던가.

못난이 엘로라로서 만났을 때를 세세히 떠올리기 위해 골똘히 생각했다. 못난이 엘로라가 아닌 로즈나 로이스로 만난 적도 많았기 때문에 기억이 뒤죽박죽 섞일 염려가 있어 집중해야 했다.

입술을 꾹 다문 채 집중하고 있는데 불현듯 히나가 소리 높여 성을 냈다.

"하지만 아가씨. 이 세상에 남자는 쓰레기밖에 없어요!"

"으, 응?"

상념에서 깨어난 엘로라가 어리둥절한 표정으로 히나를

보았다.

그녀의 얼굴에는 분노가 가득했다. 이제 보니 사랑한 적 있냐고 물었을 때 얼굴을 붉힌 건 수줍음 때문이 아니었다. 화나서 붉힌 것에 가까웠다.

이 세상에 남자는 쓰레기밖에 없다니. 참견하고픈 마음은 없었으나 도대체 어떤 놈팡이를 사랑했기에 얌전한 히나가 화를 내는가 싶었다.

"아가씨가 불륜을 저지른다고 해도 지지할 생각이지만 안 그래도 쓰레기밖에 없는데 못생기고 성격 나쁜 남자는 최악 중의 최악이에요. 잘생기면 얼굴이라도 보면서 기분 전환 할 수 있지만 못생긴 경우는 아니잖아요! 다시 한번 생각해 주세요."

히나는 지금 엘로라가 못생기고 성격 나쁜 남자에게 콩깍지가 씌어 사랑에 빠졌다고 생각하고 있었다. 최근 얼굴을 마주하고 대화를 나눈 남자는 가족과 라하트밖에 없는데 다른 남자라니. 엄청난 오해였다.

오해가 더 깊어지기 전에 빠르게 손을 가로저었다.

"그런 거 아니야."

"아가씨, 이것만은 잊지 말아 주세요. 다른 사람이 다 등 돌려도 저는 아가씨 편이에요!"

주먹을 꼭 쥔 히나가 외쳤다. 아니라는 말은 전혀 들리지 않는 듯했다. 엘로라의 정체를 알고 있는 그녀였기에 그 못생기고 성격 나쁜 사람이 엘로라임을 바로 떠올리지 못하는 것 같았다.

"엘로라! 하고 싶은 말이……, 어? 둘이 무슨 재미있는 얘기 해?"

극구 부정하고 있는데 때마침 아몬이 들어왔다.

정원에서 산책하고 와서 단정했던 머리가 엉망이 된 아몬은 총총 가벼운 걸음으로 다가왔다. 가만히 그 얼굴을 보다가 손을 뻗어 조심스럽게 아몬의 머리를 정리해 줬다. 그제야 머리가 엉망이 됐음을 깨달았는지 해사한 미소를 지었다.

"있잖아, 아몬."

"응."

되도록 많은 경우의 수를 따지기 위해 바로 히나에게 했던 질문과 같은 물음을 던졌다.

"너는 누군가를 사랑해 본 적 있어?"

"응!"

고민하지 않고 크게 고개를 끄덕인 아몬이 긍정했다.

"엘로라도 사랑하고 히나도 사랑해. 그리고 클라우디아랑 헤르시아랑 케르단이랑……."

"잠깐만, 아몬. 그런 종류의 사랑을 말한 게 아니야."

일일이 손가락을 꼽으며 세고 있는 아몬을 저지했다. 가만히 두면 발가락까지 필요할 듯했다.

"그러면 어떤 종류의 사랑을 말하는 거야?"

"반려에게 느끼는 사랑."

"음……, 음……. 으음……."

이번에는 고민이 제법 길었다. 홀로 골똘히 고민하던 아몬이 오랜 침묵 끝에 외쳤다.

"없는 것 같아!"

"그렇다면 질문을 살짝 바꿔서 해 볼게. 못생긴 사람에게 호감을 느낄 수 있을까?"

"응! 착하면 친구 할 수 있어!"

"성격도 엉망진창이야."

과거의 행적이 주마등처럼 지나갔다. 못난이 엘로라로서 행했던 나쁜 짓들이었다. 빈말로도 착하다고 표현하지 못했다.

시종들에게 한 행동만 따져 봐도 죄책감으로 인해 제대로 고개를 들 수 없었다. 최근 들어 이 얼굴로 활동해야 할 시간이 많아짐에 따라 그에 비례하여 쌓여 갔다.

자신이 저질렀던 일을 생각하니 침울해져 있는데 아몬이 단호하게 말했다.

"그러면 무리야."

역시 무리였다. 엘로라가 생각하기에도 무리였기 때문에 힌트를 찾기 위해 히나와 아몬에게 물었던 거였다. 두 사람과 대화한 결과 유일하게 건진 힌트는 '콩깍지'뿐이었다.

이마저도 사소한 계기가 있을 가능성이 거의 제로에 수렴했기에 라하트가 엘로라를 좋아하는 이유는 여전히 수수께끼였다.

어째서일까. 무엇이 계기가 되었고 언제부터 좋아하게 된 걸까. 라하트의 취향이 문제인 것일까.

나쁜 여자가 취향이라서 좋은 말 한 번 하지 않았는데도 고백한 것일까. 그렇다고 하기에는 엘로라가 연기한 건 나쁜 여자도 아니었다. 매력 한 톨 없는 인간 말종에 가까웠다.

세상에는 취향일 게 있고 아닐 게 있었다.

이건 절대 취향이라고 할 수 없었다.

"아, 모르겠다."

답이 없었다.

계속되는 의문으로 손바닥에 얼굴을 묻었다. 이런 엘로라의 행동을 다르게 해석한 히나가 냉정하게 조언했다.

"그럴 때는 억지로라도 마음을 접는 편이 낫다고 생각해요."

히나는 아직도 좋아하는 쪽이 엘로라라고 오해하고 있었다. 웃지도 울지도 못한 상태가 된 엘로라가 고개를 저었다.

"히나, 정말 그런 거 아니야."

"예? 그렇다면 혹시……."

거듭되는 부정에 이제야 진실을 눈치챘다.

히나의 눈이 점점 더 커졌다. 놀람과 당황으로 변화하는 히나의 얼굴을 보며 쓴웃음을 지었다.

"라하트 전하께서 진심인 거예요?"

"그러니 저런 인터뷰를 했겠지."

놀라움으로 인해 히나가 헛숨을 들이켰다.

그 라하트가 엘로라를 좋아하게 되리라는 건 짐작도 하

지 못한 듯했다. 엘로라 또한 꿈으로도 꿔 본 적 없는 일을 겪고 있었기 때문에 지금 히나의 심경 변화가 이해됐다.

"인터뷰? 무슨 말이야?"

"전하께서 내가 좋다고 공개 발표하셨어."

"정말? 기쁘겠다!"

라하트의 소문을 정확히 모르는 아몬이 기뻐서 방방 뛰었다. 이와 반대로 히나는 하얗게 질린 채 당황을 금치 못하고 있었다. 히나의 얼굴을 보고 있자니 엘로라는 자신이 처음 고백받았을 때 저런 표정이었을까, 하고 생각하게 되었다.

"세상에, 라하트 전하께서 아가씨를 진심으로 좋아하다니."

"잘된 거 아니야? 차라리 잘생긴 남자를 만나라며."

"제가 실수했어요."

빠른 의견 철회였다. 재빠른 태세 전환에 엘로라가 소리 내어 웃었다.

"잘생긴 남자와 불륜은 돼도 라하트 전하는 안 되는 거야?"

"라하트 전하는 정말 아니잖아요."

"잘생겼는데?"

"잘생긴 건 인정해요. 하지만 신께서 라하트 전하를 창조하실 때 너무 외모에 치중한 나머지 그 외의 요소는 전혀 신경 쓰지 않으셨잖아요."

히나의 신랄한 비꼼에 조금 전보다 더 크게 웃고 말았다.

맑은 엘로라의 웃음소리가 공간을 울렸다. 웃음을 멈추

고 싶은데 마음대로 되지 않았다. 손으로 입술을 가리며 눈꼬리가 휘어지도록 즐거운 웃음을 터트리고 있으니 시선을 한 몸에 받았다.

쏟아지는 시선을 느끼며, 소리 죽여 웃은 엘로라는 웃음기가 잦아들었을 때 히나를 보며 물었다.

"정말 그렇게 생각해?"

"네."

"전하께서 네 말을 들었다면 나처럼 크게 웃으셨을 거야."

"그 전에 불경죄로 잡혀갈지도 몰라요."

"그렇다면 조금 전 대화는 우리끼리의 비밀로 하자."

싱긋 웃은 엘로라가 검지를 살짝 입술에 갖다 대었다. 고개를 끄덕인 히나는 조금 전까지만 해도 무서운 표정을 지었던 엘로라를 기억해 내고 질문했다.

"전하께서 싫다고 한 것도 아니고 좋다고 하셨잖아요. 아가씨께서는 무엇이 그리 걱정이세요?"

"나를 왜 좋아하는지 모르겠어."

"아가씨를 싫어할 사람이 이 세상에 어디 있겠어요."

"지금의 나 말고 대외적으로 알려진 나를 얘기하고 있는 거야."

싫어할 사람이 어디 있겠냐니. 히나는 너무 편파적이었다. 팔은 안으로 굽는다는 말이 괜히 있는 게 아니었다.

"너라면 못생긴 얼굴로 화장한 나를 좋아할 수 있을 것 같아? 성격은 소문대로야."

"조금 무리일 것 같아요."

"그렇지? 내가 생각해도 그렇단 말이야."

'조금'이 아니라 '많이' 무리였다.

온몸으로 상대를 거부하고 있는데 좋아할 수 있을 리가. 조금이라도 친절하면 몰라도 호감이 갈 만한 행동은 발톱의 때만큼도 하지 않았다.

히나와 함께 머리를 맞대고 고민하기 시작했다. 라하트가 엘로라를 좋아하게 된 이유는 추측마저 쉽지 않은 난제 중의 난제였다.

"혹시 정복욕 때문이 아닐까요."

"그런가."

가장 먼저 침묵을 깬 건 히나였다. 조심스러운 그녀의 추측에 엘로라는 애매하게 대꾸했다. 이에 가만히 듣고 있던 아몬이 손을 번쩍 들어 물었다.

"엘로라는 사람이잖아. 왜 정복하려고 해?"

"네가 수많은 쿠키를 가지고 싶어 하는 거랑 비슷하지 않을까."

"하지만 쿠키는 마음이 없는걸. 말하지 않아."

"그렇지. 하지만 그들에게는 그런 욕구가 있나 봐."

"이상한 생물이네."

사실 엘로라 또한 좋아하지도 않는 데다 자신을 거부하는 여자의 마음을 돌리려고 노력한다는 것 자체가 이해되지 않았다. 그것은 거짓된 마음이었다.

상대의 마음을 얻고 나면 가차 없이 뒤돌아설 거면서 좋아하는 척하다니. 도덕성을 떠나서 인간으로서 해서는 안 될 짓이었다.

라하트가 엘로라를 좋아하게 된 이유에 관해서는 정복욕 외에 딱히 설명할 길이 없었기 때문인지 그쪽으로 단정 짓는 분위기였다. 또한, 다른 명쾌한 의견이 나오지 않았다.

하지만 엘로라는 정복욕 탓에 라하트가 고백했다고 생각하지 않았다. 몇 번이나 다시 떠올려 봐도 고백했을 당시 라하트는 진심을 흉내 내고 있지 않았다. 마주했던 얼굴이, 눈빛이 말하고 있었다.

엘로라는 이때까지 다양한 사람을 만나 왔다. 그중 좋은 사람도 있었고 나쁜 사람도 있었다. 그리고 처음부터 자신이 나쁘다는 걸 몸소 표현하는 사람은 많지 않았다. 친절로써 상대를 속이고 후에 제 속내를 드러내는 사람이 대부분이었다.

그런 사람을 몇 번이나 만나면서 보는 눈이 생겼다.

진심과 치기 어린 거짓을 구분 못하지 않았다.

히나가 적대감에 차서 라하트가 어떤 사람인지 그의 소문에 관해 읊는 동안 엘로라는 홀로 고민했다.

고민만 깊어지는 하루였다.

예상대로 클라우디아 왕녀의 행적을 쫓는 건 하루 이틀 만에 끝낼 일이 아니었다.

눈이 아려 올 만큼 열심히 서적을 뒤졌지만 왕녀가 어떤 삶을 살았는지 기술한 책을 찾기란 사막에서 바늘 찾기와 같았다. 대부분의 서적이 건국 왕 혹은 그를 이어 왕위에 오르는 왕자에 관한 얘기만 했다.

클라우디아 왕녀는 첫째였음에도 불구하고 역사적 조명을 받지 못했음을 뼈저리게 느낄 수 있는 시간이었다. 차라리 과거로 시간 여행 하는 방법을 발명하는 게 빠르다는 생각을 할 정도로 서적에서 왕녀를 찾기란 힘들었다.

하루라도 빨리 아몬에게 달려가서 왕녀가 행복하게 살았음을 알리고 싶은데 그렇게 하지 못해 괜히 조바심이 났다. 마음 같아서는 종일 서가에 박혀 있고 싶었지만 불가능한 일이었다. 서가에 자유로이 출입할 수 있는 것만으로 만족해야 했다.

다행히 황제는 엘로라의 잦은 서가 출입을 막지 않았다. 눈치를 주지도 않았다. 마치 한 번도 만진 적 없는 것처럼 깔끔하게 읽은 후 제자리에 꽂아 두니 아예 책을 읽지 않는다고 생각하는 건지 아니면 그냥 기행으로 여기는 건지 아예 신경 쓰지 않았다.

만약 서가의 출입을 막았더라면 클라우디아 왕녀에 관한 자료는 영영 찾을 수 없을 거라며 절망했을 거다. 작은 기대라도 할 수 있는 지금 현재에 매달려야 했다.

서가를 방문하는 일수가 점차 늘어났다. 그리고 서가를 방문하는 횟수에 비례하여 라하트와 마주쳤다.

라하트가 먼저 와 있을 때도 있었고, 아무도 없어서 안심하고 책을 뒤지고 있으면 어느새 맞은편에 앉아 있을 때도 있었다. 기척 한 번 내지 않고 나타나는 그의 존재는 엘로라에게 있어 경계의 대상이었다.

적극적으로 좋아하겠다고 선언했으니 어떤 행동을 할지 몰라 잔뜩 긴장했건만 신경을 곤두세운 것이 무색할 정도로 라하트는 조용했다. 이따금 생각났다는 이유로 과자나 사탕, 장신구 아니면 인형 같은 선물을 주는 걸 빼면 얌전히 존재하기만 했다.

선물은 사탕 한 알이라도 받았다가는 오해할까 싶어서 모두 받지 않았다. 그럴 때마다 라하트는 뜻 모를 미소만 지었다. 확실한 건 상처받은 표정은 아니라는 거였다. 물론 그렇다 하여 마음이 편할 리 없었다.

클라우디아 왕녀의 행적을 찾는 것이 지연됨에 따라 이런 불편한 만남이 지속됐다. 특별한 일이 없어도 신경 쓰이는 존재가 라하트인데 고백을 거절했다는 특별한 일이 있었으니 지속되는 만남이 아무렇지 않을 리 없었다.

그러나 라하트 때문에 서가에 안 갈 수도 없으니 일부러 그를 피해 불규칙적으로 갔다. 가는 날짜도 시간도 마음대로였다. 또한, 서가에 되도록 짧게 있으려고 했다.

그러나 이런 얕은 수는 통하지 않는다는 듯이 단 하루도 서가에서 라하트를 만나지 못한 날은 없었다.

한 번, 두 번, 세 번, 네 번, 다섯 번…….

침묵으로 시작해서 침묵으로 끝나는 만남이 계속되었다. 끝없이 반복될 것만 같은 하루 끝에 결국 엘로라가 먼저 입을 열었다.

"왜 그러셨어요?"

"뭘?"

"인터뷰요."

"아, 봤어?"

"못 볼 수가 없게 해 놓으셨잖아요."

"아무런 말이 없어서 못 본 줄 알았지."

먼저 말을 꺼내길 기다렸는지 재빠르게 대답한 라하트가 너스레를 떨었다. 세상만사 걱정 없이 살 것처럼 태평한 얼굴이었다. 빙긋 웃는 그 얼굴을 보며 엘로라가 거듭 물었다.

"대체 왜 그러셨어요?"

"오해를 풀고 싶었어."

"오해하지 않았어요. 저와 함께 있을 때 찍힌 사진이잖아요. 그런 것마저 못 알아볼 정도로 눈이 나쁘지 않아요."

"하지만 다른 이들은 모르지."

"……."

"내 평소 행실로 인해 네 명예가 실추되었어. 전부 나 때문이니 이 일은 직접 해결해야 마땅하다고 생각한 거야."

단순히 자신의 마음을 알리기 위해 기사를 낸 줄 알았다. 하지만 라하트는 라하트 나름대로 걱정하고 있었던 거다. 불륜설 기사가 난 후로 자연스레 입방아에 오르내릴 수밖에 없는 엘로라를.

"싫었어?"

"불편해요."

"어째서?"

"너무 요란하잖아요."

"이러지 않았더라면 모두 오해했을 거야."

"분명 결혼 전에 평소처럼 지내자고 계약까지 했어요. 술을 하든, 담배를 피우든, 여자를 만나든 상관없다고 말했고 전하께서는 이에 동의하셨죠. 그때의 대화가 기억나지 않으세요?"

"그때와 지금은 다르잖아."

돌연 진지한 얼굴이 된 라하트가 언제나 그렇듯 엘로라와 눈을 마주쳤다. 술에 잔뜩 취해 제정신이 아닐 때도, 장난스러운 얼굴을 할 때도, 지금처럼 진지할 때도. 라하트는 항상 엘로라를 보며 얘기했다. 못생긴 얼굴로 변장했다는 사실을 깜빡 잊게 될 정도로 올곧은 시선이었다.

"내가 널 좋아해."

순간 심장이 덜컥 내려앉았다. 처음 듣는 고백도 아니건만 흉기로 얻어맞은 것처럼 충격이 남아 있었다. 낯선 감정이 발끝부터 시작해서 살금살금 올라오고 있었다.

바로 앞에서 다시 라하트의 고백을 듣게 된 엘로라는 마주한 시선을 피하고 싶은 충동을 억눌러야 했다.

"솔직하게 말할게. 네가 아닌 다른 이를 좋아한다는 얘기를 내가 듣고 싶지 않았어."

"……저는 조용히 지내고 싶어요."

"침묵으로 인해 네가 나쁜 말만 듣게 되는데도?"

"상관없어요."

"너는 너무 널 돌보지 않아."

돌보지 않는 게 아니었다. 일부러 그런 것이었다.

하지만 굳이 사정을 구구절절 설명할 필요는 없었고, 설명한다 하더라도 라하트는 이해하지 못할 일이었다. 이를 알고 있었기에 대화의 흐름을 이어 나가는 대신 말을 바꿨다.

"서가에는 왜 계속 오시는 거예요? 책도 안 읽으시잖아요."

"널 보려고."

"거짓말하지 마세요."

"정말 네가 보고 싶었어."

낯부끄러운 말을 아무렇지 않게 했다. 듣는 입장으로서는 어떻게 행동하고 말해야 할지 몰라 곤혹스러웠다. 그저 입을 꾹 다물고 얌전히 있으니 라하트가 엘로라를 빤히 바라보며 물었다.

“혹시 보는 것마저 안 된다고 할 거야?”

보랏빛 눈동자를 반짝인 라하트가 퍽 불쌍한 척을 했다.

어디인가 간절한 구석이 있는 표정이었다.

“바라보기만 할게. 그래도 안 돼?”

그 얼굴을 보고 있자니 마음이 약해졌다.

잘생긴 얼굴에 넘어간 게 아니었다. 너무나 사소하고 하찮아 보이는 부탁을 간절하게 했기 때문이었다. 바라보는 것도 안 되냐고 묻다니. 어디 숨어서 지켜보겠다는 것도 아니고 좋아해서 보기만 한다는데 단호히 거절하려니 마음이 편치 않았다.

눈싸움하듯이 라하트를 보았다. 이에 지지 않고 라하트가 간절한 눈빛을 더욱 쏘아 보냈다. 그 보라색 눈동자에 담겨 있던 엘로라는 얼마 지나지 않아 결국 항복했다.

진심의 승리였다.

슬쩍 시선을 돌린 엘로라가 작게 중얼거렸다.

“알아서 하세요.”

“정말? 정말이지?”

“……알아서 하시라고 했어요.”

들뜬 라하트의 목소리가 귓가에 꽂혔다. 보지 않아도 라하트가 어떤 얼굴을 하고 있을지 훤히 보이는 기분이었다. 여기까지 그의 행복함이 전해졌다.

그대로 책에 얼굴을 파묻은 엘로라는 최근 그녀를 가장

괴롭히는 난제인 '라하트는 어째서 나를 좋아하는가?'를 직접 물어보려다가 말았다. 지금 묻는다면 듣기 좋은 사탕발림으로 넘어가려 할 터였다. 진짜 이유보다는 엘로라의 귀를 빨갛게 만들 낯부끄러운 말이었다.

계속 침묵을 지킬 걸 그랬다. 괜히 입을 연 것 같아 괴로워진 엘로라는 관자놀이를 꾹꾹 눌렀다. 다급히 책을 보고 있긴 했지만 지렁이처럼 꼬불꼬불한 활자가 제대로 머릿속에 인식되지 않았다.

홀로 고통스러워하고 있는데 이런 엘로라를 빤히 지켜보던 라하트가 불쑥 물었다.

"언제부터 클라우디아 왕녀한테 관심이 많았어? 한때 그녀가 지냈던 궁에서 지내게 되어 관심이 생긴 거야?"

온몸에 소름이 돋았다. 상대의 머릿속을 읽는 영적 능력이라도 있는 것일까.

잘못 들은 게 아니었다. 라하트는 지금 클라우디아 왕녀를 콕 집어서 묻고 있었다. 실수로라도 왕녀의 이름을 입밖에 꺼낸 적이 없음에도 불구하고.

"관심 없어요."

"관심 없는 사람인데 열심히 자료를 찾는 거야?"

"……."

"그렇다면 나 또한 네게 관심 없는 상대이니 나에 관해 열심히 알아보는 건 어때?"

"이상한 말 하지 말아요."

"하지만 지금 말과 행동이 다르잖아."

"무언가를 찾는 게 아니라 고대 문자가 신기해서 구경 중이에요. 제가 배움이 부족해서 읽을 능력까지는 없거든요."

"거짓말."

이래서 라하트 앞에서 거짓말하는 게 껄끄러웠다. 이미 진실을 간파한 듯한 눈빛으로 보고 있지 않은가. 가시를 입 안에 왕창 넣은 기분이었다.

"읽을 줄 모르는 문자였다면 일찍이 흥미를 잃었겠지. 몇 시간 동안 진득이 붙잡고 있을 게 아니라."

"책을 금방 덮는 거 보셨잖아요."

"맞아, 찾는 게 없으니까 금방 덮었지."

"……."

"그토록 열중해서 책을 보는데 글을 읽을 줄 모른다고 하면 믿을 사람이 몇이나 있겠어. 게다가 정말 문자를 모른다면 다 비슷하게 생긴 검은 선일 뿐일 텐데 굳이 한 시대만 골라서 책을 뽑고 있잖아."

생각 없이 보는 듯해도 모두 관찰하고 있었다. 이전부터 라하트가 이상한 데에서 관찰력이 좋다고 느낀 것은 단순한 우연이 아니었음을 다시금 실감할 수 있었다.

고대 문자를 읽어도 너무 잘 읽을 줄 안다는 사실이 알려지면 황제가 서가 출입을 금할지도 모른다는 생각으로 거짓말을 했던 건데 거짓말한 지 몇 분도 지나지 않아 모두 발각되었다. 이렇게 되면 전부 부질없는 짓이 되어 버렸다.

"어째서 내게 거짓말을 하는지 몰라도 너는 무지하지 않으니 자신을 깎아내리는 짓은 그만해."

한숨을 내쉬었다. 모른다고 계속 우기는 것도 웃긴 상황이었다. 어쩔 수 없이 엘로라는 고개를 끄덕였다.

"전하께서 하신 말씀이 맞아요. 읽을 줄 알아요. 그런데 무엇을 근거로 왕녀에 대한 자료를 찾는다고 확신하시는 거예요? 다른 왕족도 아닌 클라우디아 왕녀라고 하셨잖아요."

"네 시선이 멈추는 곳을 보면 그 끝에는 항상 클라우디아라는 이름이 있었으니까."

망설임 없이 대꾸한 라하트가 방긋 웃었다.

역시 라하트를 속이기란 힘들었다.

순순히 사실을 인정한 엘로라는 자신의 의무는 뒤로한 채 놀고먹기만 하며 지내는 라하트의 이미지가 워낙 강렬한 터라 의문을 표했다.

"고대어를 읽을 줄 아세요?"

"공부했지. 어렸을 때."

지금까지 라하트는 맞은편에 앉아 있었기 때문에 엘로라가 읽는 책을 모두 거꾸로 볼 수밖에 없었다. 현재 쓰는 언어의 뼈대가 되었다고는 하지만 고대어는 고대어였다. 언뜻 보면 정말 지렁이가 기어가는 듯하여 한 번 쓱 봐서는 정확한 의미를 알기 어려웠다.

그런데도 짧은 시간에 거꾸로 된 문자를 읽어 냈다는 건 라하트가 고대 문자를 모국어 수준으로 할 줄 안다는 뜻이었다. 그 사실을 깨닫게 되자 신기하다는 듯이 라하트를 쳐다보게 되었다.

"왜 그렇게 봐?"

"의외라서요."

"황족으로 태어난 이상 공부는 선택 사항이 아니야."

"공부 제대로 안 하고 도망쳤을 것 같았어요."

"어떻게 알았어? 수업을 자주 빼먹었어. 아, 자주가 아니라 거의 전부였나."

너무나 당연하다는 듯이 말하여 수업을 빠지는 일이 학생으로서 자연스러운 일처럼 느껴졌다. 애초에 라하트라면 수업을 숨 쉬듯이 빠질 거라고 생각하긴 했지만 조금 전 했던 말과 정반대되는 대답이 아닌가. 상충되는 의견에 엘로라는 당황했다.

"아까는 선택 사항이 아니라고 하셨잖아요."

"선택 사항은 아니지만 수업 전에 도망치는 건 내 선택 사항에 있으니까."

"전하답네요."

"이미 알고 있는 내용을 다시 배우는 건 재미없잖아."

"수업 전에 도망치셨으니 수업을 듣지 않았다는 것 아닌가요? 그런데 어떻게 다 알고 계신다고 하시는 거죠?"

"책을 대충 한 번만 훑어보면 전부 알았어."

"허언도 병이에요."

정독한 것도 아니고 대충 훑어보는 것으로 모든 학문을

통달했다는 말 아닌가. 그건 천재라고 불리는 에곤도 불가능한 일이었다.

에곤이 천재라 불리게 된 배경에는 타고난 두뇌도 있었지만 끊임없는 노력이 뒷받침되었기 때문도 있었다.

엘로라 또한 타고난 재능만큼 노력도 중요하다 여겼다. 그런데 본인 주장에 따르면 천재로 태어난 라하트는 노력은커녕 심심하면 술에 취한 채 길바닥에 누워서 자고 무료하게 담배나 피웠다. 노력이나 천재성을 보여 줄 수 있는 활동은 개미 눈물만큼도 하지 않은 그의 말은 단순한 허언으로 치부될 뿐이었다.

고개를 절레절레 저은 엘로라는 다 본 책을 제자리에 꽂기 위해 자리에서 일어났다. 힐끔 뒤를 돌아봐서 라하트가 따라오지 않는 걸 확인한 후, 이번에는 제발 클라우디아에 대한 단서를 찾을 수 있길 바라며 책을 골랐다.

손을 뻗었을 때 닿지 않는 책에는 의식적으로 눈길조차 주지 않았다. 계속 허탕만 치는 터라 손이 닿지 않는 곳에 있는 서적에 정보가 있지 않을까, 하는 의심도 들었으나 라하트와 부딪치고 싶지 않은 마음이 더 컸다.

키가 더 컸더라면 이런 걱정 없이 마음껏 책을 뽑았을 텐데.

작은 한탄과 함께 우선적으로 시야에 닿는 책을 둘러봤다. 그런데 머리 위로 그림자가 드리웠다. 뒤늦게 기척을 느낀 엘로라가 토끼 눈을 뜬 채로 뒤를 돌아봤다. 신경을 곤두세우고 있었건만 어떻게 된 건지 라하트가 바로 등 뒤에 있었다.

"이 책에 왕녀에 대한 얘기가 있을 것 같지 않아?"

그는 엘로라가 쳐다보지도 않았던 위쪽에 있는 책을 아무렇지 않게 뽑았다. 엘로라보다 훌쩍 큰 그에게는 정말 아무렇지도 않은 일이었다.

그 모습을 보고 있자니 알 수 없는 감정이 기저에서부터 올라왔다. 굉장히 부정적인 감정이라는 사실 하나만은 단언할 수 있었다.

"필요 없어요."

생각보다 목소리가 냉랭하게 나왔다.

지금 엘로라는 본인이 감정적으로 굴고 있음을 부정할 수 없었다. 그놈의 키가 무엇이라고. 살면서 작다고 생각한 적은 없었지만 그건 여성과 비교했을 때였다. 태생적인 차이는 어쩔 수 없었다. 게다가 라하트는 남자들 중에서도 큰 편에 속했다.

자신이 남자로 태어났으면 필시 라하트와 엇비슷했을 거라고 생각하던 차였다. 뽑았던 책을 대충 펼친 라하트가 한 구절을 소리 내어 읽었다.

"제1 왕녀, 클라우디아는 혼인 후 건국 왕에게 편지를 보냈다. 편지의 내용은 아래와 같다."

딱 중요한 부분에서 끝맺은 라하트가 방긋 웃으며 엘로라를 쳐다보았다. 뒤의 내용을 이어서 음독할 생각은 전혀 없어 보였다.

"이래도 필요 없어?"

궁금했다. 그것도 몹시.

하지만 한편으로는 의심도 들었다.

대충 아무렇게나 뽑은 책을 페이지 확인도 제대로 하지 않고 펼쳤다. 엘로라가 며칠째 찾아 헤매고 있는 클라우디아에 대한 흔적이 라하트가 고른 책에서 나올 확률은 제로에 가까웠다. 정말 클라우디아에 대한 언급이 있다면 라하트는 길 가다가 돈을 줍는 건 예삿일로 여길 만큼 세상에서 제일 운이 좋은 사람이라 칭할 수 있었다.

머릿속에서 지어낸 문장을 멋대로 읽은 건 아닐까 하는 의구심이 들었다. 함정일지도 모른다는 생각에 선뜻 대답하지 못하고 입을 다문 채 가만히 있자 라하트가 미련 없이 책을 도로 꽂았다.

"네게 필요 없다면 제자리에 놔야지."

제자리로 돌아가는 책을 허망한 시선으로 바라보았다. 입술을 몇 번 달싹이다가 끝내 아무 말도 하지 못한 건 의심이 남아 있었기 때문이었다. 그렇다 하여 궁금증이 아예 사라진 건 아니었다.

신경 쓰였다. 바로 옆에 있는 라하트만큼이나.

클라우디아가 케르단에게 편지를 보낸 것이니 근황을 짧게 적을 수도 있었다. 아니면 제법 중요한 내용이기 때문에 서적에 한 줄이나마 남았을 가능성이 높았다.

말을 꺼낼 타이밍을 놓쳐도 한참 놓친 것 같아 다문 입술을 열지 못한 채 다른 책을 꺼내 읽었다. 그리고 이번에도 좌절했다. 몇 번 더 그런 일을 반복하고 나니 슬슬 돌아갈 시간이었다.

오늘도 이렇다 할 수확이 없었다. 그래서 그런지 라하트가 골랐던 책에 단서가 있을지도 모른다는 의심이 점점 확신으로 바뀌어 갔다.

마음 같아서는 당장 달려가서 책을 뒤져 보고 싶었다. 가능한 침착함을 유지하기 위해 아무렇지 않은 듯 행동하고 있었지만 언제까지나 서가를 들락거릴 수 없는 입장임을 잘 알았다. 내일 당장 황제가 서가 출입을 금지한다 하더라도 엘로라는 무어라 항변하지 못했다.

지금은 시간도 시간이고 바로 옆에 라하트도 있으니 내일을 기약할 수밖에 없었다. 결국 호기심을 뒤로 한 채 서가를 빠져나간 엘로라는 문을 닫았다.

미약한 희망이 움트고 있었다.

이른 오후, 일어나자마자 발을 동동 굴리던 엘로라는 당장 서가로 달려갔다. 설렘 탓인지 밤까지 홀딱 새워 버려 화장이 유독 잘 안 먹는 날이었지만 그것은 호기심으로 가득 찬 엘로라를 막을 수 없었다.

오늘도 귀찮음이 역력한 표정으로 자신을 대하는 사서의 안내를 통해 서가에 들어간 엘로라는 빼끔히 고개를 내밀어 조심스레 주위를 둘러보았다.

가장 먼저 확인해야 할 것은 라하트의 존재 유무였다.

빠르고 신속하게 구석구석을 살폈다. 먼지가 한 톨이라도 있다면 매와 같은 엘로라의 날카로운 시선에 금방 포착됐다.

그만큼 꼼꼼히 서가를 살피고 나서야 라하트가 없다는 사실을 인정할 수 있었다. 혹 중간에 들어올까 봐 하나밖에 없는 문을 예의 주시하는 것조차 잊지 않은 엘로라는 총총 가벼운 발걸음으로 어제부터 계속 신경에 거슬렸던 책을 읽기 위해 뛰듯이 걸어갔다.

책이 있는 위치는 머릿속에 꼭꼭 담아 두었다. 망설임 없이 단호한 걸음으로 목적지에 도착한 엘로라는 높은 곳에 있는 책을 올려다보며 회심의 미소를 지었다.

오늘은 무려 굽이 높은 구두를 신고 왔다. 구두를 신는 순간부터 자신감이 가득 찬 상태였다.

미소를 지우지 않은 채 손을 뻗었다.

책 정도는 열 권이라도 쑥쑥 뽑을 수 있는 마음으로 목표물을 향해 돌진했는데 굽이 더 높은 구두를 신었어야 했는지 살짝 부족했다. 계산 착오였다.

입꼬리가 내려갔다. 입술을 꽉 깨물며 살짝 뛰었다.

뽑을 수 있었다. 뽑아야 했다.

저 안에 클라우디아에 대한 문장이 한 줄이라도 적혀 있다면 더더욱.

두 눈을 잔뜩 불태우고 있는데 문득 머리 위로 그림자가 졌다. 동시에 익숙한 향이 훅 퍼졌다. 익히 알고 있는 풍경이었다.

소리 없는 비명을 지른 엘로라는 두 눈을 동그랗게 뜬 채로 빠르게 뒤를 돌았다. 그리고 책장에 머리를 부딪쳤다. 얼얼한 통증이 찡 하고 울렸다.

뇌를 관통하는 듯한 통증에 눈물이 고였다. 아파도 너무 아팠다.

본의 아니게 살짝 흐릿한 시야가 된 상태로 소리 소문 없이 다가온 상대를 올려다봤다.

그가 누구인지 그림자가 진 순간부터 알고 있었고, 예상은 전혀 빗나가지 않았다.

엘로라가 그토록 뽑고 싶어 했던 책을 이번에도 아무렇지 않게 뽑은 라하트가 걱정에 가득 찬 얼굴로 내려다보고 있었다.

"괜찮아? 어디 유령이라도 있어?"

차라리 유령이었더라면 놀라지 않았을 거였다.

유령이라면 기척 없이 다가온 것이 납득이라도 갔다. 하지만 라하트는 엘로라와 같은 사람이었다. 움직이면 작은 기척이라도 느껴질 수밖에 없는 사람.

평소에는 술에 취한 탓인지 몸동작도 큰 사람이 근래 들어 움직임이 유령 같았다. 등을 돌리는 동안 무슨 일이 일어나고 있는지 의문이었다.

"유령 같은 건 없어요."

"그 의견은 여전하네. 자, 여기."

라하트가 책을 건네주었다. 그 모습을 보고 있자니 접시물에 코 박고 죽고 싶었다.

이런 상황이 나오지 않도록 만전을 기했건만 멍청한 모습을 보이고 말았다. 모든 노력이 물거품이 되었다.

이럴 줄 알았더라면 차라리 어제 라하트가 책 얘기를 꺼냈을 때 조용히 받아 둘 걸 그랬다. 어제 관심 없는 척했는데 하루가 지나자마자 책을 꺼내려고 홀로 고전한 모습을 보였다는 게 퍽 수치스러웠다. 수치심으로 인해 눈물 나도록 아프던 통증마저 싹 가시는 것 같았다.

라하트와 문제의 책을 번갈아 보며 받을지 받지 않을지 짧게 고민했다.

마음 한편에 있는 자존심이 존재를 뽐내고 싶어 꿈틀꿈틀거렸다. 그것은 책을 받아서는 안 된다고 주장하고 있었다. 그러나 오늘 엘로라는 어제보다 이성적이었다. 클라우디아에 대한 정보를 얻는 것이 우선이라는 걸 잘 알고 있었다.

어제처럼 하루 더 지체한다고 하여 오늘 같은 상황이 반복되지 않으리라는 확신이 없었다. 라하트가 기척 없이 다가온 것이 절대 우연이라고 치부할 수 없는 만큼 같은 상황이 반복될 확률은 매우 높았다.

결국 전자를 택해야 했다.

"감사해요."

눈물을 삼킨 후 라하트가 허튼짓을 하기 전에 책을 받고 곧장 달려갔다. 동시에 뒤에서 라하트의 웃음소리가 들렸다. 즐거움에 가득 찬 웃음소리였다.

라하트는 이렇게 되리라는 걸 알고 있었던 게 분명했다. 어쩐지 그의 꾐에 넘어간 듯해 찝찝했으나 들고 있는 책을 도로 꽂을 수는 없었다. 그만큼 절박했다.

"167페이지 다섯 번째 줄이야."

1페이지부터 넘겨 보려는 엘로라의 지척에 다가온 라하트가 무심히 말했다. 힐끗 라하트를 쳐다본 엘로라는 의문을 가지면서도 속는 셈 치고 167페이지를 펼쳤다. 그리고 정확히 다섯 번째 줄에 시선이 닿았을 때, 문제의 그 문장이 박혀 있음을 확인할 수 있었다.

"왜? 아니야?"

"아, 아니요. 맞아요."

라하트가 읊었던 대로였다. 한눈에 보아도 그가 정확히 해석했음을 알 수 있었다.

고대 문자를 거꾸로도 읽는 사람이니 막힘없이 술술 해석한 것이야 당연하다고 쳐도 페이지와 문장의 위치까지 정확하게 외우고 있다는 사실이 충격적이었다.

다시 찾으리라는 걸 알고 있었기 때문에 그 부분만 외우고 있었던 걸까?

얼떨떨한 표정으로 라하트와 책을 번갈아 보았다. 무엇이 문제인지 전혀 인식하지 못하고 있는 라하트의 얼굴을 보고 있자니 어떻게 정확히 위치를 알고 있냐고 물어도 '널 위해서.'와 같은 답만 나올 듯했다.

빠르게 표정을 갈무리하고는 열정적으로 책을 읽었다.

어제부터 엘로라를 지독히 괴롭히던 활자였다. 궁금해서 잠도 못 자던 그 부분을 드디어 읽을 수 있게 되었다. 라하트가 자신을 위해 페이지를 외웠든 외우지 않았든 그것은 그다지 큰 문제가 되지 않았다.

오롯이 해석에 집중하기 위해 머릿속을 비운 엘로라는 낯선 활자를 더듬었다. 클라우디아가 썼다는 편지는 긴 편이 아니었기에 해석에 오랜 시간이 걸리지 않았으나 혹 다른 곳에서도 클라우디아에 대한 언급이 있을까 싶어 결국 책을 정독하고 나서 조심스러운 손길로 책을 덮었다.

"어때?"

"없어요."

풍선에 바람이 빠지듯 기대감이 푸쉬쉬 쪼그라들었다. 액체처럼 흘러내린 엘로라가 상반신을 굽혀 책상에 한쪽 뺨을 대었다.

이번에는 소득이 있을 거란 기대가 산산이 부서졌다. 가루가 된 기대감이 날숨에 흔적 없이 날아간 기분이었다.

기대가 크면 실망도 큰 법이었다. 곧바로 다음 책으로 넘어가야 하는데 손가락 하나 까딱하고 싶지 않았다. 라하트가 보고 있다는 사실을 개의치 않아 할 정도로 실망이 컸다.

클라우디아가 케르단에게 보낸 편지에는 사적인 내용이 전혀 없었다. 요즘 기분이 어떻다는 사소한 것이라도 적혀 있었으면 좋았으련만 라하트가 읊은 문장 바로 다음에는 당시 볼흐라스의 정세를 표현한 시 전문이 남아 있었다.

시 자체는 명문이었다. 몇몇 표현이 기억에 남을 정도로. 하지만 엘로라가 원하는 건 아니었다. 날씨가 좋아서 예쁜 옷을 왕창 구입했다는 일도 좋았다. 그도 아니라면 먹던 음식이 너무 맛있어서 감동했다는 일 또한 괜찮았다.

역대 왕이나 왕자에 대한 건 사소한 것이라도 야사로 남아 있었는데 왕녀는 남아 있는 기록 자체를 찾는 것조차 힘들었다. 엄청난 간극이 피부로 절절히 와닿았다.

시무룩한 상태로 죽은 듯이 가만히 있었다. 그런 엘로라를 지그시 바라보던 라하트가 물었다.

"그녀의 무엇이 알고 싶은 거야?"

힘없이 고개를 들었다. 곧장 대답하지 못하고 머뭇거리고 있으니 라하트가 조용히 기다려 주었다.

요즘따라 초점이 또렷한 보랏빛 눈동자를 마주한 엘로라는 솔직하게 대답하는 순간 라하트가 비웃지 않을까 걱정하고 있는 자신을 발견할 수 있었다.

비웃을 만한 일이 아님을 자각하고 있으면서도 불안은 불현듯 찾아왔다.

통제 불능의 미약한 불안.

만약 다른 이에 관해 찾고 있었다면 이런 감정을 안지 않은 채 대수롭지 않게 대꾸했을까. 꼬리에 꼬리를 무는 생각이었다. 이럴 때는 어떻게 행동해야 후회도 미련도 남지 않는지 익히 알고 있었다.

머릿속에서 이어지는 모든 생각을 지우고 느릿하게 입을 열었다.

"삶."

첫발을 내딛는 건 어렵다.

하지만 이후로는 언제 두려워했냐는 듯이 쉬웠다.

"그 자체를 알고 싶어요. 그녀의 아버지와 아우에 대한 이야기는 많지만 그녀의 인생 자체를 얘기해 주는 책은 없네요."

"동화만 보아도 주인공 위주로 돌아가지 주변 인물에 대해 얘기해 주지 않지. 역사도 마찬가지야. 궁금해하지 않는 이야기에는 주목하지 않아."

"그녀 또한 왕족이에요. 충분히 역사의 주인공이 될 수 있는 것 아닌가요?"

"왕위를 이을 수 없으니까 주연이 아니지."

"……."

"알잖아. 여기서 말하는 주연이 어떤 의미를 지니는지."

"하지만……."

"불공평하다고 생각하고 있지?"

입술을 꾹 깨물었다. 그의 말대로 불공평하다는 생각만이 머릿속을 가득 채우고 있었다. 클라우디아 또한 왕위를 이을 수 있는 것 아닌가. 그녀는 누가 뭐라 해도 왕의 소생이었다. 심지어 처음으로 태어난.

왕위를 이은 왕자에 비해 불리한 점은 단 하나밖에 없었다.

"불편함을 느끼고 의문을 제기하는 건 자연스러운 흐름이야. 전혀 이상하지 않아. 모든 변화는 작은 의문으로부터 시작하니까."

"하지만 실질적으로 바뀌는 건 없잖아요."

"정말 그럴까?"

라하트가 허세를 부리는 것인지 아니면 정말 아는 것이 있는지 가늠하던 엘로라는 먼저 고개를 돌렸다. 결국 의미 없는 대화일 뿐이었다. 라하트와 이런 식으로 대화를 나눈다 하여 변하는 건 아무것도 없었다.

시간만 낭비하는 무의미한 행동이라는 생각이 들자 절로 입이 닫혔다. 엘로라의 심적 변화를 눈치챘는지 라하트가 빠르게 미끼를 던졌다.

"어쩌면 네가 원하는 정보를 내가 줄 수도 있을 것 같아."

"예? 정말이에요?"

"응."

미끼가 던져지자마자 물었다. 고민하고 조심스레 행동하기에는 라하트가 던진 미끼는 너무나 매혹적이었다. 간절히 원하는 정보였다. 의심부터 하기에는 마음이 앞섰다.

"대신 네게 물어보고 싶은 것이 있어."

"잠시만요, 정보는 믿을 만해요?"

역시 세상에 공짜는 없었다.

오는 것이 있으면 가는 것이 있는 법이었다.

클라우디아 왕녀에 관한 정보를 얼마나 간절히 원하는지 아는 만큼 높은 값을 매길 것이 분명하다는 생각이 머릿속을 스쳐 지나갔다. 그제야 정신을 차린 엘로라는 눈을 게슴츠레 뜨며 라하트에게 불신의 시선을 쏟아부었다.

"날 못 믿는 거야?"

"당연하죠."

"나처럼 믿음직한 사람은 없어. 잠시 사람을 잘못 본 거 아니야?"

"저랑 장난치고 싶으신 거면 이만 일어나겠어요."

"정말 나를 못 믿는 거야?"

"근거 없는 자신감이네요. 믿을 사람을 믿어야죠."

차갑게 일갈했다. 일말의 여지도 주지 않는 엘로라의 행동에 라하트가 과장되게 놀란 표정을 지었다. 이 정도로 믿음이 없을 줄은 전혀 몰랐다는 얼굴이었다. 엘로라로서는 참 새삼스러웠다.

"신뢰도가 바닥이라니. 충격인걸."

"전하의 평소 행실을 떠올리면 그다지 충격적인 언사도 아니에요."

"신뢰를 주는 행동만 했는데 내 신부님한테는 아니었나 봐."

"전혀요."
"그렇다면 잃어버린 신뢰를 곧장 회복하진 못하더라도 그에 준하는 무언가를 걸어야 내 신부님이 나를 믿을 텐데 무엇이 좋을까."
짧은 고민이었다. 라하트가 고뇌 끝에 외쳤다.
"만약 네가 원하는 게 아니라면 바로 이혼하는 건 어때?"
"절 좋아한다고 하시지 않았어요?"
"응, 좋아해. 많이."
분명 질문한 쪽은 엘로라인데 막상 답을 듣고 나니 쑥스러워하는 것도 엘로라였다.
라하트는 자신의 감정에 너무 솔직했다. 조금이라도 숨길 법도 한데 이럴 때만 가감 없이 감정을 드러내는 보랏빛 눈동자를 보고 있자면 해야 할 말도 까먹게 됐다.
순수한 진심만큼 사람을 당황케 하는 건 없었다.
잠깐 숨을 고른 엘로라는 자신의 페이스로 돌아왔다.
"좋아한다면서 이혼이라는 단어를 쉽게 내뱉으시네요."
"그만큼 자신이 있으니까. 그리고 이 정도로 세게 나가지 않으면 들은 체도 하지 않을 거잖아."
"……."
"네가 누구보다도 이 관계를 끝맺고 싶어 한다는 건 잘 알고 있어."
조금 전까지만 해도 좋아하는 감정을 투명하게 내비친 라하트였다. 말투에서 나오는 씁쓸함을 완전히 숨길 수 없었다.

짝사랑하는 상대를 받아 주지 않는 건 죄가 되지 않으나 괜히 미안한 마음이 솟아올랐다.

라하트가 좋아하는 감정을 숨기지 않고 있다면 엘로라는 헤어지고자 하는 바람을 숨기지 않았다. 서로 지향점이 다르니 차이를 좁힐 수 없는 건 당연한 일이었다.

하지만 모질게 대하는 건 엘로라 쪽이어서 그런지 라하트가 저렇게 약한 모습을 보여 주면 자연스레 미안한 마음이 들었다.

"제가 답할 수 있는 질문에 한해서 답할게요. 만약 허무맹랑한 질문을 하신다면 대답하지 않아도 정보를 넘기는 걸로 하죠. 이의 없으시죠?"

"철저하네."

"전하께서 뭐라고 할 줄 알고 대뜸 고개를 끄덕이겠어요."

기세는 가셨으나 경계를 늦추지 않은 엘로라를 보며 라하트가 소리 내어 웃었다.

"네가 걱정하는 일은 일어나지 않을 거야. 어렵지 않은 질문이거든."

"무엇인데요. 어서 얘기해 보세요."

"무슨 질문을 하려고 했더라. 잠시만."

이 남자, 믿어도 되는 걸까.

수시로 나사가 빠지는 라하트를 보고 있자면 한 줌 남은 신뢰도 사라지는 듯했다.

살짝 눈을 내리깔은 라하트가 상념에 잠겼다. 초점 없는 눈동자는 영혼이 빠져나간 자의 눈빛을 하고 있었다.

무슨 질문을 하려고 했는지 되짚어 보는 건지 아니면 평소의 라하트로 돌아온 건지 몰라서 얌전히 지켜보고 있는데 그리 오래 걸리지 않아서 라하트가 번뜩 고개를 들었다.

"신혼여행 중에 본 바다 요정, 너지?"

순간 심장이 덜컥 내려앉았다.

언젠가 이 얘기가 나오리란 건 예상했다.

바다에서 맞닥뜨렸을 때 얼굴을 라하트가 생각보다 더 선명하게 기억하고 있는 듯해 조용히 묻어 두는 건 불가능에 가까운 일이었다. 부정하고 또 부정했으나 맨얼굴을 들킨 지금, 이 이상의 부정은 통하지 않았다.

먹히지도 않을 거짓말을 하느니 차라리 순순히 인정하는 편이 낫다고 판단한 엘로라는 어쩔 수 없이 긍정했다.

"네, 맞아요."

"역시 내가 틀리지 않았어."

발악 같은 부정을 하느니 빠른 긍정을 택했으나 주억거리는 라하트를 보고 있자니 조금 난감해졌다.

바다에서 마주친 사람이라는 게 밝혀졌다는 건 그리 큰 문제가 아니었다. 마주치기만 했더라면 정말 큰 문제가 아니었을 거다. 사실상 엘로라가 가장 긴장해야 하는 건 라하트가 마주친 뒤의 얘기를 꺼냈을 때였다.

아직도 그때만 생각하면 죄악감이 들었다. 심지어 아무

것도 모르는 라하트는 자신의 잘못으로 약속에 늦었다고 착각하여 잘해 주려고 노력까지 하지 않았던가. 라하트와의 관계에 있어 엘로라가 가장 옴짝달싹하지 못하는 주제였다.

또한, 라하트가 그동안 집요하게 바다 요정이라 칭하며 얘기를 꺼냈는데 거짓말만 거듭했었다. 강하게 부정하고 회피한 전적이 있는 엘로라는 도둑이 제 발 저린다고 힐끔힐끔 눈치만 봤다.

이렇듯 잔뜩 긴장한 엘로라와 다르게 크게 근심 걱정 없어 보이는 얼굴을 한 라하트가 말을 이었다.

"그날 너와 마주한 뒤로 기억이 순식간에 끊겼는데 무슨 일이 있었어?"

"아, 그날……."

가장 두려워했던 질문이 성큼 찾아왔다.

괜히 말을 늘리던 엘로라는 식은땀을 흘려야 했다.

그날, 당황한 엘로라는 라하트의 뒷목을 내리쳤다. 강한 힘으로. 한 번에 기절한 라하트를 어찌 잊을 수 있을까. 마치 어제 일처럼 생생하게 떠오르는 기억이었다.

마른침을 삼켰다. 차마 라하트의 뒷목을 때렸다고 주장할 수 없었다. 거기까지는 뒷감당이 되지 않는 진실 고백이었다.

여러 생각이 머릿속에서 복잡하게 꼬였다. 당장 이 자리를 박차고 나가고 싶은 충동을 억누르며 라하트가 의심하기 전에 무작정 말을 이었다.

"전하께서 갑자기 쓰러지셨어요. 술을 너무 많이 드셨나 봐요. 앞으로 건강을 챙기시는 편이 좋겠네요. 그보다 질문은 끝났나요? 어서 정보를 주세요."

최대한 평소처럼 대꾸하려고 애썼지만 죄책감으로 인한 상냥함과 이 주제를 회피하고 싶은 마음으로 인한 조급함이 말투에서 묻어 나왔다. 이를 의식하고 혀를 깨물 뻔한 엘로라는 그저 라하트가 모르길 바랄 뿐이었다.

하지만 라하트가 누구인가. 이상한 데에서 눈치가 빠른 남자였다. 이미 수상한 낌새를 느꼈을지도 몰랐다. 잔뜩 긴장한 엘로라가 라하트의 얼굴을 자세히 살폈다. 방심할 수 없었다.

"……질문? 아, 맞아. 생각해 보니까 묻고 싶은 건 따로 있었어."

"제가 전하를 신뢰해도 괜찮은 걸까요?"

"이때까지 날 신뢰하고 있었던 거야? 영광인데."

"그 말이 아니잖아요."

욕을 해도 칭찬으로 알아들을 사람이었다.

깊은 한숨을 내쉰 엘로라는 고개를 저었다.

안도의 한숨을 내쉬고 있는 속내를 감춘 채 평소와 같이 반응했다. 다행히 엘로라가 원하는 대로 대화 주제가 바뀌었다. 이대로 정보를 재촉할까 하다가 미안한 마음이 흉터처럼 남아 있어서 라하트가 다음 질문을 하길 잠자코 기다렸다.

그런 엘로라를 가만히 바라보던 라하트가 기억을 되짚는 듯한 얼굴을 하다가 이내 정적을 깼다.

"네가 좋아하는 사람은 어떤 사람이야?"

"예?"

"좋아하는 사람이 있다고 했잖아. 그에 대해 얘기해 줘."

"어째서요?"

"참고하게."

"그렇다면 모르시는 편이 낫겠네요."

애초에 좋아하는 사람이 없는데 대답해 줄 수 있을 리가 없었다. 순간 괜히 이 제안을 수락했다는 생각이 들었다. 난처한 질문의 연속이었다.

당황한 기색을 숨기고 무작정 회피를 선택한 엘로라가 대답해 주지 않을 것처럼 굴었다. 철벽처럼 견고한 의지에 라하트가 능청을 떨며 엘로라를 꾀어 내려 했다.

"이름이라도 살짝 알려 줘. 그 후에는 내가 알아볼게."

"뭘 어떻게 알아보시려고요."

"돈과 권력만 있다면 뒷조사는 어렵지 않잖아."

무시무시한 얘기를 순진무구한 아이처럼 활짝 웃으며 얘기하고 있었다. 없는 존재를 창조해 내는 것도 힘든데 그 존재의 행방을 쫓겠다고 하는 라하트의 발언에 엘로라는 막다른 골목에 몰린 듯한 기분을 느꼈다.

이번에는 또 어떤 식으로 대화를 이끌어 탈출 방법을 꾀해야 할지 고민하기 위해 두뇌가 활발히 움직였다.

"범법 행위를 굉장히 당당하게 말하시네요."
"내가 하면 합법이지."
"그러다 언젠가 잡혀가요."
"내가 잡혀갈 사람으로 보여?"
"……아니요."
"그렇지? 그러면 어서 말해 봐."
보라색 눈동자가 반짝반짝 빛났다. 지금처럼 생기 있게 반짝이는 라하트의 눈동자를 본 적이 없는 듯했다.
부담스러운 시선을 한 몸에 받은 엘로라는 그것을 피하지도 못한 채 굳어 버렸다.
만들어 내야 했다. 무엇이든.
어떤 식으로든 라하트가 납득할 만한 대답을 내놔야 했다.
하지만 라하트가 뒷조사를 시작한다면 좋아하는 사람이 없다는 사실이 발각될 확률이 매우 높다는 것 또한 고려해야 했다. 로즈였던 시절, 남편이 없다는 사실을 빠르게 알아냈지 않은가.
라하트의 수사 범위 밖에 있는 사람을 빠르게 따져 보던 엘로라는 결국 되는대로 말을 내뱉었다.
"이 나라 사람이 아니에요."
"타국 사람이야? 의외인걸."
"네, 그러니 뒷조사하지 마세요."
말한다 하여 하지 않을 사람은 아니지만 일단 단단히 못을 박았다.

머릿속에 다양한 지위가 지나갔으나 그중 타국 사람이라 칭한 이유가 몇 가지 있었다.

대표적으로 꼽자면 라하트가 헛발을 짚어 엘로라가 생판 남을 좋아한다 착각하여도 그를 직접 찾아가 확인할 수 없었다.

이상한 데로 튀기 좋아하는 이 남자가 만남을 주선한다는 등의 쓸데없는 일을 하면 서로 곤란할 상황이 펼쳐졌다. 라하트가 접촉할 수 없도록 최대한 거리를 벌릴 필요가 있었다.

또한 방탕한 삶을 산다 하여도 한 제국의 황자인 라하트가 타국 사람을 조사한다는 사실이 알려지면 외교적으로 곤혹스러운 상황을 맞이할 수 있기 때문이었다.

엘로라가 명망 있는 가문의 여식이니 자연스레 라하트의 뒷조사 또한 이름 있는 가문 위주로 시작할 것이었다. 황자가 타국의 귀족을 은밀히 조사한다면 상대 국가 측에서 불쾌함을 표현하는 건 당연한 수순이었다.

돌아가면 타국의 귀족을 조금 알아봐야 할 것 같았다. 만약 인연에 대한 의문을 제기한다면 옷깃만 스쳐도 인연인데 만들어 내면 그만이라고 생각한 엘로라는 어찌어찌 잘 넘어간 것 같아서 몰래 식은땀을 훔쳤다.

이 시간이 빨리 지나기만을 바라고 있는데 빙긋 웃으면서 엘로라를 쳐다보던 라하트가 불쑥 물음을 던졌다. 평소와 비슷한 분위기를 하고 있었으나 물음만큼은 살짝 날이

서 있었다.

"누구를 위해서?"

"예?"

"나를 위해서야? 아니면 그 사람을 위해서 나를 말리는 거야?"

"……어, 그게……."

무어라 말하지 못하고 붕어처럼 입만 벙긋거렸다. 이번 물음은 너무 당황스러워서 사고가 정지해 버렸다.

그런 식으로 생각해서 뒷조사를 하지 말라고 강경하게 나간 것이 아니었기 때문에 더욱 그랬다.

"나도 알아. 내가 유치하게 굴고 있다는 거."

말문이 막혀 버린 엘로라를 보고 다른 식으로 해석했는지 불현듯 뺨을 살짝 붉힌 라하트가 빠르게 손으로 얼굴을 가렸다. 항상 두 눈을 직시하던 보랏빛 눈동자마저 살짝 고개를 숙인 탓에 잘 보이지 않았다.

그 변화를 지켜보던 엘로라는 갈피를 잡지 못하고 우왕좌왕했다. 이 남자가 왜 이러는지 심경 변화를 따라갈 수 없었다.

"뒷조사는 하지 않을게. 대신 그가 어떤 사람인지 얘기해 줘. 그 정도는 괜찮잖아?"

아까보다 훨씬 진정한 라하트를 보고선 얼떨떨하게 고개를 끄덕였다.

어떤 사람이라. 자신이 누군가를 좋아한다면 어떤 사람

을 좋아하게 될까.

거짓말에 진정성이 없다면 금방 간파당하리라는 걸 아는 엘로라가 신중히 말을 골랐다.

"다정하고 착해요."

"그리고?"

다정하고 착하면 되었지 무엇을 더 바라는가.

사람들이 좋아할 만한 전형적인 인물상을 그리던 엘로라는 뒤의 내용을 재촉하듯, 빤히 바라보는 라하트의 시선에 저도 모르게 실언을 하고 말았다.

"그리고…… 순종적이에요."

그런 남자가 어디 있단 말인가!

할 수만 있었다면 혀를 꽉 깨물었을 것이다.

하필이면 이 다급한 순간에 어릴 때 기르던 개가 떠오른 게 화근이었다.

살다 보면 가끔 뜬금없는 기억이 튀어 오르고는 한다.

그리고 그때가 지금이었다.

두 눈을 질끈 감았다. 다정하고 착한 데다 순종적이기까지 한 개가 자연스레 떠올랐다.

햇살 아래에 서면 눈부시게 반짝이는 금빛 털을 소유하고 있던 개는 에곤과 함께 자라서 세월을 보낸 터라 엘로라가 어릴 때부터 노쇠했다. 그리하여 안타깝게도 어린 엘로라가 한창 정을 줄 때 아득히 먼 세상으로 떠나고 말았다.

그것은 엘로라가 살갗으로 절절히 느낀 죽음이었다.

펑펑 우는 엘로라를 보고서는 가족들은 그 이후로 개나 고양이 같은 동물을 기르지 않았다. 동물은 사람보다 수명이 짧아 이별이 빨랐기에 똑같은 슬픔을 안겨 주고 싶지 않았던 것이다.

멀지 않은 미래에 그보다 더욱더 큰 슬픔이 찾아오는 것도 모른 채.

당시 상황을 떠올렸다.

행복했던 시절이었다. 먼지 쌓인 기억이 수채화처럼 번졌다.

개가 죽은 날, 자신을 다정히 위로해 주던 사람이 있었던 것 같은데 얼굴이 기억나지 않았다. 언뜻 샘솟은 기억을 추적하던 엘로라는 에곤이었을 거라 지레짐작하고는 라하트가 더 묻기 전에 다급하게 외쳤다.

"이제 됐죠? 질문에 꼬박꼬박 답했으니까 정보를 주세요."

"아, 맞다. 그랬었지."

"은근슬쩍 넘어가려고 했어요?"

"그럴 리가."

자리에서 일어난 라하트가 따라오라는 의미로 손짓했다.

그의 뒤를 졸졸 따라간 엘로라는 아주 구석진 곳에 도달할 수 있었다. 차례대로 보고 있어 아직 엘로라가 살피지 못한 곳이기도 했다. 이곳에 단서가 숨어 있었던 걸까.

"하룻밤 사이에 많이 자랐네. 이러다 내 신부님이 나보다 더 커지는 거 아니야?"

진중한 표정으로 주위를 살피는 엘로라를 돌아본 라하트가 농담처럼 물었다. 살짝 인상을 찡그린 엘로라는 항상 그렇듯 순순히 라하트의 우스갯소리를 받아 주지 않았다.

"놀리지 마세요."

"놀리는 거 아니야. 너와 나 사이의 거리가 짧아졌다는 사실이 좋아서 얘기를 꺼내 봤어."

라하트가 살포시 미소를 지었다. 정말 남들이 부끄러워할 만한 얘기를 아무렇지 않게 하는 남자였다. 다정한 음색을 들은 엘로라는 그대로 고개를 돌렸다. 더는 눈을 마주치고 있지 못할 것 같았다.

"시간 없어요. 정보를 주세요."

"잠시만, 이 근처에 있어."

역시 사람은 생각보다 미묘한 차이를 금세 인식했다. 평소와 다른 점을 구체적으로 알지는 못해도 처음 맞닥뜨리게 되면 이질감을 느낀다.

이런 이유로 엘로라는 남자로 변장할 때 인물마다 다른 높이의 깔창을 꼈다. 예상보다 라하트와 마주한 인물이 많아서 굳이 키를 높여 이질감을 주고 싶지 않았던 것인데 결국 이렇게 되었다.

라하트가 책을 뽑고 있는 사이 바닥을 힐끔 내려다보았다. 지금 신고 있는 굽 높은 구두는 기다란 드레스 자락으로 가려져 보이지 않았다.

"여기."

딴생각을 하고 있는 사이 책을 꺼낸 라하트가 그것을 엘로라에게 건네줬다. 생각보다 얇았다. 고급스러운 가죽 커버로 뒤덮인 그것은 고작해야 100페이지가 될까 말까 한데다 크기도 큰 편이 아니었다.

경계를 늦추지 않으며 그것을 받은 엘로라는 라하트의 부가 설명을 들을 수 있었다.

"일기장이야."

일기장. 이런 중요한 물건이 남아 있을 거라 예상치 못했다.

보관이 잘되어도 세월의 흔적이 느껴지는 가죽 커버 모퉁이에 클라우디아, 그녀의 이름이 고대어로 쓰여 있었다. 심장이 빠르게 뛰을 느낀 엘로라는 자리를 옮길 생각도 하지 못하고 다급히 겉표지를 넘겼다.

언제나 그렇듯 고대어가 듬성듬성 새겨져 있었다. 너무 오래되어 잉크가 살짝 날아간 부분도 있었다. 눈으로 대충 그것을 해석했다.

빨리빨리 페이지를 넘기고 싶었으나 조금만 힘을 준다면 종이가 찢겨 나갈 것 같아 절로 조심할 수밖에 없었다. 손이 눈을 따라가지 못하고 있었다.

참을성 있게 행동하던 엘로라는 몇 페이지를 넘기지 않아 멈칫했다. 이를 보고 엘로라가 멈칫할 거라 미리 예상하고 있던 라하트는 기다렸다는 듯이 입을 열었다.

"앞쪽에는 사소한 일상을 대충 적어 놓다가 얼마 안 가서 해독할 수 없는 언어로 적어 놨지? 아마 왕녀가 직접 만든 언어일 거야. 그녀의 아버지나 동생들이 남긴 기록에는 찾을 수 없는 문자이니까. 초반에 학자들이 해독하기 위해 매달렸지만 얼마 가지 않아 역사적 가치가 없다고 지레짐작하면서 다들 중도 포기했어. 세간에 공개할 일도 없으니 조용히 묻는다 해서 무어라 지적할 사람도 없었지."

속사포처럼 말하는 라하트의 어조가 다소 냉소적으로 변했다.

"그들은 일부러 암호처럼 보이는 말도 안 되는 문자로 썼으니 사소하게 저질렀던 부끄러운 행동을 적어 놨지 않을까, 하고 추측했어. 앞 내용이 역사적 사료가 되지 못할 만큼 별것 아니라는 사실이 가설에 신빙성을 주었다고는 하지만 결국 학자들에게 있어 이 일기장은 신 포도인 셈이야. 덕분에 이곳에서 먼지 쌓인 신세가 되었지."

"그렇다면 전하께서는 어떻게 생각하세요?"

"응? 나?"

"네. 전하께서도 암호를 해독하면 쓸데없는 내용만 있을 거라 생각하세요?"

사뭇 진지하게 엘로라가 물었다. 전혀 예상치 못한 그 물음에 당황한 기색을 고스란히 보이던 라하트는 잠깐 생각하더니 빙긋 미소를 지었다.

"암호를 만든 후에 오늘은 무엇을 먹고, 사고, 몇 번을 숨 쉬며 살았는지 적어 놓는 것 또한 좋지. 기껏 해독한 사람이 허탈해할 걸 떠올리면 즐겁잖아. 하지만 일기장이야.

당시에는 남들이 보지 못하도록 자물쇠까지 건 보석함에 숨겨 놨다던데 누군가에게 보이는 건 아주 최악의 상황을 고려한 것 아니겠어? 다른 누군가에게 들키고 싶지 않은, 혹은 아는 사람끼리만 공유하고픈 내용이라면 중요한 내용일 거야."

언어 체계만 알고 있다면 해석은 금방인 암호의 특성을 고려하여 혹 모를 가능성까지 언급했다. 엘로라는 그런 라하트의 의견에 동의했다.

그녀의 가족이 이 암호를 쓰지 않았다고 했지만 그녀의 인생에 가족이 전부이지는 않았다.

실제로 아몬은 클라우디아를 둘도 없는 친구로 여겼으며, 얘기만 듣는다면 아몬과 클라우디아 그리고 엘로라의 선조인 헤르시아까지 제법 친하게 지냈지 않았는가.

그녀에게 있어 가족만큼 친한 친구가 있는 건 이상하지 않았다.

"전하께서는 해독해 보셨나요?"

"내가 왜?"

"본인 입으로 똑똑하다고 하셨잖아요. 일기장의 위치를 알고 있다는 건 이미 봤다는 뜻일 텐데 시도는 해 보셨어요?"

"아니, 굳이 할 필요성을 못 느꼈어."

중도 포기한 학자들에 대해 냉소적인 반응을 보였으나 라하트 또한 클라우디아의 인생이 가치 없다고 생각하고 있는 것일까. 왜인지 들떴던 마음이 저도 모르게 가라앉을 때쯤 라하트가 말을 이었다.
"일기장이잖아. 조상이라고는 하지만 굳이 암호까지 만들어서 적어 놨는데 들춰 보고 싶지 않았지. 그리고 만약 해독을 한다 하여도 그걸 해야 할 사람은 내가 아니라는 생각이 들었거든."
변명이 아니었다. 평소에 라하트를 알 수 없는 사람이라고 평가하지만 곧게 진실만을 얘기하고 있을 때는 티가 났다.
"저는 괜찮아요? 이제부터 해독하려 들지도 모르는데."
"아무도 관심 가져 주지 않던 그녀를 알아봤잖아. 그것만으로 충분해."
그동안 얼마나 열정적으로 클라우디아에 관한 자료를 찾았는지 익히 알고 있는 라하트이니 내보일 수 있는 반응이었다. 어쩐지 쑥스러워진 엘로라가 입을 꾹 닫고 있으니 라하트가 조급하게 물었다.
"그보다 어때. 네가 원하는 것 맞지?"
"……네, 맞아요."
살짝 뜸을 들인 엘로라가 느릿하게 고개를 끄덕였다.
그녀의 삶. 그것이 이 작은 일기장에 새겨져 있었다.
남들에게는 가치 없는 것일지라도 이 얘기를 듣는다면 기뻐할 사람이 있었다. 그리고 대충 살펴본 결과 클라우디아가 자신만의 독자적인 암호로 일기를 쓰기 시작한 시점은 그녀의 결혼이 확정될 때쯤이었다.
지속적으로 클라우디아에 관한 자료를 찾으면서 클라우

디아 인생 전문가가 다 된 엘로라는 금세 알 수 있었다.

이제 고대어를 정확히 해석하고, 암호만 해독한다면 아몬은 역사 속으로 사라져 버린 제 친우의 행적을 알 수 있을 것이었다. 어쩌면 이야기를 듣다가 어째서 클라우디아와 싸웠는지 기억해 낼 수 있을지도 몰랐다.

그토록 원했던 소망을 이루기까지 이제 한 발자국 남았다.

한창 기쁨에 젖어 있던 엘로라는 털썩 바닥에 주저앉는 라하트를 보았다. 일부러 앉고 싶어서 앉았다기보다는 불가항력으로 주저앉은 듯해 잔뜩 당황했다. 대체 무슨 일이 일어나고 있는지 짐작도 가지 않았다.

"전하?"

"……."

"어디 아프세요? 아니면 혹시 아침부터 과음하셨어요?"

걱정 어린 시선으로 쳐다보며 묻자 라하트가 손을 저었다.

"술 안 마셨어."

"그러면 왜 그러세요? 무슨 일 있으셨어요?"

"……사실 네가 필요치 않다고 할까 봐 긴장했어."

듣고도 믿기지 않는 발언에 눈만 깜빡거렸다.

"정말 다행이다. 너와 더 함께할 수 있어서."

그렇게 말하며 라하트는 꾸밈없이 웃었다.

이때까지 라하트의 잘생긴 얼굴 때문에 동요한 적은 없었으나 그 한순간만큼은 얼굴에 살짝 열이 오르는 것을 느낀 엘로라는 자신이 동요하고 있다는 사실을 숨기기 위해 몸을 돌렸다.

그리고 눈앞에 보이는 책장에 아무렇게나 클라우디아의 일기장을 꽂아 넣고 이동했다. 만약 라하트가 부르지만 않았더라면 바로 서가를 빠져나갔을 거였다.

"어디 가? 이대로 끝인 거야?"

"필요한 것이 있어서 잠시 나갔다 올 거예요. 그러니 일기장 위치는 바꾸지 마세요."

슬쩍 뒤를 돌아보니 엉덩이를 털고 일어난 라하트가 무슨 말인지 모르겠다는 표정으로 쳐다보았다. 앞으로 할 일이 큰 비밀도 아닌 터라 엘로라는 순순히 털어놓았다.

"필기할 도구를 챙길 거예요. 뒤의 내용, 해독해야죠."

아무리 머리가 좋아도 아무것도 없는 상태에서 해독하는 건 불가능했다. 단순 연산을 속셈하는 것도 아니고 규칙도 무엇도 아무것도 모르는 암호였다. 학자들도 잠깐이나마 손을 대다가 말았다고 하니 가벼이 여길 수 없었다.

"포기하지 않았구나."

"포기라는 단어를 입에 담은 적은 없어요."

냉정한 엘로라의 대꾸에 라하트가 소리 내어 웃었다.

어쩐지 기분이 좋아 보였다.

"내가 가져올게."

"아니, 굳이 그러실 필요는 없어요."

"내가 도와주고 싶어서 그래."

"하지만 제 일인걸요."

“조금이라도 빨리 해독하고 싶지 않아? 그렇다면 시간을 아껴야지. 앉아서 보고 있어. 금방 다녀올 테니까.”

라하트의 말대로였다. 한시라도 빨리 해독하고 싶어 잠깐이라도 자리를 비워야 한다는 사실을 못내 안타깝게 느끼고 있었다. 거의 날아가듯이 기거하는 궁까지 달려가서 서가로 돌아올 생각을 하고 있던 엘로라에게는 제법 매력적인 제안이었다.

라하트를 시키느냐, 직접 가느냐.

그 두 선택지 사이에서 저울을 재던 엘로라는 어차피 고대어로 적힌 부분도 훑어봐야 했기 때문에 느긋하게 라하트의 도움을 받기로 했다.

“분명 말씀하셨어요. ‘금방’ 다녀올 거라고. 그러니 깜빡 잊고 딴 데로 새지 마세요.”

“설마. 그럴 리가.”

“그 설마 하는 일이 자주 일어나서 문제예요.”

“내 신부님에 관한 건 절대 잊지 않아.”

한쪽 눈을 찡긋거린 라하트가 능청을 떨었다.

어째서인지 저 얼굴만 보면 신뢰도가 뚝 떨어지다 못해 바닥을 기었다.

“시간 재고 있을 거예요.”

“그러도록 해.”

고개를 끄덕인 라하트는 “내가 나가는 순간부터 백까지 세고 있어!”라고 외치고 서가를 빠져나갔다. 꼭 개구쟁이

소년 같은 그 뒷모습을 보다가 이내 일기장으로 시선을 돌렸다.

라하트 한 명 사라졌을 뿐인데 사위가 쥐 죽은 듯 조용했다. 죽음 같은 침묵에 잠긴 엘로라는 곧바로 집중하여 클라우디아의 일기를 꼼꼼히 읽었다.

그리고 엘로라가 집중하고 있는 동안 다시 문이 열렸다.

라하트는 정말 금방 돌아왔다. 기척을 죽이긴 했으나 완벽하게 지우지 않은 채 엘로라에게 다가온 그는 종이와 펜을 책상 위에 놓고 쓱 엘로라 쪽으로 밀었다.

몰두하고 있던 엘로라는 뒤늦게 라하트가 지척에 왔음을 눈치채고 고개를 들었다.

"해독할 수 있겠어?"

"안 돼도 되게 해야죠."

꺾이지 않을 의지였다.

단호한 엘로라를 가만히 바라보던 라하트가 불쑥 물었다.

"무엇이 널 그리도 간절하게 만드는 걸까?"

"질문 시간은 끝났어요."

"미리 물어볼 걸 그랬네."

"참으로 안타깝네요."

영혼 없는 대꾸를 건성으로 하고는 다시 일기장으로 시선을 옮겼다. 라하트와 노닥거릴 시간이 없었다. 드디어 결정적인 단서를 손에 넣었는데 쓸데없는 일로 시간을 낭비하고 싶지 않았다.

때가 되면 이곳을 나가야 하고, 언제 황제의 불호령이 떨어질지 모른다는 점도 엘로라의 불안을 조장하기에 앞섰다.

"오늘은 있고 싶은 만큼 이곳에 남아 있어. 원한다면 해가 뜰 때까지 있어도 돼."

눈을 동그랗게 뜬 엘로라가 라하트를 올려다봤다.

원하는 만큼 있어도 된다니. 말이라도 고마운 제안이었다.

"내가 말해 놓을게."

"하지만……."

"잊었어? 난 이 나라의 둘뿐인 황자야."

"……."

"그리고 넌 그런 나의 신부지."

달콤한 어조였다. 그 목소리에 잠깐 넋을 놓고 있던 엘로라는 퍼뜩 정신을 차렸다.

"혼인 사이를 이토록 거창하게 얘기하다니. 전하다워요."

"아, 이럴 때는 보통 하나뿐인 황제라고 해야 멋져 보이나. 그렇다면 내가 황제가 되어야겠네."

그 말에 사색이 되었다. 농담으로라도 할 말이 아니었다. 라하트는 제가 하는 말의 무게를 알고 있긴 하는 걸까? 엘로라는 상황을 무마시키기 위해 유쾌하지 못한 농담을 들은 것처럼 행동했다.

"농담 한번 살벌하게 하시네요."

"농담 아닌데?"

"……."

"네가 바라던 거 아니었어?"

"어디 가서 그런 왜곡된 발언을 했다가는 저 잡혀가요."

"어째서?"

"모르는 척하지 마세요. 한 번 더 그런 말 했다가는 다신 안 볼 줄 알아요."

엄한 표정을 지은 엘로라가 이만 대화를 끝내려다가 힐끗 라하트를 봤다.

클라우디아의 일기장을 일찍이 발견할 수 있었던 건 라하트의 덕택이 컸다. 게다가 지금은 또 서가에 원하는 만큼 머물라고 했다. 일기장을 찾는 데에는 정당한 대가가 오갔다고 할 수 있지만 지금은 완벽한 호의였기 때문에 이대로 넘어가는 것이 마음에 편치 않았다.

"어쨌든 고마워요."

"천만에."

고맙다는 말로는 부족한 감이 있었지만 당장 라하트에게 해 줄 수 있는 게 없었다. 싱긋 웃는 라하트를 확인하고서는 페이지를 넘겼다. 클라우디아가 처음으로 암호화하여 일기를 남긴 페이지에.

암호를 해석하기 위해서는 먼저 패턴을 파악해야 했다.

펜을 쥔 손에 힘을 준 엘로라는 혹 기존에 있던 암호 체계와 관련이 있을까 싶어 다양한 암호와 비교하기 시작했다.

라하트가 나가자마자 집중했듯이, 금방 암호 해독에 빠져들어 시간이 얼마나 지나는 줄도 모르고 열을 올렸다.

라하트가 잠시 자리를 뜨고, 해가 지고, 깊은 밤이 찾아와도 그녀는 한시도 일어나지 않고 자리를 지켰다.

동이 텄다.

부동의 자세로 펜을 놀리던 엘로라는 고개를 들었다.

우드득. 뼈마디가 비명을 지르는 소리가 정적을 깨웠다. 오랫동안 기름칠을 하지 못한 문짝처럼 여기저기 비명을 질러 대는 몸을 정비한 후 씻기 위해 잠시 서가를 빠져나왔다. 집중해서 일을 하는 것도 좋았으나 효율을 위해 잠깐 쉴 필요도 있었다.

자세한 설명은 하지 않고 늦게 돌아갈지도 모른다는 말만 해서 걱정했는지 밤을 꼴딱 새운 히나가 엘로라를 반겼다.

피곤함이 새겨진 그 얼굴을 보니 미안함이 먼저 들었으나 좋은 기회를 놓칠 수는 없었다. 다시 과거로 돌아간다 하더라도 같은 선택을 했을 거라 생각하며 씻고 화장을 새로 했다.

거울을 통해 붉게 충혈된 눈을 마주할 수 있었다. 얼굴에는 '피곤'이라고 적혀 있는 듯했지만 이를 가볍게 무시했다.

고작 하루 밤샌 것으로 쓰러질 몸이 아니었다.

엘로라는 스스로를 누구보다 잘 알고 있었다.

이때까지 타인을 흉내 내며 각 분야에서 정점이 되기 위해 무수히 많은 각오와 고통을 밟아 왔다. 혹자는 재능 하나만으로 엘로라가 여기까지 온 것이 아니냐고 할 수 있겠지만 그냥 이뤄지는 건 아무것도 없었다.

화장을 마치고 다시 서가에 가기 위해 나가려던 찰나 막 깨어난 아몬이 왜 이제야 왔냐고 물었다. 클라우디아의 행적을 쫓고 있다는 건 성과가 있기 전까지 비밀로 하고 싶었기에 대충 말을 얼버무렸다.

그들은 지금 엘로라가 학문에 심취해 있는 줄로만 알았다.

히나는 한 가지에 꽂히면 그 하나만을 열성적으로 파는 엘로라의 성격을 익히 알고 있었기 때문에 그러려니 하고 납득하는 듯했다. 엘로라와 오랜 시간 함께였던 히나가 아무 말 하지 않으니 아몬 또한 별다른 말 없이 넘어갔다.

서고에 도착한 엘로라는 사서의 눈을 피해 작게 하품을 하면서 들어갔다. 아무도 없으리라 예상했던 내부에서는 라하트가 가장 먼저 엘로라를 반겼다.

"씻고 온 거야? 좋은 냄새가 나네."

예전에 질겁한 탓인지 라하트가 일정 거리를 유지하면서 말했다. 가볍게 고개를 한 번 끄덕인 엘로라는 뻐근한 눈가를 매만졌다. 졸음이 쏟아지진 않았으나 눈이 뻑뻑해서 고생이었다.

물론 눈동자가 아무리 힘들다고 외쳐도 이 이상 시간을

지체할 생각은 눈곱만큼도 없었다. 털썩 자리에 앉아서 하다 못한 암호 해독에 다시 돌입했다.

엘로라가 펜을 잡는 것을 본 라하트는 이때 아니면 말을 걸 기회가 없음을 본능적으로 깨닫고 슬쩍 말을 붙였다.

"진전은 있어?"

"네."

"많이 피곤해 보이는데 괜찮겠어?"

"괜찮아요."

시선을 일기장에 고정한 채로 짧게 메마른 대꾸를 했다.

더는 대화를 시도해 봤자 제대로 된 대답이 돌아오지 않음을 알게 된 라하트가 그대로 입을 다물었다. 덕분에 다시 조용해져서 집중할 수 있었다.

몇 번이나 읽었는지 기억도 나지 않았다. 단지 한 가지 알고 있는 건 일기장을 마르고 닳도록 봐서 하룻밤 사이에 본문을 다 외울 지경이 되었다는 것이었다. 눈을 감은 채 토씨 하나 틀리지 않고 일기를 베낄 자신이 있었다.

이쯤 되면 실마리라도 얻어야 하는데 여러 암호를 조합해 보아도 썩 만족스러운 결과가 나오지 않았다. 다시 시작된 사투에 열중하는 동안 맞은편에 있던 라하트가 가만히 바라보다가 자리를 뜨는 걸 느낄 수 있었다. 그 후 신경을 아예 꺼 놔서 라하트가 있는지 없는지도 몰랐다.

시간이 제법 지난 듯했다. 언제 왔는지 라하트가 손가락으로 톡톡 책상을 두드렸다. 그 소리에 정신을 차린 엘로라가 집중이 깨진 탓에 인상을 찡그리면서 라하트를 올려다봤다.

"식사 시간이야."

"벌써요?"

"응. 따로 식사하러 나갈 생각 없을 거 아니야. 안 먹으면 몸 상하니까 억지로라도 먹어."

그렇게 말하며 라하트가 건네준 것은 샌드위치였다.

멀쩡하게 생긴 샌드위치를 멍하니 보던 엘로라는 퍼뜩 드는 생각에 물었다.

"이곳은 음식물 반입 금지 아니었어요? 대체 어떻게 들고 오신 거예요?"

"아무것도 모르니까 그냥 들여보내 주던데."

"몰래 가져왔군요."

"어쩌겠어. 사서가 고지식한 사람인걸. 내 신부님이 여기서 굶어 죽을 거라고 애원해도 들은 체도 하지 않았을 거야."

"전 안 죽어요."

라하트가 바라보는 자신은 대체 어떤 사람인 것일까.

짧게 한숨을 내쉰 엘로라는 장갑을 벗고 책을 치운 후 샌드위치를 대충 입에 욱여넣었다. 빨리 먹어 치우고 해독에 힘을 쓰겠다는 의지가 강한 행위였다.

사실 라하트가 주는 샌드위치를 먹는 것이 영 꺼림칙하긴 했지만 이것저것 가릴 처지가 아니었다. 집중하려면 힘이 필요했고, 힘은 그냥 있으면 절로 생기는 게 아니었다. 잠도 못 자는데 먹기라도 해야 사람 구실을 할 수 있었다.

"맛있어?"

"네."

"여기 마실 것도 가져왔어."

"……정말 안 들킨 게 대단하네요."

"내가 대단한 사람이긴 하지."

우쭐대는 라하트를 보고 그냥 입을 다물었다. 부정할 힘도 없었다. 그저 라하트가 건넨 음료로 마른 목을 축이고는 빠르게 식사를 마쳤다.

"벌써 다 먹었어?"

"배불러요."

"시간에 쫓기지 않아도 된다고 했잖아. 조급해하지 마."

마치 뒤에 성난 황소가 쫓아오기라도 한 것처럼 자신을 몰아붙이는 듯하여 라하트가 달랬지만 엘로라에게는 제대로 와닿지 않았다.

라하트가 현재 편의를 봐 주고 있다 하여 언제까지나 이곳에 있을 수 있는 건 아니었다. 기간이 길어질수록 황제는 미심쩍게 여길 것이었다. 아니, 벌써 수상함을 눈치챘을 것이다. 할 수 있다면 가능한 빨리 암호를 해독하고 아몬에게 소식을 전하고 싶었다. 몸 편하고 마음 편하면 시간만 지체되지 않는가.

일단 라하트의 말을 듣는 척하며 손을 털어 낸 엘로라는 다시 장갑을 꼈다. 딱 달라붙는 장갑의 감촉이 익숙하다. 허기도 갈증도 채워 만족스러운 상태였다.

"내가 도와줄 일은 없어?"

"없어요."

"하나라도 있을 거 아니야."

"음, 그렇다면……."

고민하는 척 뜸을 들이자 라하트가 부담스럽게 두 눈을 반짝였다. 억지로라도 일거리를 만들어 내야 할 듯한 시선이었다.

따끔따끔 뺨을 건드리는 반짝이는 시선을 한 몸에 받은 엘로라는 짧은 침묵 끝에 결단을 내렸다.

"치워 주세요."

"무엇을?"

"전하를요."

이 이상 라하트에게 손을 벌리고 싶지 않았다.

단호함이 느껴지는 엘로라의 대답에 시무룩해진 라하트가 자리에서 일어나 터덜터덜 걸어갔다. 그 뒷모습을 힐끗 보다가 해독에 집중했다. 당장은 이쪽이 우선이었다.

그렇게 시간 가는 줄도 모르고 해독하고 있자니 피곤이 몰려왔다. 요 근래 클라우디아에 관한 문서를 뒤지느라 스트레스를 많이 받은 탓이었다.

별다른 정보를 얻지 못한 날이면 선잠으로 밤을 지새웠는데 오늘은 그 선잠도 자지 못했으니 몸이 피로를 호소하는 건 당연한 일이었다.

점점 무거워지는 눈꺼풀을 느끼며 두 눈을 빠르게 깜빡였다. 머리는 열심히 굴리고, 한 손으로는 필기를 하며, 다른 한 손으로는 뺨을 꼬집었다.

그러나 피곤에 전 몸은 그런 노력만으로 졸음을 쫓아낼 수 없었다.

잠깐 방심한 사이 꾸벅꾸벅 졸았다. 본인이 잤다는 것도 알지 못한 채 깨어난 엘로라는 눈을 감은 적이 없는데 눈을 뜨고 있다는 사실을 깨닫고 소스라치게 놀랐다.

대체 언제 눈을 감은 거지? 그보다 시간은 얼마나 지났을까.

초조함으로 마른세수를 하다가 무언가 이상함을 눈치챘다. 아직 잠기운이 남아 있던 탓에 곧바로 그 이상함의 정체를 파악하지 못하던 엘로라는 잠시 뒤 낯익은 겉옷이 제 몸에 걸쳐져 있음을 알았다.

겉옷을 보는 순간 이 옷의 주인이 누구인지 알았지만 부정이 먼저 들었다. 설마 하는 생각에 고개를 숙여, 킁킁 냄새를 맡았다. 익숙한 냄새였다. 몇 번이나 맡았기 때문에 절대 헷갈릴 수 없는 냄새.

설마 하던 그 사람이 맞았다.

빠르게 주위를 둘러봤다. 실내에는 정적이 맴돌고 있었다. 주의 깊게 살펴보았지만 라하트는 없었다. 워낙 왔다 갔다 하길 좋아하는 사람이니 그 사이에 또 어딘가로 간 모양이었다.

멍하니 겉옷을 보던 엘로라는 온기를 느꼈다.

그것이 자신의 것인지 아니면 라하트의 것인지는 몰라도 설핏 미소가 지어졌다.

아무리 생각해도 참으로 미련한 사람이었다.

좋은 말 한 번 해 준 적 없는데 계속해서 호의를 베풀고 있으니. 사람이란 본디 무언가를 주면 그만큼의 답례를 바라는 존재였다. 완전무결한 자기희생이란 없었다.

밀어내고, 밀어내고, 또 밀어냈다. 당긴 적은 한 번도 없었다. 나가떨어질 법도 한데 그는 요지부동이었다. 좋아하는 이유도, 어째서 그리 좋아한다고 말하는지도 알 수 없었다.

옷자락을 만지작거렸다. 부드러운 감촉이 손가락을 감쌌다.

이러니 라하트가 꼭 해독 불가능한 암호 같았다.

언젠가 그의 마음을 알게 될 날이 올까.

눈을 내리깐 채 어지럽게 흐트러진 활자를 내려다보았다. 처음에는 낯설기 그지없었으나 닳을 때까지 더듬어 이제는 모국어처럼 익숙하게 보이는 활자였다.

몇 가지 거슬리는 부분만 알게 되면 해독은 그리 어렵지 않을 듯했다. 하지만 해답을 찾기 위해서는 기발한 발상이 필요했다. 그렇지 않으면 같은 자리만 빙빙 돌 뿐이었다.

라하트라는 사람도 마찬가지일까.

느릿하게 눈을 끔뻑인 엘로라가 다시 집중해서 암호를

해독했다.

잠깐 자고 일어나서 그런지 막혔던 부분이 술술 풀렸다. 너무 잘 풀려서 혹시나 하는 마음에 몇 번이나 대조해 보았지만 결과는 마찬가지였다. 마치 신들린 사람 같았다. 앓던 이가 쑥 빠지듯, 막힘없이 손을 놀렸다.

결국 시간이 얼마 지나지도 않았는데 일기장에 있는 내용을 모두 해독한 엘로라가 다급히 자리에서 일어났다. 당장 아몬에게 달려가서 이 사실을 알려 주고 싶었다.

이미 본문 전체를 씹어 먹듯이 다 외운 터라 필기한 종이를 챙겨야 한다는 생각도 못한 채 자리를 뜨려 했다. 만약 근처에 놓인 꽃이 시야에 밟히지만 않았더라면 당장 달려갔을 거였다.

해독에 집중하느라 차마 보지 못했던 꽃 한 송이가 책상 위에 놓여 있었다.

말해 주지 않아도 그것을 누가 놓고 갔는지 이미 알고 있었다. 자는 사이 걸쳐졌던 겉옷처럼 확인 절차를 밟을 필요도 없었다.

다소 급하게 돌아갔던 머릿속이 한순간 차분해진 기분이었다.

엘로라는 조심스레 꽃을 쥐어 들었다. 꺾은 지 얼마 되지 않았는지 꽃은 아직 생기를 머금고 있었다.

홍조가 어리듯 옅은 분홍색 꽃을 빤히 바라보던 엘로라는 그 향기를 맡았다.

라하트는 모를 것이다.

꽃은 들고 가지 않았으나 향기만큼은 소중히 간직할 거라는 사실을.

겉옷을 벗어 의자에 걸쳐 놓았다.

책상 위의 꽃이 무채색의 세상에서 홀로 빛을 발하고 있었다.

"아몬!"

라하트의 흔적을 뒤로하고 뒤뚱거리는 걸음을 유지하며 궁으로 돌아간 엘로라는 가장 먼저 아몬을 찾았다. 엘로라의 다급한 부름에 정원에 있던 아몬이 덩달아 급하게 뛰쳐나왔다.

잠시 어리둥절한 표정으로 엘로라를 쳐다보다가 이내 무슨 말을 하고 싶은 기색을 보였으나 클라우디아의 소식을 전하고 싶어 안달이 난 엘로라가 이를 눈치채지 못하고 먼저 말을 꺼냈다.

"클라우디아의 일기장을 발견했어."

"……뭐?"

"클라우디아가 직접 쓴 일기. 그것을 발견했어. 사실 고대어 자체는 번역이 어렵지 않아서 금방 얘기해 줄 수 있었는데 왕녀가 직접 만든 암호를 해독하느라 시간이 많이 지체되었어."

두 눈을 동그랗게 뜬 아몬이 믿기지 않는다는 얼굴을 했다.

"혹시 그거 때문에 안 들어왔던 거야?"

"응, 해독을 금방 끝낼 수 있을 거라 생각했는데 내가 자만했어. 왕녀는 정말 똑똑한 사람이었던 것 같아. 결코 쉽지 않은 암호를 만들어 냈잖아."

끝내 풀어냈지만 스스로 생각해도 그건 기적에 가까운 일이었다. 뿌듯한 미소를 지은 엘로라는 막 잠에서 깬 듯, 어안이 벙벙한 표정을 짓고 있는 아몬을 마주 보며 말했다.

"너와 그녀 사이에 어떤 일이 있었는지는 적혀 있지 않았기 때문에 구체적으로 알지 못해. 하지만 한 가지 확실한 건 클라우디아는 네게 미안해했어. '그런 식'으로 네게 화내서 미안하다고 몇 번이나 일기장에 썼어. 자주 널 그리워했고, 너에게도 자주 찾아갔어. 정확히 말하자면 네 근본이 되는 나무겠지만."

"……클라우디아가 그랬어?"

"응, 많이 후회하고 아파했어."

그녀가 암호로 적은 부분은 대부분 아몬에 대한 얘기였다.

얼마나 후회하고 있는지, 얼마나 그리워하고 있는지, 되돌릴 수 없는 일에 얼마나 슬퍼하고 있는지. 아마 혼자 감당해야 하는 아픔이라고 생각했기 때문에 누구에게도 말하지 못하고 솔직하게 마음을 털어놓을 수 있는 일기장에서 조차 자신이 아니면 읽을 수 없도록 암호로 적어 놓은 것일 거다.

엘로라는 클라우디아가 아니었기 때문에 그녀의 아픔을 완벽히 알지 못했으나 적어 놓은 그 내용만으로 얼마나 슬픔에 잠겼는지 가늠할 수 있었다.

"엘로라."

"……."

"클라우디아는 행복했어?"

"왕좌도 포기할 정도로 사랑하는 사람과 함께 행복하게 살았어. 동화 같은 결말이지."

"아, 결혼한다고 했지."

아몬이 씁쓸한 표정을 지었다. 말투로 추측컨대 아몬은 클라우디아의 결혼식을 보지 못한 모양이었다. 그들에게 무슨 일이 있었는지 궁금했지만 물어보기보다는 그 외에 일기장에 적힌 내용을 얘기해 주며 전서구 역할을 충실히 해냈다. 학자들은 중요치 않은 자료라며 손을 뗐던 소소한 것까지.

일기장이 그리 두껍지 않았건만 이야기는 제법 길게 이어졌다. 조용히 듣던 아몬은 마치 울음을 삼키는 듯한 표정을 지었다. 엘로라는 그것을 보았지만 보지 못한 척하며 그동안 쫓았던 클라우디아의 행적에 관해 모든 걸 털어놓았다.

밤이 깊어질 때까지 기나긴 이야기가 이어졌다.

그리고 그날 밤, 잠을 청하기 위해 눈을 감았을 때 아몬이 조심스럽게 물었다.

"엘로라, 손잡아도 돼?"

"응."

아몬이 손을 뻗어 엘로라의 손 위에 자신의 것을 겹쳤다.

부서질 듯 연약한 손길이었다. 힘을 전혀 주지 않고 있었다. 살포시 미소를 지은 엘로라는 아몬이 자신의 손을 놓치지 않길 바라며 살짝 힘을 주어 잡았다. 아몬이 움찔거렸다. 전혀 예상치 못했다는 반응이었다.

어둠에 가려 얼굴은 보지 못했으나 아몬이 어떤 표정을 짓고 있을지 대충 알 것만 같은 기분이었다. 천장을 본 채 올곧게 누운 엘로라는 미약한 온기에 기대어 어둠에 잠겼다.

평소처럼 아침 일찍 일어난 엘로라는 옆자리가 비었음을 금세 알아차릴 수 있었다. 웬일로 아침잠이 많은 아몬이 일찍 일어났나 싶었다. 어제 클라우디아에 관한 얘기 때문에 밤잠을 설치기라도 한 것일까.

다소 걱정되었지만 굳이 아몬을 찾지 않았다.

혼자만의 시간이 필요할 거라는 생각 탓이었다.

그렇게 아몬을 잠시 잊은 채 분주한 아침을 보내고 식사 시간이 되었다. 하지만 그때가 되어도 아몬은 나타나지 않았다.

식사만큼 아몬이 꼬박꼬박 챙기는 건 또 없었다. 시간이 되면 산책하다가도 달려오는 아몬이었는데 무언가 이상했다. 슬슬 수상한 낌새를 챈 엘로라는 아몬이 가장 많이 가는 정원으로 달려갔다. 그러나 없었다.

혹 클라우디아와 관련된 방에 있는 걸까 싶어서 아몬의 이름을 부르며 궁을 돌아다녔다. 쥐 잡듯이 뒤져도 아몬의 그림자조차 발견되지 않았다.

아몬이 사라졌다. 완벽하게.

갑작스러운 아몬의 부재에 당황한 엘로라는 벽만 뚫어져라 쳐다보다가 이내 한 곳만을 확인하지 않았다는 사실을 떠올렸다. 무의식적으로 걸음을 내딛지 않았던 곳이었다.

마른침을 삼키고는 느릿하게 발걸음을 옮겼다. 방금 전, 분주하게 아몬을 찾아다녔을 때와 다른 속도였다.

"아가씨, 찾으셨어요?"

"……아니. 하지만 어디로 갔는지 알 것 같아."

열린 문틈 사이로 오도카니 서 있는 엘로라의 뒤에서 가쁜 숨을 내쉰 히나가 물었다. 멍하니 한 곳을 바라보던 엘로라는 뒤돌아보지 않고 중얼거렸다.

"아몬은 여기 없어."

비밀 통로가 열려 있었다.

쓰고 난 후에는 안전 민감증이라고 할 정도로 단단히 출구를 닫아 놓는 것이 습관이 돼 있었다. 문이 열려 있는 건 엘로라의 부주의는 아니었다.

그렇다면 문을 열고 나간 이는 한 명밖에 없었다.

빼끔히 고개를 내밀어 실내를 확인한 히나가 엘로라와 같은 생각을 하고 입을 열었다.

"혹시……."

"납치범이 왔다 갔을 수도 있잖아. 아버지와 오라버니들에게 연락을 해 보자. 나간 지 꽤 됐으니 우리 둘이서 당장 뒤를 쫓는다고 해서 어찌하지는 못할 거야."

히나의 말을 끊고는 되는대로 지껄였다.

지금 자신이 하는 말이 절대 현실이 될 수 없는 일이라는 것쯤은 알고 있었다. 하지만 이렇게라도 말하지 않으면 스스로 참을 수 없을 것만 같았다.

"굳이 납치가 아니어도 호기심에 나갔다가 길을 잃어서 돌아오지 못할 가능성도 있잖아. 지금쯤 난처해하고 있을 거야. 어서 아몬을 데려오자."

힘겹게 말을 잇는 엘로라를 보며 고개를 끄덕인 히나가 도움을 청하기 위해 다시 바삐 움직였다. 히나가 나가 있는 동안 혹 길이 엇갈릴까 싶어 엘로라는 비밀 통로 앞을 지켰다.

앉아 있지도 못하고 서서 주위를 맴돌았다.

시간이 지날수록 초조함을 숨길 수 없었다.

작은 소리에도 깜짝깜짝 놀라며 히나를 기다렸다. 좋은 소식이 함께 오길 바라며.

제법 시간이 지난 후 기다리고 기다리던 히나가 돌아왔다. 바삐 움직이느라 빨갛게 상기된 뺨으로 히나가 속사포처럼 말을 쏟아 냈다.

"현재 주인님과 에곤 도련님께서는 회의 중이시고 라엘 도련님께서는 외근 중이셔서 황궁에 없는 탓에 연락이 어려운데 어떻게 할까요?"

절망적인 소식이었다.

아버지는 아몬의 존재를 알지 못하니 웬만해서는 오라버니들에게 부탁하는 편이 낫다고 생각했는데 가릴 처지가 아니었다.

아침 회의는 시간을 정해 두고 끝을 내지 않으니 기약 없는 기다림이 될 거였다. 라엘은 부재중이고, 요제프는 현재 타지에 있었다. 공교롭게도 다들 바빴다.

회의가 끝나길 기다리는 것밖에 방법이 없었다. 그러나 불길함을 떨칠 수 없었다. 너무 늦어서 아몬을 영영 볼 수 없게 될지도 모른다는 생각이 계속 머릿속을 맴돌았다.

불안한 엘로라의 상태를 눈치챈 히나가 일단 회의가 끝나길 기다리겠다며 나갔다. 그녀가 빨리 돌아오길 바라며 다시 주위를 서성이는데 엘로라의 바람을 듣기라도 한 것인지 히나가 금방 돌아왔다.

"아, 아가씨."

"왜 그래, 히나? 혹시 아몬이라도 발견했어?"

아몬을 발견한 것치고는 히나는 불안에 떨고 있었다.

무슨 일이 생긴 걸까?

불길한 예감을 애써 무시했어야 했는데 예상이 그대로 들어맞은 건 아닌가 싶어 쿵쾅대는 심장으로 히나를 보았다. 당혹이 짙게 새겨진 얼굴이었다.

덩달아 잔뜩 긴장하고 있는데 그녀의 입에서 나온 단어는 엘로라가 예상했던 것이 아니었다.

"그것이 아니라 라하트 전하께서……!"

"그가 찾아왔어?"

히나가 고개를 끄덕였다.

미친 듯이 널뛰던 심장이 이상할 정도로 차분해졌다.

라하트의 방문. 예상치 못한 것이었지만 그가 예고하고 찾아온 적은 드물었다. 계약대로라면 이미 이혼을 하고도 남았겠지만 이런저런 이유로 물렁하게 대처하고 있었다.

잠깐 고민하던 엘로라는 번뜩 떠오르는 생각에 라하트를 내보내지 않기로 결정했다.

"들여보내."

"하지만 아가씨. 지금 화장을 안 하셨는데……."

"괜찮아. 어서 들여보내."

단호하게 말한 엘로라가 응접실로 자리를 옮겼다. 그 자리에서 아몬을 기다리고 싶었으나 라하트에게 비밀 통로를 보여 줄 수 없는 노릇이었다.

응접실에 서 있으니 잠시 후 라하트가 들어왔다. 히나는 여전히 안절부절못한 채로 엘로라의 맨얼굴을 본 라하트의 반응을 확인하기 위함인지 계속 힐끔힐끔 그를 흘겨보았다. 하지만 라하트는 히나가 원하는 반응을 보이지 않았다. 애초에 반응이 없었다.

그는 가감 없이 드러난 맨얼굴 보고 놀라는 시늉도 하지 않았다. 평소와 같은 시선이었다. 못난 얼굴을 볼 때와 같은. 그에게 있어 외양은 긍정적인 요소도 부정적인 요소도 되지 않는 듯했다. 놀랍게도.

히나가 나갔다. 문이 닫히는 소리가 들림과 동시에 라하트가 거리를 좁히지 않은 채 속사포처럼 말했다.

"오지 않으려 했는데 네가 놓고 간 종이가 퍽 중요한 물건인 것 같아서 둘 수가 없었어. 괜히 사서에게 들켜 봤자 좋을 것도 없을 것 아니야. 발견은 어제 했는데 너무 늦은 시각인 것 같아 오늘 찾아왔는데 내가 너무 일찍 왔나. 오늘따라 눈이 빨리 떠져서 말이야. 나름 중요한 일로 찾아왔다고 생각하는데 문전박대 할 건 아니지?"

들어오긴 들어왔는데 막상 엘로라를 보니 쫓겨날까 봐 걱정됐는지 라하트가 횡설수설했다. 가만히 그 모습을 지켜보던 엘로라는 계속 머릿속을 돌아다니던 단어를 읊었다.

"도와주세요."

숨도 쉬지 않고 주절거리던 라하트가 입을 다물었다. 순식간에 분위기가 무겁게 내려앉고 침묵만이 맴돌았다.

"염치없다는 건 저도 알아요."

목소리가 살짝 떨리고 있었다.

두려움 때문이 아니었다.

자존심이 상해서 그러는 것은 더욱 아니었다.

익히 잘 알고 있는 감각이 온몸을 짓누르고 있었다. 다신 느끼고 싶지 않은 기분이었다. 주먹을 꽉 쥔 엘로라는 라하트에게 고개를 숙였다.

"부탁할게요. 도와주세요."

더는 손을 뻗을 사람이 없었다.

그렇다. 인정해야 했다. 자신의 무능함을.

가족의 도움이 없다면 사람 한 명도 찾지 못하는 자신의 무능함을 받아들여야만 했다. 무력으로 인한 절망감. 깊게 파고드는 좌절이 엘로라를 끌어당기고 있었다.

다신 이런 기분을 느끼고 싶지 않았건만. 노력해도 어째 발전이 없는 듯해 나태한 자신을 채찍질하게 된다.

"고개 숙이지 마."

깊고 낮은 목소리가 울렸다. 그리고 점점 가까워지는 라하트의 발걸음 소리가 들렸다.

여전히 고개를 숙이고 있으니 시야에 라하트의 신발이 닿았다. 그가 바로 앞에 있었다.

"너의 걱정은 나의 걱정이야. 너의 어려움 또한 나의 어려움이고. 그러니 스스로를 낮추지 않아도 돼."

화가 난 것 같기도 했다.

라하트가 화를 내는 모습은 한 번도 본 적이 없었으나 목소리만 들었을 때는 그랬다. 지금 그가 어떤 표정을 짓고 있을지 궁금했다.

얼굴을 일그러뜨리고 있을까. 정말 화를 내고 있는 게 맞을까. 화를 내고 있다면 대체 어떤 점이 그를 건드리고 만 걸까. 궁금증이 들었지만 숙인 고개는 들리지 않았다. 도와주겠다고 말할 때까지 절대 들지 않을 생각이었다.

가만히 있으니 라하트가 어깨를 조심스레 잡았다.

"도와줄게."

고개를 들었다.

마주한 보랏빛 눈동자는 선명했다.

술기운은 느껴지지 않았다. 제정신이었다.

화가 났다고 생각했지만 라하트는 한결같은 표정을 짓고 있었다.

"네가 도움을 원한다면 언제든 그 손을 잡아 줄 거야. 넌 내가 사랑하는 신부님이니까."

결혼에 크게 의미를 두지 않고 있던 엘로라였다. 달콤한 라하트의 말을 듣고 있자니 죄책감인지 마음이 썩 좋지 않았다.

"그래서 무슨 문제야?"

"사람을 찾아 주세요."

"사람을?"

"네, 사람을 찾고 싶어요. 아직 수도 내에 있을 거예요."

"여자? 남자?"

"여자요. 제 나이 또래의 여자."

어쩐지 '여자'라는 대답에 라하트가 안도한 듯했다.

"사람을 찾아 달라니. 그것도 수도 내에 있는. 세상에서 가장 쉬운 부탁이었잖아."

"쉬운 부탁이어서 다행이네요."

라하트가 무능해 보여도 마냥 무능하기만 한 사람은 아니었다. 먹고, 놀고, 아무 생각 없이 지내는 듯해도 자신이 쥐고 있는 권력이 어느 정도인지 알고 있었다. 필요할 때는 활용할 줄도 알고. 오라버니들이 모두 부재중인 와중에 라하트라도 있어서 다행이었다.

"어떻게 생긴 사람이야?"

아몬의 생김새를 자세히 설명했다. 설명이 자세하면 자세할수록 찾기 쉽다는 걸 알고 있기 때문에 마치 그림을 그리듯 섬세한 설명이었다.

진지하게 듣던 라하트는 이름을 물어봤다. 순간 아모몬이라고 할 뻔했다가 곧장 아몬이라고 대답했다.

아모몬이라고 하면 초자연적 존재를 쫓는 라하트가 이상한 방향으로 튈 게 분명했다. 예상치 못한 변수를 차단한 것이었다.

"네게 있어 고개를 숙일 가치가 있는 사람인가 봐."

아몬의 존재를 자세히 설명할 수 없었다.

그녀가 엘로라에게 있어 어떤 존재인지 침묵해야 했다.

입을 꾹 다물고 있으니 더는 들을 수 없다는 걸 눈치챈 라하트가 분위기를 환기시켰다.

"자세한 건 묻지 않을게. 여기서 기다리고 있어. 금방 찾아올 테니까."

"저도 갈게요."

예상치 못한 답인지 라하트가 눈을 크게 떴다.

"전하께 도움을 청한 건 저 혼자 찾기에는 한계가 있기 때문이에요. 저도 직접 찾아 볼게요."

"마음대로 해. 하지만 이대로 나갔다가는 눈에 많이 띌 거야."

"그건 해결할 수 있어요."

은발과 화장하지 않은 맨얼굴을 보고 말하는 거였다. 수년간 제 얼굴을 숨기며 살아왔던 엘로라로서는 금방 해결할 수 있는 문제였다.

곧바로 머리를 질끈 묶은 엘로라는 챙이 넓은 모자를 썼다. 이러면 웬만해서는 은발도 보이지 않고, 얼굴도 드러나지 않았다.

"이러면 됐죠?"

"감쪽같네."

순식간에 지적했던 부분이 고쳐졌다.

전문가 같은 손길에 작게 감탄한 라하트가 엘로라에게 손을 내밀었다. 그것이 무슨 의미인지 이해하지 못한 엘로라는 라하트를 보았다.

"찾으러 가자."

"손을 잡은 채로요?"

굳이 손을 잡을 필요가 있냐는 물음이었다.

아몬을 찾기 위해 라하트에게 도움을 청했지만 그와 거리를 벌려야 한다는 사실은 여전히 잊지 않았다. 괜한 스킨십은 금물이었다.

"길거리에 나가면 길을 잃어버릴 수도 있잖아. 정확히는 내가."

잠시 잊고 있었다. 이 남자의 방향 감각은 타의 추종을 불허한다는 사실을. 라하트에 대한 신뢰가 다시 바닥을 기기 시작했지만 무를 수도 없는 노릇이었다. 엘로라에게는 지금 눈앞에 있는 이 남자밖에 없었다.

간절함을 담아 뻗어진 손을 잡았다.

손이 맞닿는 순간 라하트가 기분 좋은 웃음소리를 내며 끌어당겼다. 속수무책으로 당겨진 엘로라는 라하트를 올려다봤다.

넋 나간 얼굴을 하고 있을 거라 생각했는데 아니었다. 멀쩡한 얼굴로 엘로라를 보며 미소를 지은 라하트가 앞장서서 나아갔다.

어째서인지 열이 올랐다.

엘로라는 라하트와 함께 시내를 돌아다녔다. 얼굴을 가리느라 모자를 쓴 탓에 시야가 좁아서 주위를 꼼꼼히 살펴보지 못했지만 그런 부분은 라하트가 메꿔 주었다. 갈색 머리칼의 작은 여자를 보면 무조건 엘로라에게 찾는 사람이 맞냐고 물어보는 그였다.

계속 돌아다니느라 발바닥이 아파 오는 것도 모르고 아몬을 찾아 헤맸다. 하지만 닮은 사람조차 찾을 수 없었다.

대체 어디로 간 걸까. 찾을 수 있다는 희망을 놓는 순간 영영 찾지 못하게 될까 봐 입술을 꽉 깨문 엘로라는 쉬지도 않고 돌아다녔다.

조금이라도 쉬자고 약한 소리를 할 줄 알았던 라하트는 예상외로 군말 없이 엘로라를 잘 따라 주었다.

그렇게 정처 없이 돌아다니기를 몇 시간째.

벌써 수도 밖으로 나간 것은 아닐까, 하는 생각이 들 때쯤 낯선 이가 라하트에게 다가왔다. 그는 조심스레 라하트에게 무슨 말을 속삭이더니 조용히 왔던 것처럼 조용히 사라졌다.

일련의 과정을 지켜본 엘로라가 영문 모를 시선으로 라하트를 보고 있자니 웃음기 없는 표정으로 그토록 원하던 말을 꺼냈다.

"찾았어."

"어디 있어요?"

"왕가의 무덤."

엘로라의 표정이 절로 일그러졌다.

왕가의 무덤. 아몬이 무엇을 위해 바깥에 나왔는지 알 것 같았다. 아니, 이미 알고 있었지만 외면하고 있던 진실 중 하나였다.

타는 듯한 갈증을 느끼며 마른침을 삼킨 엘로라는 앞장서서 나아갔다. 근처 지리라면 훤히 꿰뚫고 있었다.

뛰듯이 걸어가던 엘로라가 속도를 늦춘 것은 목적지에 가까워졌을 때쯤이었다. 시야에 갈색 머리칼의 형체가 잡히자 발목에 무게 추를 단 것처럼 절로 걸음이 느려졌다. 얼굴은 보이지 않았지만 보자마자 곧장 느낄 수 있었다.

아몬이 있었다.

사라졌던 그녀가 이곳에 있었다.

천천히 두 눈을 감았다가 뜬 엘로라가 몸을 동그랗게 만 채 쭈그려 앉아 있는 그녀에게 다가갔다.

"아몬."

"……엘로라."

"왜 이러고 있어."

"……."

"차가운 바닥에 오래 앉아 있으면 몸 상해. 어서 돌아가자. 응?"

침묵이 길어질수록 불안했다.

어떤 대답이 돌아올지 알 것만 같아서 쉽사리 아몬을 재촉할 수 없었다.

"케르단이 보고 싶어."

심장이 덜컥 내려앉았다.

케르단.

아몬이 있는 장소를 듣는 순간부터 그 이름이 나올 거라 예상했지만 직접 들으니 더 힘들어졌다.

아몬은 죽은 자를 쫓고 있었다. 그들과 함께하기 위해.

"그런데 나는 케르단을 만날 수 없대. 친구인데도 안 된대."

엘로라는 아몬이 영원히 친구였으면 좋겠다는 바람을 품에 안고 있었다. 처음 사귄 친구, 마음 놓고 이야기를 털어놓을 수 있는 친구, 맨얼굴을 보아도 아무 상관이 없는 친구. 하지만 항상 밝게 웃던 친구가 무너지는 모습을 보고 있자니 곁에 있었으면 좋겠다는 바람은 하찮아졌다.

함께했으면 하는 친구의 모습은 행복한 얼굴을 하고 있어야 했다. 누군가를 하염없이 그리워하며 슬퍼하는 것이 아니라.

"미안해. 너무 보고 싶었어. 도저히 참을 수 없어서 네게 말도 하지 못하고 뛰쳐나온 거야."

울먹거리는 아몬을 감싸 안았다. 눈물을 흘리지 않았지만 마치 오열하듯 그녀의 어깨가 잘게 떨리고 있었다. 아몬을 꼭 껴안은 엘로라는 조금이라도 그 슬픔에 닿길 바라며 등을 어루만져 주었다.

"전하, 안에 들어갈 수 있을까요?"

아몬을 달래 주던 엘로라가 라하트에게 물었다. 거리를 벌린 채 서 있던 라하트가 기다렸다는 듯이 빙긋 웃으며 답했다.

"내가 저번에 말했지? 내 발걸음이 닿는 곳이 다 길이라고."

짧게 아몬에게 시선을 준 라하트가 근처에서 무덤을 지키고 있는 경비병에게 다가갔다. 그는 경비병과 짧게 대화를 나누더니 큰 소리로 엘로라를 불렀다. 그 사이 경비병은 자리를 옮겼다. 역시 그는 황자라는 지위를 잘 이용해 먹고 있었다.

"원하는 만큼 있어도 돼. 대신 나도 함께 갈 거야. 그래야 변명거리가 생기니까."

"감사해요."

"일일이 인사할 필요 없어."

아차 하는 순간 모자가 벗겨졌다.

모자를 잡으려 했지만 뺏어 가는 사람이 더 빨랐다.

깨끗해진 시야로 언제나처럼 싱글싱글 웃고 있는 라하트가 잡혔다. 그는 엘로라가 쓰고 있던 모자를 자신의 머리 위에 얹었다. 여성용 모자라는 건 전혀 신경 쓰지 않는 기색이었다.

"이곳은 아무나 출입할 수 없어. 그러니 자유롭게 있도록 해."

"……네."

그가 배려하고 있음을 알았다. 고맙다는 말이 다시금 나올 뻔했지만 방금 전까지 감사의 인사를 필요 없다고 한 남자였다.

작게 고개를 끄덕인 엘로라는 넋이 나간 사람처럼 허공을 바라보고 있는 아몬을 부축하며 걸어갔다.

묘비에는 역사책에서만 봤던 이름이 새겨져 있었다. 앞으로 나아갈수록 시간을 거슬러 오르듯, 더한 과거의 통치자를 만나볼 수 있었다.

그리고 맨 끝에 아몬이 그토록 보고 싶어 했던 케르단이 있었다.

죽음이라는 형태로.

아몬은 오랫동안 무덤을 톺아보았다.

"네가 이곳에 오자고 제안한 적이 있었잖아."

"……그랬지."

"그때 절대 근처에라도 가면 안 된다고 생각했어."

아몬이 벌벌 떨리는 손으로 얼굴을 가렸다.

작고 야윈 그 모습을 보고 있자니 가슴이 미어졌다.

"인정하고 싶지 않았거든. 그들의 죽음을."

"……."

"눈을 감기 전까지만 해도 함께 웃고 떠들던 친구들이 너무 먼 존재가 되었다는 사실을 인정하고 싶지 않았어."

금방이라도 쓰러질 듯한 아몬을 안아 주기 위해 손을 뻗었으나 닿지 못했다. 몇 차례 고민하던 엘로라는 이내 뻗은 손을 내렸다. 차마 어설프게 친구를 위로할 수 없었다.

“있잖아, 엘로라. 클라우디아에 대해 알아봐 준 거 정말 고마워. 너의 모든 노력이 나를 위한 것이라는 걸 알았을 때는 감동했어.”

“아니야, 당연한 일인걸.”

물기 어린 눈동자를 하며 아몬이 억지로 웃고 있었다.

엘로라 또한 억지로라도 입꼬리를 올렸다.

“사실 네게 하지 못한 말이 있어.”

“무엇인데?”

불길함을 애써 무시하며 엘로라가 되물었다.

불길함을 되새김하면 실현되지 않는가. 그러니 좋은 생각만 하고 싶었다. 좋은 소식만 있길 바라며.

“기억은 오래전에 돌아왔어. 클라우디아와 내가 싸운 이유, 나 혼자 이곳에 남겨진 이유. 그 모든 것을 떠올리는 데에는 그다지 큰 노력이 필요하지 않았어.”

아몬의 시선이 케르단의 무덤으로 향했다.

홀로 있으면 자주 하는 쓸쓸한 표정을 짓고 있는 그녀는 머나먼 무언가를 보는 듯했다.

그것은 아마 500년 전 과거의 일일 것이었다. 엘로라는 상상도 할 수 없는 머나먼 과거였다.

“클라우디아는 결혼을 앞두고 있었어. 내게 축하를 바랐지만 난 축하해 줄 수 없었어.”

"어째서?"

"수명이 얼마 남지 않았거든. 결혼식 당일 날 함께 있을 수 없었어."

그때가 떠올랐는지 아몬이 쓰디쓴 미소를 지었다.

"아마 나를 제외한 요정들이 사라진 이유 또한 마찬가지일 거야. 우리는 모두 본질로 돌아가게 돼 있어. 너희는 그걸 '죽음'이라 부르지만 사실 완벽한 죽음은 아니야. 단지 너와 이렇게 눈을 마주치고 대화를 나누지 못할 뿐이지."

아몬이 떠난다고 했을 때 막연히 함께 갈 수 없는 그 어딘가에 갈 것이라고 생각했다. 그중에 '죽음'이라는 선택지는 없었다. 요정이라는 초자연적인 존재인 만큼 그녀와 죽음은 연관 지을 수 없는 단어라 여겼다.

하지만 아니었다. 아몬 또한 결국 자연의 이치를 거스를 수 없는 생명체였다.

"어쩌다 보니 말다툼을 하게 됐어. 그거 알지? 작고 사소한 일로 다투다가 어떻게 막을 수 없이 감정의 골이 커지는 거. 딱 그런 상황이었어. 크게 분노한 클라우디아가 결혼식까지는 살아 있어 주라면서 날 봉인했어. 그런데 힘이 너무 과했나 봐. 내가 몇백 년을 더 살게 될 줄은 클라우디아도 몰랐을 거야."

클라우디아가 평생 후회한 일이었다.

왕녀는 자신의 잘못으로 영영 보지 못하게 된 친구를 그리워했다.

"내가 없는 동안 클라우디아가 어떻게 살았는지 듣고 있자니 더는 그들의 죽음을 부정하지 말고 인사해야겠다는 생각이 들었어. 아마 네가 아니었으면 끝까지 부정했을 거야. 이제 내게 남은 시간도 얼마 없는데 말이야."

아몬 또한 클라우디아를 그리워했다. 그리고 끝내 참석하지 못한 결혼식에 미안함을 느끼고 있었다. 이런 아몬의 마음을 읽은 엘로라는 그동안 알리지 않았던 소식을 전했다.

"아히발트 전하께서 결혼하신대."

"결국 하는구나."

"왕녀의 결혼식은 보지 못했지만 아히발트 전하의 결혼식은 볼 수 있는 거지?"

절박한 엘로라의 외침에 아몬은 모호하게 웃었다.

"나 대신 축하한다고 전해 줘."

"하지만……!"

"엘로라, 나는 네게도 작별 인사를 해야 해."

"지금? 당장? 아니지?"

곧장이라도 사라질 듯한 아몬을 붙잡았다.

아니었다. 아니어야만 했다.

너무 이른 헤어짐이었다. 적어도 마음의 준비는 해야 되지 않은가. 만남이 있으면 헤어짐도 있는 법이라지만 이렇게 갑작스러운 헤어짐은 전혀 반갑지 않았다.

아몬이 당장 헤어지는 건 아니라며 부정하길 바라고 있는데 근처에서 요란한 소리가 났다. 순식간에 이목이 소리의 근원지로 집중됐다.

"아, 미안. 발에 걸려서 넘어졌네. 하던 얘기 계속해."

엉덩방아를 찧은 라하트가 실없이 웃으며 손을 저었다.

멍청한 표정으로 라하트를 보며 눈을 깜빡거리던 엘로라는 깊은 한숨을 쉬었다.

라하트의 행동을 탓하기 때문에 쉬는 한숨이 아니었다. 그가 소란을 피운 덕에 팽팽하게 당겨지던 끈을 잠시 놓을 수 있게 된 듯했다. 과열되었던 머리를 식힐 수 있었다.

"누구야?"

"아, 아몬. 이쪽은 나의 그러니까…… 남편인 라하트 전하야."

아몬은 그동안 라하트를 말로만 들었지 직접 본 건 처음이었다. 예상외로 관심을 가지는 그녀에게 '남편'이라는 단어를 언급하는 데에 살짝 망설임을 가지며 대답했다. 다행히 아무도 눈치채지 못한 듯했다.

"네가 엘로라의 반려였구나."

'반려'라는 거창한 칭호를 아무렇지 않게 언급한 아몬이 라하트에게 다가갔다. 그녀는 주저앉아 있는 라하트에게 손을 내밀었다.

"나는 너를 알아. 너 또한 나를 알고 있지?"

아몬의 발언에 가장 놀란 건 엘로라였다.

접점이라고는 전혀 없어 보이는 두 사람이 구면이라니. 만남이 짐작도 가지 않았다. 두 사람은 서로의 얼굴만 알고 이름은 몰랐던 듯했다.

"꿈이라고 생각했는데 꿈이 아니었나 봐. 조금 더 어린 목소리로 기억하는데 시간이 많이 흘렀구나."

"십 년도 더 됐으니까."

아몬의 손을 잡고 일어난 라하트가 무심히 대꾸했다. 평소보다 차분한 반응이었다.

가만히 두 사람의 대화를 듣던 엘로라는 어쩌면 라하트가 아몬이 나무 요정이라는 사실을 알고 있을지도 모른다고 생각했다. 십 년 전이라면 아몬은 나무에 봉인당해 있었을 때고, 라하트와 만났어도 나무인 채 만났을 테니까.

그런데 집요할 정도로 찾아 댔던 초자연적인 존재가 눈앞에 있는데도 그는 크게 동요하지 않고 있었다.

"더는 울지 않니?"

"한 번도 운 적 없어."

"두 눈을 꼭 감고 자고 있었기 때문에 네 눈물은 본 적은 없어. 하지만 눈물을 흘리는 것만이 우는 것이 아니야. 내 꿈속의 넌 항상 울고 있었어."

"……기억이 왜곡된 것 같네."

아몬이 라하트를 빤히 쳐다보았다. 라하트는 항상 그렇듯 부딪쳐 오는 시선을 피하지 않았다.

두 사람은 대화를 나누는 대신 서로를 바라보기만 했다. 먼저 침묵을 깬 건 아몬이었다.

"내 소중한 친구를 잘 부탁할게."

"부탁하지 않아도 그녀는 내 소중한 신부님이야."

천 마디 말보다 그저 바라보는 것으로 재회의 기쁨을 나눈 두 사람이 빙긋 웃었다. 그들에게는 한 명의 소중한 사람이 이 자리에 있었다.

라하트와의 짧은 만남을 마치고 뒤돌아선 아몬이 엘로라에게 다가갔다.

"엘로라, 미안해. 더 일찍 얘기했어야 했는데 결국 똑같은 실수를 반복하게 됐어."

"정말 가는 거야?"

"500년 전에 출발해야 할 여행을 이제 막 한 걸음 내디딘 것뿐이야."

다정히 속삭인 아몬이 엘로라의 뺨에 입을 맞췄다.

아몬 또한 라하트가 중간에 끼어든 덕에 감정을 정리할 수 있었다. 케르단과 클라우디아를 그리워하는 마음만큼 엘로라를 소중히 여기고 그리워할 것이라는 걸 새삼 깨달았다.

"히나에게 고마웠다고 전해 줘."

"직접 가서 얘기하면 되잖아."

"그럴 수 없는걸. 네가 대신 해 줄 수 있지?"

"못해."

"……."

"안 해."

히나에게 작별 인사를 하지 않겠다는 건 당장 떠나겠다

는 말과 똑같지 않은가. 보내 줘야 한다는 건 알고 있지만 부정이 먼저 입 밖으로 나왔다.

웃으면서 작별을 고해야 하는데 어린아이 같은 투정이 나와서 가장 놀란 건 엘로라 자신이었다. 하지만 농담이었다고 웃으며 넘어가고 싶지 않았다. 넘쳐흘러 버린 진심은 어찌할 수 있는 종류의 것이 아니었다.

아몬 또한 엘로라와 같은 마음이었기 때문에 책하지 않았다.

"내가 미안해."

"미안할 게 뭐 있다고 나한테 사과해."

"미리 얘기했어야 하는데 말하지 않았잖아. 네가 덜 소중했기 때문이 아니야. 클라우디아 때랑 똑같아. 두려웠어. 지금 네가 느끼는 감정을 나 또한 느꼈기 때문에 말하지 않았던 거야."

시야가 흐릿해졌다. 눈앞에 있는 아몬의 얼굴이 초점을 잃은 것처럼 보였다. 눈물이 차오름을 느끼며 엘로라는 필사적으로 울지 않기 위해 노력했다.

눈을 깜빡거렸다가는 둑이 무너지듯 주체할 수 없을 정도로 눈물이 흐를 것만 같았다. 고개를 살짝 숙였다. 이런 상태로 아몬을 볼 수 없었다.

"만약 수명을 내 맘대로 조절할 수 있었더라면 나는 클라우디아의 결혼식을 본 후에도 500년을 더 살아서 너와 함께했을 거야. 그랬더라면 너랑 히나와 셋이서 즐겁게 여생을 보냈겠지?"

목이 메어 말 대신 고개만 끄덕였다.

도달할 거라 의심치 않았던 미래였다. 이제는 '만약'이라는 가정으로밖에 얘기할 수 없다는 사실이 못 견디게 슬펐다.

"눈을 떴을 때 가장 먼저 너를 만난 건 내게 있어 최고의 행운이야."

다정한 아몬의 속삭임에 고개를 들었다. 그리고 알 수 있었다. 아몬 또한 자신과 비슷한 표정을 하고 있다는 사실을.

눈물을 참고 있는 건 엘로라뿐만이 아니었다.

눈물이 후두둑 떨어졌다.

결국 감정의 둑이 무너지고 말았다.

"저번에 내가 물었잖아. 널 있는 그대로 봐 주는 사람이냐고."

"……응."

"어떤 모습을 하더라도 본질을 보려고 노력하는 사람은 흔하지 않아."

아몬이 엘로라를 껴안았다. 따스한 온기가 전해졌다. 특유의 숲 냄새를 맡으며 엘로라는 아몬을 마주 안았다.

"그러니 두려워하지 마."

아몬의 몸이 점점 사라졌다. 사라진 부분은 반딧불처럼 눈부신 빛이 되었다. 익히 알고 있는 빛이었다. 아몬이 자신의 존재를 입증하기 위해 상처를 치료해 주었을 때 보았던 그것과 같았다.

입술을 꽉 깨문 엘로라는 아몬을 안은 팔에 힘을 주었다. 마치 그렇게 하면 아몬을 붙잡을 수 있는 것처럼.

“넌 누구보다 강인한 아이니까 이겨 낼 수 있어.”

목이 메어 대답할 수 없었다. 벌어진 입술 사이로 어떤 소리도 나오지 않았다. 바람 소리만이 허공을 맴돌 때, 엘로라의 품 안에 있던 아몬은 완벽히 빛이 되었다.

엘로라는 빛을 잡기 위해 손을 뻗었다.

조심스레 주먹을 쥐어 봤지만 빛은 모래처럼 손안에서 흩어졌다. 불가항력의 이별을 받아들이고 떠나는 그녀를 보내 줘야 했다.

살포시 두 눈을 감았다. 뺨을 타고 눈물이 흘렀다. 눈물길이 길게 이어졌다. 닦아야 한다는 생각도 하지 못한 채 이만 작별을 고했다.

다음 생이 있다면 그때는 오래도록 함께 있을 수 있길 바라며.

안녕, 나의 작고 소중한 친구야.

“역시 유령은 있었어.”

“유령 아니에요.”

"그러면 뭔데?"

빛은 사라졌다. 손등으로 눈물을 훔친 엘로라는 주체할 수 없는 감정을 제어하기 위해 크게 숨을 들이쉬었다가 내쉬었다. 그러다가 뒤에서 아직도 유령 타령을 하는 라하트의 말에 무심코 정정하긴 했는데 요정이라는 사실을 굳이 라하트에게 해 주고 싶지 않아 말을 돌렸다.

"전하께서는 아몬을 어떻게 아세요?"

"아, 이름이 아몬이라고 했나."

새삼 깨달았다는 듯이 라하트가 뺨을 긁적거리며 중얼거렸다. 아몬의 이름도, 얼굴도 아예 몰랐던 듯했다. 아몬 또한 마찬가지고. 두 사람이 어떻게 알게 되었는지는 거대한 의문이 되었다.

그 사연이 궁금하여 슬쩍 물어본 건데 엘로라가 쉽사리 '요정'이라는 단어를 내뱉지 못했듯이 라하트 또한 곧장 질문에 대한 답을 내놓지 않았다.

"맛있는 거 먹으러 갈래?"

"말 바꾸시는 거죠?"

"맛있는 몽블랑 집을 알아. 근처에 있을 거야. 아마?"

몽블랑. 의도하지 않았겠지만 라하트는 아몬과의 추억을 일깨워 주었다. 잠깐 멍하니 허공을 바라보던 엘로라는 떠오르는 과거의 기억에 잠겼다.

"네가 함께 간다면 가게에 더 빨리 갈 수 있을 거야. 혼자 돌아다니면 자주 길이 꼬이거든."

"……전하의 방향 감각이야 잘 알죠."

상념에서 깨어난 엘로라는 힐끔 라하트를 보았다.

그의 방향 감각을 모를 수가 없었다. 멀쩡한 길도 빙빙 돌아 잔뜩 헤매고야 마는 미친 듯한 방향 감각. 그것도 실력이라면 실력이었다.

술을 끊으면 나아질 듯한데 딱히 그럴 생각은 없는 듯하니 그에게는 고질병이나 마찬가지였다.

"먹으면서 얘기하자."

거리를 좁힌 라하트가 쓰고 있던 모자를 엘로라의 머리에 씌웠다. 모자를 씌워 주는 손길에는 살짝 힘이 들어갔다. 때문에 머리가 눌렸다.

공들여 손질한 머리는 아니지만 괜히 이 남자가 심술을 부리고 있는 건 아닌가, 하고 생각하게 됐다. 하지만 그것은 지나가듯 중얼거리는 라하트의 속삭임으로 바람처럼 날아갔다.

"내게 손수건이 있었다면 더 좋았을 텐데. 아쉽게 되었어."

되돌려 준 모자는 손수건 대신이었다.

일부러 힘을 준 것이다. 잔뜩 울어 엉망이 된 얼굴이 드러나지 않도록.

망치로 뒤통수를 맞은 듯한 충격에 느릿하게 두 눈을 깜빡였다. 모자가 시야를 가려 라하트의 표정은 볼 수 없었다. 다만 그가 등을 돌려 앞장서서 나가는 것은 확인할 수 있었다. 그 뒷모습을 가만히 바라보다가 다급히 쫓아갔다.

굳이 라하트를 따라갈 필요는 없었으나 몽블랑이 먹고 싶었다. 만약 누군가 지독히 피하던 그를 따라간 이유를 묻는다면 그렇게 답할 예정이었다.

“요정이에요. 나무 요정.”

라하트 옆에 나란히 선 엘로라가 말했다. 이제야 돌아온 질문에 대한 대답이었다. 그것을 들은 라하트는 살짝 멈칫했지만 언제 그랬냐는 듯이 엘로라가 잘 따라올 수 있도록 좁은 보폭을 유지하며 마찬가지로 질문에 대한 답을 내놓았다.

“수업 안 듣고 땡땡이칠 때마다 아모몬 궁에 있는 거대한 나무 밑에 숨었어. 그곳은 날 쫓아오는 시종들을 따돌릴 수 있는 나만의 비밀 기지였거든.”

그때를 떠올리고 있는지 라하트의 목소리에서 즐거움이 묻어났다.

“더불어 운이 좋은 날에는 유령의 소리도 들을 수 있었지.”

“요정이에요.”

“그래, 요정.”

엘로라는 머리 위에서 쏟아지는 라하트의 웃음소리를 들을 수 있었다. 마치 햇살 같았다. 귓속을 파고드는 다정하고도 따듯한 웃음소리를 듣던 엘로라는 살짝 라하트와의 거리를 좁혔다.

지금은 조금이라도 더 이 다정함에 기대고 싶었다.

13. 어둠을 몰아내고

13. 어둠을 몰아내고

아몬이 떠난 이후 엘로라는 우울해졌다.

본인은 아무렇지 않은 척 행동하려고 애썼지만 엘로라 옆에 있는 사람이 누군가. 다년간 그녀를 지켜본 히나였다.

엘로라는 엘로라 나름대로 자신의 감정을 잘 숨기고 있다 생각하고 있겠지만 히나의 날카로운 시선은 피할 수 없었다.

그날 이후로 엘로라는 수도승 저리 가라 할 정도로 일찍 일어났다. 평소에도 그리 늦잠 자는 편은 아니었으나 지금은 해가 뜨기 전에 일어나 하루를 시작했다.

일찍 일어나는 것쯤이야 성실한 삶을 위한 초석이 아닌가, 하고 생각할 수도 있겠지만 꼭두새벽부터 일어나 하는 일이 정원 가꾸기였다. 이제는 딱히 크게 손볼 곳도 없는데 거대한 나무 근처를 서성대다가 할 일이 없으면 흙이라도 만지작거리고 있었다.

그리고 자주 멍을 때렸다. 정원을 가꾸다가도, 식사를 하다가도, 대화를 하다가도, 길을 걷다가도. 마치 라하트처럼 잠깐 혼이 이 세상 것이 아니게 되었다가 도로 돌아오는 것처럼 굴었다.

이 상태로 별다른 문제가 없으면 모르겠는데 잘 가다가 벽에 코를 박거나 포크로 허벅지를 찌르거나 하는 일이 생겼다. 심각했다.

또 가장 결정적인 이상 행동은 결혼식 날 요제프가 선물해 준 목걸이를 자주 열어 본다는 거였다. 어머니까지 있는 가족사진이 숨겨진 목걸이는 원래 제 몸처럼 착용하고 다녔으나 근래 바쁜 탓인지 잘 열어 보지 않았다. 하나 그날 이후로 히나가 없을 때마다 몰래몰래, 수시로 가족사진을 보았다.

이 광경을 히나는 목격했다. 인기척을 내자 무슨 큰 잘못이라도 한 사람처럼 화들짝 놀라 목걸이를 숨기는 모습까지.

상황이 이렇게 흘러가자 보다 못한 히나가 엘로라의 관심사를 다른 데로 옮기기 위해 한 가지 제안을 내놓았다.

"곧 무투 대회인데 손수건에 자수를 넣는 건 어떠세요?"

정원 가꾸기는 정원을 찾아가는 핑계이고, 수시로 그곳을 방문하는 이유가 아몬 때문이라는 걸 히나는 알고 있었다. 그녀를 그리워하기에 본래 그녀였던 나무 곁에 있으려

하는 거였다. 슬픔에 젖어 있는 것도 좋았으나 이후 시간이 제법 지났다. 이제 조금씩 원래의 엘로라로 돌아올 필요가 있었다.

결국 자수 넣기는 엘로라가 정원을 방문하는 시간을 줄이기 위한 제안이었다. 더불어 이 얘기를 꺼내면서 자연스레 무투 대회라는 큰 행사로 관심을 옮기게 하려는 계략이 깔려 있었다.

무엇이든 좋았다. 엘로라가 관심을 가질 수만 있다면.

너무 오랜 상실감은 사람을 망칠 수도 있었다. 히나는 엘로라가 망가지지 않길 바랐다. 하지만 이런 히나의 계산과 다르게 엘로라는 단호했다.

"어차피 줄 사람도 없는걸."

전쟁 없는 평화 시대가 도래했지만 인간의 폭력적인 성향까지 사라진 것은 아니었다. 사람들은 인생에 활력을 넣을 만큼의 긴장감을 원했다. 그래서 3년마다 무투 대회를 열어 볼거리를 제공함과 동시에 좋은 인재를 찾아내고는 했다. 능력 있는 사람은 시대를 불문하고 환영받는 법이었다.

피도 튀기고 자칫 목숨을 잃을 수도 있지만 고위험엔 고수익이 따르는 법이었다. 전쟁이 사라지고 평화로워 공을 얻기 힘든 이때 무투 대회는 부와 명예를 얻을 수 있는 좋은 기회였다. 귀족들은 명예를 얻기 위해, 평민들은 신분 상승 기회를 노리면서 참여한다.

지역에서 대표를 뽑아 토너먼트식으로 올라가서 본선 경

기를 이곳, 수도에서 펼치게 된다. 수많은 관중이 몰려드는 본선 경기에서 부수적으로 볼거리는 바로 손수건 건네기였다.

본선 경기에 출전한 선수만이 딱 한 번 마음에 드는 여성에게 손수건을 청할 수 있었다. 말이 좋아서 마음에 드는 여성이지, 대부분 자신이 줄을 대고 있는 혹은 대길 원하는 가문의 영애에게 앞으로 잘 봐 달라는 의미로 손수건을 청했다. 정치적 의미가 가미된 퍼포먼스였다.

또한 여성에 한하여 관람객들이 출전자에게 직접 수를 놓은 손수건을 건네줄 수 있었다. 인기 투표의 일종이었다. 손수건을 많이 받는다 하여 추가적인 상이 있는 건 아니었으나 그만큼 인기가 많다는 뜻이니 기분이 좋을 수밖에 없었다.

이 인기 투표에 참여할 수 있는 건 계급은 따지지 않고 여성이기만 하면 되는데 귀족의 경우에는 보는 눈이 많다 보니 '미혼' 여성으로 한정되었다. 기혼 여성이 손수건을 건네주고 싶다면 남편에게 주는 것이 옳았다.

일부러 불륜 스캔들을 내고 싶은 것이 아니라면.

엘로라는 소란을 만들고 싶지 않았다. 무투 대회 본선에 라하트가 출전할 확률은 제로에 수렴하니 손수건에 수를 넣어 봤자 대회 당일 쓰일 일은 없었다.

"라하트 전하…… 께서는 참가하지 않으시겠죠."

"괜히 나섰다가 그 사람 목부터 날아갈걸."

아히발트는 차기 군주답게 문무에 고루고루 재능이 있어 발군의 검술 실력을 가지고 있다고 알려졌지만 반대로 라하트에 관한 얘기는 전무했다. 그가 검을 들고 다니는 것 또한 본 적 없었다. 검보다는 술병을 안고 지내는 남자였다.

이러니 당연히 라하트가 제 몸 하나 건사할 실력을 갖고 있는지에 대해서도 의문이었다. 실제로 엘로라 또한 라하트가 무력을 행사하는 모습을 본 적이 없었다. 라하트가 다소 방종하긴 하나 폭력이라는 단어와는 거리가 먼 남자였다.

"그렇게 되면 오라버니들이 축제를 벌이겠지."

살벌한 농담이었다. 하지만 라하트의 목이 날아간다면 가장 먼저 축포를 쏠 사람이 자신의 오라버니들이라는 걸 너무나 잘 알았기에 나오는 말이었다.

라하트가 불의의 사고로 죽음을 맞이한다면 범인은 오라버니들일 가능성이 제일 높았다. 그들이 알게 된다면 찔리는 일이 있어 잔뜩 당황해할 생각을 하며 엘로라는 고개를 돌렸다.

엘로라의 시야에 잡힌 히나는 능력 없는 황자 때문에 계획이 먹히질 않아서 안절부절못하고 있었다. 적나라하게 드러난 감정으로 인해 히나가 갑자기 자수 얘기를 꺼낸 이유가 자신 때문이라는 걸 대충 짐작할 수 있었다.

근래 들어 본인이 우울해하고 있다는 걸 자각하고 있던 엘로라는 한 가지 일에 집중하면 상태가 조금 나아질지 모르겠다고 생각했다. 영원히 슬픔에 빠질 수는 없는 일이라는 걸 잘 알고 있었다. 옆에서 절절히 느끼지 않았는가.

그리고 손수건.

히나가 손수건이라는 단어를 내뱉는 순간 라하트가 떠올랐다. 무투 대회 때문이 아니었다. 모자를 씌워 줄 때 들렸던 목소리가 마음에 박혀 자연스레 그에게 하나 선물해 주고 싶다고 생각했다.

다음에 눈물을 닦아 달라는 의미는 아니었다.

공허하게 울리는 목소리가 돌부리가 되어 계속 걸려 넘어져서 그냥 지나칠 수 없었다.

잠자코 그때를 떠올리던 엘로라는 히나에게 긍정적인 답을 내놓았다.

"굳이 주지 않아도 취미 생활로 시작할 수 있겠지. 꼭 무투 대회를 위해 자수를 놓는 건 아니니까."

히나의 얼굴에 환희가 깃들었다. 엘로라에게 가까이 다가간 그녀는 기쁨을 감추지 못하고 외쳤다.

"당장 하실래요?"

"응? 지금 당장?"

"다른 사람들한테 들어 보니까 다른 영애들은 자수를 놓기 시작한 지 오래라는 거예요! 그 말을 듣고 나니 아가씨께서도 새로운 취미 생활을 만드는 것이 좋을 것 같아서 준비를 해 놓았어요."

잔뜩 들떠서 크게 말하던 히나가 자신이 너무 흥분했음

을 뒤늦게 깨닫고 아차 했다. 엘로라는 히나가 민망해하지 않도록 웃으며 말했다.

"그래, 얘기가 나온 김에 시작하자. 마침 심심했어."

"그러면 잠시만 기다리세요. 가져올게요!"

쏜살같이 달려간 히나는 빛의 속도로 다시 돌아왔다. 그녀의 손에는 실뭉치가 가득이었다. 그것을 건네받은 엘로라는 너무 오랜만에 쥐게 된 터라 어색함을 느꼈다.

자수는 귀족 영애의 기본 소양이었다. 그래서 예전에 가볍게 배웠다. 배워서 나쁠 건 없다는 것이 엘로라의 지론이었기 때문에 기꺼이 배우긴 했는데 딱히 쓸 일이 없어서 영원히 묵혀 둘 기술이라 생각했다. 그런데 오늘 실과 바늘을 들게 된 것을 보아하니 배워 놓으면 언젠가 쓸 날이 온다는 말이 맞는 듯했다.

너무 오랜만에 손에 잡은 실과 바늘이었기 때문에 처음부터 거창한 무늬를 놓기보다는 기본적인 것부터 차근차근 시작했다. 그리고 슬슬 감을 잡기 시작하자 숙련자들이 시도한다는 복잡한 무늬를 놓았다.

한동안 히나가 하는 일이 실뭉치 운반이라고 해도 좋을 만큼 미친 듯이 자수를 놓는 일에 꽂혔다. 시간 가는 줄 모르고 집중할 수 있는 일이라서 먹고 자는 시간을 제외하면 거의 자수만 놓는다고 보아도 좋았다.

그 모습을 지켜보던 히나는 엘로라의 우울함을 달래기 위해 제안한 건데 너무 푹 빠진 듯해 살짝 걱정이 되긴 했다. 하지만 원래 엘로라는 한 번 빠진 일에 미친 듯이 몰두했기에 시름을 덜어 놓았다.

무엇보다 멍해지는 시간이 확연히 줄어들어 자수 놓기가 긍정적인 효과를 가져왔다고 믿게 되었다.

화려함을 극도로 표현할 수 있는 꽃부터 시작해서 고양이나 강아지 같은 아기자기한 동물까지. 생각나는 대로 도안을 그리고 바로 작업에 들어갔다.

처음에는 미숙해도 시간이 지날수록 숙련도가 올라서 바로바로 다음 작업으로 넘어갔다.

그렇게 어디 내놓아도 손색없을 만큼 예쁜 무늬가 새겨진 손수건도 하나둘씩 쌓이기 시작했다.

만약 매일같이 보는 신문에 대문짝만하게 찍힌 기사만 아니었더라면 엘로라는 무투 대회 당일까지 바늘을 쥔 채 자수에 심취했을 것이다.

무심코 본 신문에는 아무도 예상치 못한 충격적인 내용이 적혀 있었다.

[모습을 드러낸 왕가의 보물! 쟁취하는 자는 누구인가!]

무슨 내용인가 하니 이번 무투 대회는 특별 상품으로 볼흐라스의 첫 번째 왕녀가 남긴 팔찌가 걸려 있다는 것이었다. 볼흐라스의 역사와 함께해 온 물건인 만큼 보물이라는 단어를 붙여도 아깝지 않았다.

천문학적 가치만 해도 어마어마한 물건을 뜬금없이 상품으로 걸겠다는 것이 충격적일 만하지만 엘로라의 눈에 거슬리는 단어는 따로 있었다.

첫 번째 왕녀.

신문에서는 이름을 밝히지 않았으나 클라우디아였다.

클라우디아에게 관심이 한 톨도 없던 황실이 갑작스레 이런 결정을 내린 이유가 짐작도 가지 않았다.

혹시 음모가 있는 건 아닐까.

음모론만큼 가장 세우기 쉬운 가설이 없었다. 그곳의 정신 나간 내부자를 알고 있다면 적당한 근거가 없어도 음모론을 구체화하며 혼자 고개를 끄덕일 수 있었다.

엘로라가 아는 황실의 정신 나간 내부자가 누구겠는가.

라하트밖에 없었다.

아몬을 직접 만났고, 엘로라가 클라우디아에 관한 자료를 집요하게 찾았다는 것 또한 알았다. 라하트가 무슨 수를 써서 이런 일을 꾸민 게 아닌가 싶다가도 그가 그 정도의 영향력이 있는지 단언하지 못했다. 이로 인해 라하트가 얻을 이익이 없어 보였다. 클라우디아가 남긴 팔찌를 대중에게 공개하여 무엇 하는가.

음모설이 가장 신빙성 있긴 한데 그를 뒷받침할 근거가 부족하니 단정 지을 수 없었다.

귀중한 물건을 내놓을 정도로 황실 쪽에 심경 변화가 있었던 것 같은데, 그곳에 속해 있지만 엄밀히 말하면 외부

인인 엘로라는 아무것도 알 수 없었다. 결국 무슨 일이 있었겠구나, 하고 넘어가야 했다.

클라우디아 왕녀가 남긴 팔찌. 신문에 있는 흑백의 사진을 꼼꼼히 살펴본 엘로라는 그것이 어떤 물건인지 대충 짐작할 수 있었다. 클라우디아에 관해서는 박사 학위를 받아도 될 만큼 열정적으로 공부한 시간이 지금 이렇게 쓰이고 있었다.

그들은 과거의 물건에 사연을 붙이기 좋아하는 현대인답게 사랑을 이뤄 준다는 애틋한 팔찌라고 설명하고 있었으나 실제로는 아몬을 위한 것이었다.

뿌리처럼 섬세하게 얽힌 팔찌에는 나뭇잎 모양으로 가공된 에메랄드가 달려 있었다. 나무를 모티브로 만든 것이 분명한 이것은 클라우디아가 아몬을 위해 준비한 팔찌에 대한 묘사와 일치했다.

어쩌다가 우정이 사랑으로 와전됐는지는 모를 일이었다.

적극적으로 판을 벌일 생각인지 신문에는 날조된 역사가 무시무시한 기세로 적혀 있었다. 실제 클라우디아와 대중들이 아는 클라우디아라는 인물이 판이해질 것이었다.

클라우디아에 관해 남겨진 적은 사료와 고전적인 이야기들을 합쳐 극적인 스토리를 짜낸 것을 보면 어떻게 해야 대중들이 흥미를 가질지 잘 아는 사람이 스토리를 담당한 것 같았다. 구워삶는 솜씨가 제법이었다.

무투 대회와 사랑을 이뤄 주는 고대의 팔찌.

무투 대회 출전자들이 대부분 남자라서 피 튀기는 혈전을 벌일 텐데 핑크빛 사랑을 논한다고 하니 대회 취지랑 맞지 않는 듯한 상품처럼 보였다.

대체 어떤 바람이 불었기에 이야기까지 꾸며 가며 검이나 창 같은 무기가 아닌 사랑의 팔찌를 내세운 건가. 차라리 월계관을 준다고 했더라면 이렇게까지 의아하지 않았을 거였다.

진실은 미궁에 빠진 채 사진으로 남겨진 흑백의 팔찌를 내려다보던 엘로라는 실뭉치를 치웠다.

자수는 놓을 만큼 놓았다. 어떤 경위로 클라우디아가 아몬에게 주려 했던 팔찌가 대회 상품으로 걸리게 되었는지 몰라도 엘로라에게는 기회였다.

클라우디아가 건네주지 못한 팔찌를 아몬에게 줄 기회.

인간의 형체를 한 그녀가 지금 이곳에 있지 않아도 나무는 남아 있었다.

있어야 할 것을 원래 자리에 되돌려 놓는다면 마저 버리지 못한 미련을 떨칠 수 있지 않을까. 자신만이 알고 있는 일에 대한 사명감과 동시에 감정을 정리하게 될 계기를 쥐게 된 것 같았다.

이런저런 생각을 정리한 엘로라는 당장 무투 대회에 나가기에는 무리가 있음을 깨달았다. 아직 자신은 약했다.

전국에서 내로라하는 실력자가 모인 장이었다. 라엘에게 검술을 배웠다 해도 검을 놓은 지 꽤 오래되었고, 그리 심도 있게 학습한 것도 아닌 터라 우승할 실력을 갖고 있다 자만할 수 없었다. 끽해 봐야 제 몸을 지킬 정도였다.

그마저도 머릿수가 많으면 한 수 접고 들어가야 했다. 일대 다수를 상대할 만큼 파괴적인 힘을 갖고 있지 않았다.

잘해 봐야 본선 진출. 그것이 한계였다.

불리한 조건이 한가득이었다. 남성에 비해 확연히 힘이 약하다는 건 자명한 일이었다. 태어나기를 그렇게 태어났으니 어쩔 수 없었다. 힘이 부족하다면 기술을 연마할 필요가 있었다. 이기고자 한다면 자신의 약점을 보완할 강점을 가져야 했다.

무투 대회까지 그리 많은 시간이 남지 않았다. 현재 참여자 신청 기간이었다. 그러니 단기간에 강해져야 했다. 결승전에 참가할 수 있도록, 당당히 1위를 차지할 수 있도록.

무모한 일이라는 건 알았다. 하지만 그녀는 이 무모한 일을 실현시켜 줄 딱 한 명의 엄청난 스승을 알고 있었다.

결심한 엘로라는 라엘을 찾아가서 도움을 구했다. 히나를 통해 미리 만나자고 약속을 잡고 비밀 통로로 빠져나가면 됐기 때문에 라엘을 만나는 건 그다지 어렵지 않았다.

"오라버니, 검술을 다시 가르쳐 줘."

짧게 인사하고 바로 본론에 들어갔다. 라엘이 표정 하나 바꾸지 않고 엘로라를 뚫어져라 쳐다보았다. 그 시선을 피하지 않으며 굳건한 의지로 지지 않고 마주했다.

라엘은 자신이 검을 드는 걸 그다지 좋아하지 않아 했

다. 검술을 가르친 것도 동생의 부탁이자 제 몸 하나는 간수할 줄 알아야 한다는 생각 탓일 거다. 어차피 기사가 될 것도 아니었기 때문에 심도 있는 학습에 들어갈 때쯤 스스로 그만둔 엘로라가 다시 배움을 청했다.

혼자서 어떻게든 노력해 볼 수 있겠지만 무투 대회는 일대일로 상대와 실력을 겨루는 장이었다. 사람을 상대해 봐야 이길 수 있는 게임인 것이다. 그러니 자신이 알고 있는 사람 중 가장 검을 잘 다루는 라엘은 꼭 필요한 사람이었다.

그런데 라엘은 좀처럼 답하지 않았다. 긍정도, 부정도 없었다. 굳게 닫힌 라엘의 입 탓에 엘로라는 잔뜩 긴장했다. 겉으로는 티를 내지 않고 눈싸움하듯 라엘을 똑바로 바라보고 있자 느릿하게 라엘이 입을 열었다.

"드디어 황자를 살해할 거야?"

"아."

당황했다. 어떤 제스처도 취하지 못하고 눈만 깜빡이고 있는데 라엘이 덤덤히 말을 이었다.

"암살은 내 전문이 아니야. 오히려 요제프가……."

"아니, 오라버니. 그런 불순한 생각은 눈곱만큼도 하고 있지 않아."

라엘이 이상한 오해를 하기 전에 빠르게 말을 끊었다. 본격적으로 라엘의 의견을 부정하자 라엘은 대놓고 아쉬운 표정을 지었다.

크게 감정 표현을 하지 않는 그의 얼굴에 그렇게 선명하게 감정이 찍힌 걸 보면 정말 라하트를 죽일 놈으로 여기고 있는 듯했다.

그는 아직도 황자 암살이라는 야망을 버리지 못하고 있었다.

이건 아르미트 형제들의 공통된 의견일 터였다.

진심을 엿본 엘로라는 라엘이 허튼 생각을 하지 못하도록 단단히 막았다.

"반역을 하거든 오라버니와 내가 남으로 살고 있을 다음 생에 하도록 해. 이번 생에는 내가 고발할 테니까."

"그러면 다음 생에도 안 되겠네."

"어째서?"

"그때도 너는 나의 누이일 테니까."

"싫어. 내가 오라버니 역할 할래."

"좋아, 내가 누이동생을 할게."

심술궂은 농담이었다. 그런데 라엘은 평소와 같은 표정으로 수긍했다. 동생은 결국 아랫사람이니 엘로라와 나이 차가 꽤 나는 라엘로서 기분이 나쁠 수 있는데 전혀 그런 기색이 없다. 오히려 기꺼워하는 것 같았다.

"너무 순순히 인정하는 거 아니야?"

"가족이기만 하면 돼."

"……."

"더 바라지 않아."

한숨처럼 말을 내뱉은 라엘이 엘로라의 머리를 쓱쓱 쓰

다듬어 주었다. 익히 아는 다정한 손길이었다. 하지만 묘한 기분에 휩싸인 엘로라가 무어라 말하기 전에 라엘이 먼저 말을 가로챘다.

"배울 거야?"

"응."

"왜?"

마치 이제는 용병이라도 할 셈이냐고 묻는 듯했다. 워낙 다양한 직업에 손을 대는 엘로라였다. 대부분 예술 계열이었으나 예외는 있는 법이었다. 용병이라는 직업에 흥미를 느꼈다면 한 번쯤 용병을 해 보려고 달려들 그녀였다.

원하는 건 끝내 쟁취하고는 했기 때문에 용병이라는 매우 위험한 일에 뛰어들지도 모를 동생을 라엘이 다소 불안한 시선으로 쳐다봤다.

"무투 대회에 참여할 거야."

"무투 대회?"

엘로라가 '무투 대회'를 언급하자 라엘이 이해되지 않는다는 듯이 고개를 갸웃거렸다.

"넌 강해."

엘로라는 약하지 않았다. 오히려 여자를 기준으로 삼으면 강한 축에 속했다. 자진해서 검술을 배운 여성이 몇이나 되겠는가. 남자를 기준으로 삼아도 일대일이라면 무난히 넘어갈 수 있다고 평가했다.

라엘은 엘로라가 무(武)에 큰 뜻이 없다는 걸 잘 알고 있었다. 애초에 제 몸 하나 건사할 실력을 쌓고자 배움을 청했지 않은가. 그 기준에 부합한 실력을 가졌음에도 굳이 무투 대회에 나가 제 힘을 시험하겠다고 하니 라엘로서는 이해가 되지 않았다.

"나 자신을 시험하기 위해 참여하려는 게 아니야. 우승 상품을 얻고 싶어."

라엘이 골똘히 생각에 빠졌다.

무투 대회, 우승 상품, 엘로라가 원하는 것.

라엘이 아는 무투 대회 우승 상품은 별것 없었다. 실질적으로 줄 수 있는 건 돈뿐이었다. 금전에 크게 구애받지 않는 엘로라가 갑자기 돈이 급해서 관심을 보일 리는 없고. 그렇게 되면 우승 상품 자체가 남지 않았다. 하지만 없는 우승 상품을 얻고 싶어서 엘로라가 찾아왔을 리는 없지 않은가.

세상 돌아가는 일에 전혀 관심이 없는 라엘은 팔찌가 이번 무투 대회 우승 상품으로 새롭게 추가된 것을 몰랐다. 라엘이 계속 모르겠다는 표정을 짓고 있어 조용히 기다리던 엘로라가 설명해 주었다.

"이번 대회에서는 특별히 왕실에서 내려오는 팔찌가 상품으로 걸려 있어. 그것 때문에 참여하려고 하는 거야. 꼭 얻어야만 하는 이유가 있거든."

엘로라의 말에 라엘이 불만스러운 표정을 지었다. 남들이 보기에는 한결같은 무표정이었지만 오랫동안 라엘과 함께한 엘로라는 그 차이를 단번에 알아챌 수 있었다.

"대신해 줄 수 없어."

"괜찮아. 어차피 이건 내가 직접 해야 의미 있는 일이거든. 그런데 이번 무투 대회에서 오라버니는 올해도 마찬가지야?"

"응."

"바쁘겠네. 대회 준비랑 일을 병행하느라 힘들면 거절해도 돼. 정 안 되면 다른 사람을 알아보거나 혼자서 연습하면 되니까."

"딱히."

생각했던 것보다 더 심드렁한 반응이었다.

"준비할 거 없어."

"정말?"

"평소대로 하면 돼."

라엘은 무투 대회 3연속 우승자였다.

그가 나갔다 하면 우승을 거머쥐니 결국 그를 이길 사람이 없다고 판단한 주최 측에서 라엘에게 '명예 우승자'라는 호칭을 지어 주고는 무투 대회 참가를 금했다. 대신 지난 대회부터 우승자에게는 부상으로 라엘과 검을 맞댈 기회를 주고 있었다.

일명 라엘을 이겨라.

자신의 실력을 과시하고 싶은 무인들에게 제국 최고의 검과 겨룰 수 있다는 건 인생 최고의 기회였다. 때문에 평소 라엘을 동경했던 많은 젊은이들이 저번 대회부터 무투 대회에 다수 참가했다.

외모, 지위, 실력. 무엇 하나 빠지지 않는 라엘은 그들의 세계에서 우상이었다. 비록 당사자인 라엘은 티끌만큼도 신경 쓰지 않는 부분이지만. 자신이 우상이라는 사실조차 알지 못했다.

모두의 선망 어린 시선을 뒤로한 채 항상 별다른 긴장감 없이 대회에 참여하는 라엘은 이번 대회 또한 크게 신경 쓰고 있지 않은 듯했다.

오만이나 거만 혹은 여유 같은 것이 아니었다. 순수하게 무예에 임하기 때문에 명예 우승자라는 명칭에도 부담감을 갖지 않는 것이었다.

수련이야 꾸준히 하고 있으니 자신과 비등한 실력을 가진 자가 우승자가 된다면 검을 맞댈 수 있어 좋은 라엘이었다.

그 와중에 엘로라를 가르치는 일쯤이야 무리가 되는 것도 아니어서 라엘은 엘로라가 이야기를 꺼냈을 때부터 순순히 승낙할 생각이었다.

일정에 무리가 됐다 하더라도 부탁하는 사람이 엘로라였기에 무조건 긍정적인 반응을 보였을 거다.

"도와줄게. 대신……."

느릿하게 얘기하던 라엘이 말끝을 흐렸다. 그는 하고 싶은 말이 많은 표정으로 엘로라를 내려다봤다.

"무리하지 마."

라엘의 요구에 엘로라는 어색한 미소만 지었다.

라엘은 지금 가장 힘든 조건을 붙이고 있었다. 무리하지 말라니. 정확한 기준을 물어봤다가는 라엘과 의견 차로 말다툼을 하게 될지도 모르겠다고 생각했다.

예전에 검술을 가르쳤을 때를 떠올려서 저런 조건을 붙이는 걸까.

그럴 가능성이 매우 높았다. 한 가지 일을 시작하면 무섭도록 집착하는데 이번에는 무려 목표가 1등이니 그 자리에 오르기 위해 어떤 노력을 할지 훤히 보여 라엘의 걱정을 사고 만 것이다. 시작부터 불안불안했다.

"약속해."

"……약속할게."

한 치의 물러섬도 없는 라엘의 태도에 그 엄한 얼굴을 빤히 보던 엘로라가 어쩔 수 없이 무리하지 않겠다고 약속했다. 물론 무리의 기준은 라엘이 말하지 않았으니 엘로라가 자체적으로 세웠다.

만약 라엘이 엘로라의 속마음을 읽을 수 있었다면 정확한 기준을 구구절절 설명했을 것이었다.

"찾아갈게."

엘로라가 고개를 끄덕였다.

대륙 최고의 검술 선생님을 무사히 섭외하는 순간이었다.

이후로 엘로라는 검을 들었다.

자수에 쏟던 시간은 자연스레 무예를 익히는 시간으로 변했다. 한마디로 잠자고 식사하는 시간을 제외하면 검을 휘둘렀다는 뜻이다. 정상에 오르기 위해 모든 열정을 쏟아붓고 있는 하루였다.

목표는 우승. 오로지 1등이어야 했다.

그 외 다른 등수는 스스로 용납할 수 없었다.

아몬에게 돌려줄 팔찌를 위해 투지를 불태웠다.

무투 대회 우승! 우승 외에는 죽음을!

이렇게 열정으로 가득 찬 엘로라를 걱정과 불안을 담아 지켜보는 자가 있었으니. 바로 히나였다. 그녀는 엘로라의 계획을 듣자마자 소리 없는 비명을 질렀다. 기절하고 싶은 심정이었다. 그 자리에서 기절하지 않은 게 다행이라고 생각될 지경이었다.

아가씨께서 무투 대회에 참여한다니. 세상에!

그동안 엘로라의 곁을 지키며 다양한 일에 뛰어드는 걸 지켜봤지만 무투 대회 참여만큼 위험한 일은 또 없었다. 덩치가 산만 한 우락부락한 남자들이 피를 튀기며 승리를 쟁취하는 대회였다. 심약한 사람은 경기장 근처에도 가지 않았다. 그런 대회에 우리 아가씨가 출전하다니!

그곳에서는 만약 사람을 죽이게 되어도 살인죄로 성립되지 않았다. 경기 중 일어난 과실이기 때문이었다. 아무도 살인을 저지른 출전자를 비난하지 않았다. 법적으로도 도의적으로도 너무나 살인에 관대한 대회였다.

이 무시무시한 경기에 엘로라가 자진해서 출전한다고 하니 마음 같아서는 엘로라의 가랑이를 붙잡고 무모한 짓은 하지 말아 달라고 빌고 싶었다. 엘로라보다 세 배는 큰 남자들이 드글드글할 텐데 그 사이에서 검을 들고 맞서는 아가씨라니. 상상만 해도 현기증이 일었다.

어쩐지 둘째 도련님을 만나러 간다고 했을 때부터 분위기가 이상했다. 특별한 일이 없으면 도련님들을 만나지 않는 아가씨인데 무투 대회와 관련된 신문 기사를 보자마자 결정을 내렸을 때 눈치챘어야 했다.

히나는 멍청한 자신을 탓하며 엘로라가 검을 들 때마다 걱정 어린 시선을 보냈다. 엘로라는 대수롭지 않게 말했지만 연약한 아가씨가 덩치들과 싸운다는 것만으로도 히나에게는 딸꾹질이 나오는 일이었다.

그러나 히나는 이런 속내를 모두 드러내지 않았다. 엘로라의 가랑이를 붙잡지 않은 것 또한 마찬가지였다. 자신이 말린다 하여 그만둘 그녀가 아니라는 걸 알기도 했고, 엘로라의 반짝이는 두 눈을 보고 있자면 하고자 했던 말도 나오지 않았다.

그 눈을 보면 모든 불안이 사라지고 확신만이 들었다.

해낼 수 있다는 확신이.

결국 단념한 히나는 엘로라가 별 탈 없이 무투 대회를 마칠 수 있길 바랐다. 겉으로는 연약하지만 실제로는 강인한 아가씨를 뒤에서 조용히 응원하는 것이 자신이 해야 할 일이었다.

여성이 무투 대회에 참여한다면 보일, 지극히 정상적인 히나의 반응을 뒤로하며 엘로라는 꾸준히 무예를 익혔다.

검에 익숙해지기 위해 식사할 때나 잘 때에도 검을 근처에 두는 것은 물론이고, 라엘이 없을 때는 기본적인 동작을 몇 번이나 반복하고 라엘이 오면 전력을 다해 검을 맞댔다. 또한 자기 전에는 오늘 했던 실수나 라엘과의 대련에서 패배한 원인을 분석했다.

대련 중 라엘이 일일이 설명해 주고 있긴 했지만 스스로 깨닫는 것과 남이 가르쳐 주는 건 큰 차이가 있었다. 잠들기 전에도 분주한 엘로라였다.

이 일정을 매일같이 반복하니 실력이 점점 늘고 있음을 몸소 느낄 수 있었다. 종일 몸뿐만 아니라 머리까지 쓰는데 실력이 비약적으로 느는 건 당연한 일이었다.

성과가 눈에 보이니 성취감을 느껴 더더욱 열심히 했다. 무리하지 않겠다는 라엘과의 약속이 드문드문 떠올랐으나 이건 절대 무리가 아니라며 스스로를 설득했다.

엘로라가 생각하는 무리의 기준은 너무 허들이 높았다.

라엘에게 도와 달라고 부탁한 이후로 하루도 거르지 않고 수련했다. 그러면서도 바깥소식에 관심 갖는 건 잊지 않았다. 잠깐이라도 한눈을 팔면 볼흐라스를 뜨겁게 달구는 이야깃거리가 바뀌었다.

근래 들어서 무투 대회가 다가옴과 동시에 클라우디아나 팔찌에 관한 얘기가 자주 돌았기 때문에 평소보다 더 신경을 썼다.

팔찌는 공개된 지 얼마 지나지 않아 카피 제품이 우후죽순 생겼다. 히나의 말에 따르면 팔찌를 선물하며 고백하면 긍정적인 답을 받을 확률이 백 퍼센트에 가깝다고 했다. 단순한 미신이었다. 실제 팔찌도 아닌 카피 제품에 무슨 영험한 힘이 있어서 사람의 마음을 멋대로 부리겠는가.

하지만 소문이란 본디 진실과 거짓을 가리지 않았다. 진실을 거짓이라 믿게 하고, 거짓을 진실이라 믿게 하는 것이 바로 소문이었다.

연애 문제로 절박한 사람이 많은지 소문에 힘을 입은 팔찌의 카피 제품이 제재할 수 없을 정도로 잘 팔렸다. 이쯤 되면 소문의 근원지는 장사꾼들이라고 생각할 수밖에 없었다. 꾼들이 돈 냄새를 맡고 승냥이처럼 몰려든 것이다.

황실 측에서도 카피 제품이 생길 것은 예상했을 테니 경제 활성화를 꾀한 걸까 싶었다. 팔찌 하나로 경제가 활성화돼 봤자 얼마나 될까 싶지만 팔찌를 상품으로 건 합당한 이유를 여전히 찾지 못했으니 별별 생각을 다 하게 되는 엘로라였다.

팔찌의 인기가 높아지면서 덩달아 그 주인인 클라우디아에 대한 대중들의 관심 또한 치솟은 가운데 그녀가 절세미녀여서 타국의 왕자의 마음을 뺏었네, 뭐네 하는 얘기까지 돌게 됐다.

그동안 볼흐라스 황실 족보를 통째로 외우지 않는 이상 그녀의 이름을 모를 수밖에 없었다. 게다가 왕위를 잇지 않은 왕녀였기 때문에 남은 사료마저 없는 데다 연구 가치가 없다고 판단하여 학자들에게 푸대접을 받은 걸 고려하면 인생, 참 모를 일이었다.

이렇듯 바깥이 한참 소란스러운 것과 다르게 라하트는 조용했다. 죽은 건 아닐까 싶을 정도로 소식이 없었다. 존재 자체만으로도 다양한 구설수에 오르는 남자였다. 더불어 엘로라에게 꾸준히 치근덕거리는 남자이기도 했다.

그런 그가 정말 존재하지 않는 듯이 잠잠했다. 그의 시체가 발견됐다는 소식을 어느 날 듣게 된다 하여도 전혀 놀랍지 않을 것 같았다.

그가 잠적한 이유는 다양한 가설을 제시할 수 있겠지만, 하필 아몬과 헤어진 날을 기점으로 소식이 뚝 끊긴 터라 그가 지금 자신을 배려하고 있음을 쉬이 짐작할 수 있었다.

이때까지 그와 직접 부딪치고, 대화하며 라하트라는 사람을 보았기 때문에 확신할 수 있었다. 그는 지금 소중한 사람과의 이별로 인해 안정이 필요하다고 생각하여 내버려 두고 있는 것이었다.

막무가내로 밀어붙일 때도 많았으나 엘로라가 생각지도 못한 부분에서 세심히 배려를 해 주기도 하는 남자였다. 함께한 시간이 제법 되어 잘 알고 있었다. 그 탓인지 바쁜 와중에도 드문드문 라하트가 떠올랐다.

한시도 가만히 있지 못하는 사람인데 정말 가만히 있는 게 맞는지, 혹 술통에 빠져 못 나오고 있는 건 아닌지, 그도 아니라면 담배 연기에 질식하여 죽은 건 아닌지 같은 황당하지만 라하트라면 충분히 있을 법한 걱정과 함께.

스스로 생각해도 참 웃긴 터라 홀로 조용히 미소를 지어도 굳이 나서서 라하트의 근황을 알아보려 들지 않았다. 라하트를 떠올렸다는 사실조차 겉으로 드러내지 않았다. 드러내서는 안 됐다.

그의 마음을 받지 않은 자신이 괜히 나서서 혼란을 만들어서는 안 됐으니까.

사랑이라는 감정에 확신이 있는 라하트와 달리 엘로라는 그렇지 않았다. 그러니 작은 호기심으로라도 오해를 불러일으켜서는 안 됐다.

그렇게 오로지 무투 대회 우승만을 바라본 채 달리던 엘로라는 오늘도 몰래 궁을 찾아온 라엘과 함께 대련을 했다. 라엘이 근무를 쉬는 날이었기 때문에 평소보다 이른 시간에 방문하여 햇살이 따사롭게 쬐는 오후였다.

라엘의 검이 날카롭게 파고들었다. 헛숨을 들이킨 엘로

라는 겨우 자신을 베어 들 듯이 달려드는 검을 막아 냈다. 눈으로 좇을 수 있는 속도가 아니었다.

위험을 느낀 몸이 반사적으로 움직여 간신히 막아 낼 수 있었다. 솜털이 바짝 섰다. 실전이었다면 매우 위험한 상황이었다.

이마저도 실력이 꾸준히 늘어 최근에야 막을 수 있게 되었다. 처음에 대련할 때는 엘로라의 실력을 정확히 파악하지 못한 라엘이 과하게 실력 발휘를 하여 잔뜩 혼쭐이 났다.

라엘은 마치 엘로라를 진짜로 벨 듯이 검을 휘둘렀다. 진짜로 엘로라를 베지 않을 거라는 실력에 대한 확신이 있었기 때문이었다. 실제로 진검을 쓰며 대련을 하고 있지만 엘로라가 피를 본 적은 없었다. 라엘이 굉장히 세심하게 신경 쓰고 있음을 증명하는 일이었다.

가끔 너무 강적을 상대하고 있는 것이 아닌가, 하는 생각이 들긴 해도 라엘이 실전처럼 달려드니 긴장감이 들어 좋았다. 실력 향상에는 이만한 게 없었다.

물론 라엘은 엘로라의 실력을 고려하여 힘을 빼고 상대하고 있었다. 하나 라엘은 라엘이었다. 제국 최고의 검이라 불리는 그가 힘을 뺐다고 해서 실력이 평범할 리 없었다.

맞대고 있던 검을 있는 힘껏 쳐 냈다. 검을 잡은 손에 힘이 들어가면서 최근 생긴 상처를 건드렸다. 손이 따끔따끔하게 아파 왔다. 팔목 또한 통증을 호소하는 건 덤이었다.

갑작스러운 자극에 잠깐 멈칫했으나 정말 짧은 순간이었

다. 어금니를 꽉 깨문 엘로라는 인상을 잔뜩 찡그린 채 라엘의 빈틈을 발견하고 그 사이를 찔렀다.

이를 빠르게 막아 낸 라엘이 아차 하는 사이 엘로라의 손목을 잡았다. 손목이 아플 정도로 강한 힘으로 잡은 건 아니었으나 그의 돌발 행동으로 인해 대련은 잠시 중단될 수밖에 없었다.

엘로라는 라엘을 올려다보았다. 어째서인지 잔뜩 화가 난 얼굴이었다.

자신이 자각하지 못하는 사이 실수라도 한 것일까.

그도 아니라면 혹 실력이 너무 형편없어서 폭발한 걸까.

라엘의 얼굴에 선명히 드러난 분노에 당황한 엘로라는 자신의 실수를 더듬었다. 크게 감정 표현을 하지 않는 라엘이 화가 났다는 건 매우 큰일이었다. 그만큼 자신이 너무 못했다고 생각한 엘로라였다.

그러나 라엘은 엘로라의 손을 뚫어져라 쳐다봤다.

쉼 없이 강행되는 혹독한 연습으로 엉망진창이 된 손을.

"약속했잖아."

무리하지 않겠다는 약속을 말하고 있었다. 라엘은 엘로라의 실력이 형편없어 화가 난 게 아니었다. 약속을 어기고 무리하게 연습하여 화가 난 것이었다.

라엘이 이런 반응을 보일 걸 짐작했기 때문에 조심스레 숨겼던 비밀이었다. 그러나 검을 맞댄 순간 치미는 통증으로 머뭇거렸던 그 찰나로 인해 엘로라의 비밀은 들통나고 말았다.

화가 난 라엘을 보고 있자니 큰 죄를 지은 것처럼 뜨끔하긴 했으나 엘로라 또한 아예 할 말이 없는 건 아니었다.

"무리하지 않았어."

"엘로라."

"이 정도로 무리했다고 할 수 없어."

라엘과 마주한 엘로라의 시선이 날카로워졌다. 라엘의 걱정은 충분히 이해하고 있었다. 그렇다고 사정을 일일이 고려하며 적당히 할 만큼 엘로라는 여유롭지 않았다.

"애초에 출발 지점이 다르니 남들보다 더 노력해야 해. 그래야 따라잡을 수 있어."

단호한 의지였다. 서로 한 치의 물러섬도 없이 바라보고 있었다.

"검을 들 수 있다고 아무나 우승할 수 있는 대회가 아니라는 것쯤은 알아. 다른 참가자에 비하면 내게 불리한 조건이 많고, 아직 미숙하다는 것 또한. 오라버니. 나는 가벼운 마음으로 우승하겠다고 외친 게 아니야."

소풍 가듯이 간단히 준비하는 것만으로 우승을 거머쥘 수 있었더라면 얼마나 좋았을까. 하지만 현실은 녹록지 않았다. 지기 위해 싸우는 사람은 없었다. 다들 지지 않으려고 최선을 다해 실력을 뽐낼 테니 엘로라 또한 지지 않으려면 자신의 전부를 내걸어야 했다.

엘로라의 손목을 잡은 채 라엘이 투명한 푸른 눈동자를

빤히 쳐다봤다. 선연하던 분노가 사라져 있었다. 대신 많은 것을 내려놓은 듯한 얼굴이었다.

진심이 담긴 엘로라의 발언으로 라엘 또한 깨달은 듯했다. 지금 하고 있는 일이 단순히 호신술을 가르치는 일과 같을 수 없음을.

힘을 뺀 라엘이 엘로라의 팔을 내려놓았다. 강한 힘으로 잡고 있지 않았던 터라 손목에 라엘의 손자국이 남는 일은 없었다.

“쉬어.”

“하지만…….”

“안 잤지.”

물음이 아닌 확신이었다. 훤히 꿰뚫고 있는 듯한 말에 저도 모르게 얼굴을 더듬게 됐다. 요 근래 제대로 자지 못한 사실이 얼굴에 드러난 것일까.

피부 관리는 꾸준히 해 주고 있었다. 언제 또 변장할지 모르는데 피로가 쌓여 푸석한 피부로 돌아다닐 수 없었다. 제법 철저히 관리하고 있다고 생각했는데 라엘을 속일 수 없는 모양이었다.

변명이 통하지 않을 상대였다. 거짓 또한 통하지 않았다. 괜히 길게 말하여 꼬투리가 잡히기보다는 입술을 꾹 다물었다. 긍정을 내포한 침묵이 잠시 깔렸다.

“엉망이야. 쉬어.”

“안 돼. 뒤처지고 말 거야.”

"먼저 쓰러지는 건 너야."

틀린 말이 아닌 터라 더는 고집을 부릴 수 없었다. 엘로라의 기세가 한풀 꺾인 것을 눈치챈 라엘이 재빠르게 검을 빼앗았다. 그리고 억지로 엘로라를 끌고 가 나무 밑에 앉게 했다. 그늘이 짙게 깔려 따가운 햇살을 피할 수 있는 자리였다.

이 이상 무슨 말을 해도 검을 돌려줄 것 같지 않았다. 힐끗 라엘을 훔쳐본 엘로라는 단호한 의지가 깃든 그 얼굴에 아무 말도 못하고 얌전히 앉아 있었다.

방금 전까지 격한 운동을 해서 그런지 빠르게 뛰는 맥박이 느껴졌다. 나무에 기대어 숨을 몰아쉬고서는 멍하니 정면을 보았다. 갑자기 아무것도 안 하게 되어서 어색했다.

가만히 앉아 있다는 자체가 불편했다. 마음 같아서는 당장 검을 들고 휘두르기 연습이라도 하고 싶은데 옆에서 자리를 지키고 있는 라엘 탓에 아무것도 할 수 없었다.

그동안 수면 시간이 극단적으로 짧아진 듯하니 한숨 자라는 의미에서 배려해 준 듯했지만 지금 엘로라의 심장은 어린아이가 달리듯이 쿵쾅쿵쾅 빠르게 뛰었다. 눈을 감으면 피로로 잠이 오는 게 아니라 심장 고동 소리가 선명하게 들릴 뿐이었다.

잘근잘근 입술을 깨문 엘로라는 안절부절못했다. 이 두근거림을 알고 있었다. 격한 운동을 한 후 으레 겪는 현상만이 아니었다.

불안과 초조 그리고 두려움. 쉬는 동안 뒤처질지도 모른다는 생각에 온갖 부정적인 감정이 노도처럼 덮쳐 왔다.

지금 이 상태를 치료할 수 있는 방법은 단 하나뿐이었다. 라엘 쪽으로 자꾸 시선이 갔다. 시야에는 잡히지 않았지만 근처에 방금까지 휘두르던 검이 있음을 알고 있었다. 검을 빼앗고 싶어서 손이 근질근질거렸다.

사실 검을 빼앗는다 해도 라엘이 적극적으로 말리면 아무것도 할 수 없었기 때문에 근본적인 문제는 전혀 해결이 되지 않는 방법이었으나 초조함을 가라앉히기 위해 뭐라도 손에 쥐고 싶었다.

최대한 얌전히 앉아 있는 척하고 싶었지만 어찌 억누를 수 있는 감정이 아니었다. 바로 옆에서 계속 힐끔거리니 둔한 라엘마저 말이 아닌 눈으로 보내는 메시지를 똑똑히 느낄 수 있었다.

시선이 부담스러운 건 둘째 치고 기껏 쉬라고 앉혀 놓았더니 더 불안한 모습을 보여 마음이 편치 않았다. 답답한 마음에 라엘이 깊은 한숨을 내쉬었다.

도둑이 제 발 저리다고 라엘의 한숨을 들은 엘로라가 움찔했다. 재빨리 고개를 숙여 바닥을 본 엘로라는 도록도록 눈동자를 굴렸다. 라엘의 기분이 상한 것 같아 조심스러워졌다.

"의미 있어?"

뜻밖의 물음이 라엘에게서 나왔다. 구체적으로 무엇인지

얘기하지 않았으나 곧바로 팔찌를 언급하고 있음을 눈치챘다. 무투 대회에 참여하게 된 원인이자 필사적으로 구하고자 하는 물건.

이제껏 물질적인 것을 위해 노력하는 모습을 보인 적이 없는 탓인지 라엘의 물음에는 순수한 의문이 담겨 있었다.

"응, 아주."

엘로라에게 있어 클라우디아가 아몬을 위해 남긴 그것은 매우 큰 의미를 가지고 있었다. 시간에 스러져 더는 만날 수 없는 인연을 잇게 해 주는 물건이니까.

팔찌를 떠올리니 자연스레 아몬의 얼굴이 머릿속에 그려졌다. 희미한 미소를 지은 엘로라는 마음속에서 싹을 틔워 빠르게 자라나던 불안이 잠깐 사라짐을 느꼈다.

"넌 항상 한계까지 몰아쳐."

"내겐 시간이 없으니까."

비단 무투 대회 연습만을 말하는 것이 아니었다. 절로 낮아진 자신의 목소리를 들으며 엘로라가 중얼거렸다.

"난 이렇게 열심히 하지 않으면 안 돼."

달려야 남들이 걷는 것과 같은 선상에 오를 수 있다. 남들이 달리기 시작하면 나는 척이라도 해야 했다. 바닥부터 시작하여 정상에 오르기 위해서는 단순히 '노력했다'라는 표현 정도로 임해서는 안 됐다.

그렇게 하지 않는다면 이 세상에 엘로라가 발 디딜 곳이 없었다.

타인은 이런 절박함을 이해하지 못할지라도 꿋꿋이 걸어 온 길이었다.

"쓰러질 거야."

"부서진대도 좋아."

그렇게 말하며 엘로라는 힘을 주어 손을 쥐었다가 폈다. 아릿한 통증이 독처럼 퍼졌다. 그간 죽어라 노력했음을 증명하는 고통이었다.

"이뤄 낼 수만 있다면."

엘로라가 두 눈을 반짝반짝 빛내며 말했다. 라엘은 생기를 머금은 푸른 눈동자를 가만히 내려다보았다. 꼭 별을 담은 것 같다고 생각하며.

"부서지지는 마. 부서지면 다음은 없어."

걱정을 가득 담은 라엘이 엘로라를 끌어당겼다. 얼떨결에 라엘의 어깨에 머리를 기대게 된 엘로라가 두 눈을 깜빡였다.

이 품을 빠져나간다면 자신을 잔뜩 신경 쓰고 있는 얼굴을 마주할 수 있을 것이었다. 하나 굳이 그러고 싶지 않은 터라 반항하지 않고 잠자코 있었다.

"한숨 자. 때가 되면 깨워 줄게."

"그 때라는 게 오라버니가 돌아가는 시간이라는 거 다 알아."

"그 전에 깨워 줄게."

라엘이 커다란 손으로 느릿하게 토닥여 주었다. 다정한

손길이었다. 잔잔한 호수 같은 라엘의 존재는 위안이 돼 주었다. 당장에라도 뛰쳐나갈 준비가 돼 있던 엘로라는 가만히 그 손길을 느꼈다.

라엘의 달콤한 말에 속아 넘어가 잠깐 눈을 붙이게 된다면 오늘 대련은 물 건너간 것이나 마찬가지였다. 하지만 지금 이 순간이 좋았기 때문에 말꼬리를 잡고 늘어지지 않았다.

어쩔 수 없이 살포시 눈을 감은 엘로라는 어둠 속을 헤매다 고민 끝에 물음을 던졌다.

"……오라버니는 내가 우승할 수 있을 거라 생각해?"

"넌 항상 안 되는 것도 되게 했어."

확신에 찬 말투였다. 당사자인 엘로라도 스스로를 불신하고 있는데 라엘은 완벽히 신뢰해 주고 있었다.

"이번에도 그럴 거야."

불안할 때 전해지는 타인의 올곧은 믿음만큼 응원이 되는 건 없었다. 솔직한 라엘의 발언에 불안한 마음이 한결 가벼워졌다. 마치 알을 깨고 나온 듯한 기분이었다.

"만약 우승해서 오라버니와 겨룰 수 있게 된다면 그땐 봐주는 것 없이 진심으로 상대해 줘야 해."

진담을 가득 담아 농담처럼 가볍게 말했다. 라엘이 작게 고개를 끄덕였다. 엘로라는 눈을 감고 있어 보지 못했지만 서로 닿아 있었기 때문에 느낄 수 있었다.

온몸을 잠식하던 초조함이 가심을 깨달은 엘로라는 쪽잠

이라도 잘 수 있길 바라며 긴장을 풀었다. 바람이 그런 엘로라의 뺨을 가볍게 스쳐 지나갔다. 바람에 실려 온 풀내음이 코끝을 간질임을 느끼며 짧은 휴식을 즐겼다.

바람처럼 빠르게 지나가는 시간 속에서 무투 대회가 다가오고 있었다.

14. 빛을 향해

14. 빛을 향해

고대하던 무투 대회가 시작되었다.

라엘의 특별 훈련이 제대로 통했는지 예선은 무난히 통과할 수 있었다. 그동안의 노력이 결실을 맺은 것도 있었지만 운이 따라서 대진표가 좋았다는 점도 무시할 수 없었다.

무투 대회에서도 어김없이 남장을 하게 된 엘로라는 덩치 큰 남자들 사이에서 도드라지게 체구가 작았다. 체격 좋은 남자들 틈에 있으니 자연스레 비교당할 수밖에 없었다.

사람들은 그녀에 대해 기생오라비 혹은 젖비린내가 풍기는 애송이라고 조롱했다. 체구도 체구였고 화장이 지워지기 쉬워 어쩔 수 없이 맨얼굴을 거의 드러낸 모습이라 누가 보아도 미소년이라고 부를 법한 외모가 톡톡히 한몫했다.

자신의 외적인 요소 중 모든 것들이 눈에 띈다는 걸 엘로라 또한 자각하고 있었다. 하지만 미소년이 아닌 미소녀가 되는 순간 더 지독한 시선이 쏟아진다는 걸 알고 있었다. 심지어 원래 그녀는 귀족인 데다 남편도 있는 여성이니 어차피 쏟아질 조롱과 비난이라면 차라리 연고 없는 미소년이 나았다.

물론 그렇다고 해서 얌전히 조롱을 듣기만 한 건 아니었다. 그런 식으로 입을 턴 작자를 시합에서 만나면 응징의 시간을 가졌다. 감정이 실린 공격에 큰소리를 떵떵 치던 덩치 큰 남자들은 나가떨어졌다. 덩치가 인생의 전부는 아니라는 걸 몸소 깨닫게 해 주는 순간이었다.

그렇게 단 한 번의 패배 없이 순조롭게 본선까지 진출하며 엘로라를 무시하는 시선도 어느 정도 바뀌었다. 체구도 작고 얼굴도 예쁘장하지만 결단코 만만히 봐서는 안 될 실력자. 그것이 본선에 이름을 올렸을 때가 돼서야 바뀐 주위 인식이었다.

지구력이 없어서 최대한 빠르게 끝내는 전투 방식이 꼼수라는 걸 눈치챈 사람이 많지 않아 다행이었다.

본선 진출과 함께 유력한 우승 후보가 누구인지 슬슬 얘기가 나오면서 엘로라 또한 언젠가 상대가 될 이들을 예의 주시하기 시작했다.

그중 가장 신경 쓰이는 이가 하나 있었으니. 바로 죽음의 조라 불리며 실력자란 실력자는 모두 모아 둔 듯한 예선 조에서 무서운 기세로 올라온 이상한 사람이었다. '이상한 사람'이라는 수식어가 뜬금없다고 느껴질 수도 있지만 정말 말 그대로 이상한 사람이었다.

무엇이 이상하냐고 한다면 외양이 문제였다. 잘생기고 못생기고를 떠나서 얼굴이 전혀 드러나지 않는 검은 투구를 쓰고, 온몸을 검은 옷으로 휘둘렀다. 양말마저 검은색이 아닐까 싶을 정도로 검은색 그 자체였다.

여기서 끝났다면 취향이 독특하구나, 하고 넘어갔겠지만 그는 스스로를 '어둠의 지존'이라 칭했다. 이름도 밝히지 않아서 그를 소개할 때마다 사람들은 어둠의 지존이라 불렀다. 그 이상한 칭호를 들을 때마다 엘로라는 검은 사내가 참으로 대단하다고 생각했다.

어둠의 지존이라니. 듣는 사람도 말하는 사람도 쪼그라질 것만 같았다. 당사자는 부끄럽지 않은가? 투구 탓에 얼굴이 보이지 않아 그가 부끄러워하는지 즐기고 있는지 명확히 알 수는 없었지만 계속해서 쓰는 것으로 보아 후자일 가능성이 매우 높았다.

솔직한 심정으로는 검은 사내의 괴팍한 취향을 오래 지켜보고 싶지 않았다. 듣기만 해도 부끄러워지는 칭호를 접하는 것도 곤혹스러운 일이었다. 하지만 이대로 간다면 멀지 않은 미래에 만나게 돼 있었기에 예의주시했다.

취향은 이상해도 실력은 확실한 사내였다.

우승을 거머쥐겠다는 엘로라의 야망에 크나큰 방해물이 될 1순위로 꼽혔다. 라엘 외에 처음으로 보는 강한 상대였다.

일련의 과정을 통해 기가 죽기는커녕 강한 자를 이기고 한계를 시험해 볼 수 있겠다는 생각에 더욱더 수련에 매진했다.

엘로라가 다치지 않길 바라는 라엘로서는 불행한 소식이지만 엘로라는 검은 사내든 덩치 큰 사내든 상관없이 모두를 꺾어 버리겠다는 일념 하나로 활활 타올랐다.

이렇듯 순풍에 돛을 단 배처럼 우승을 자치하겠다는 야망을 향해 거침없이 나아가고 있었다.

단 한 가지 문제를 제외한다면.

못난이 엘로라가 무투 대회의 관객으로 참여해야 했다.

관객 참여가 의무는 아닌 터라 아예 생각을 안 하고 있었는데 슬슬 얼굴이라도 보여야 하지 않겠냐고 황제와 황후가 은근히 압박을 주었다.

이미 출전자로서 참가하기 때문에 웬만해서는 빠지고 싶은 게 솔직한 마음이었지만 일전에 건강을 핑계로 빠진 전적이 있는 터라 눈치가 보였다.

한 번이라도 행사에 참석한 적이 있었다면 그 얘기를 우려먹기라도 할 텐데 혼인 후 공식적으로 모습을 드러낸 적이 전무했다.

만약 엘로라가 이름뿐인 비라면 행사에 참석하든 말든 딱히 신경을 쓰지 않았겠지만, 라하트와의 사이를 오해한 이후로 황제와 황후는 엘로라의 존재를 인정하려고 노력했다. 깊어지면 깊어졌지 풀리지 않은 오해 탓에 쓸데없는 관심을 받고 있는 지금이었다.

품위를 유지한 채로 정중하게 권하는 그들의 제안 아닌 제안에 엘로라는 식은땀을 흘렸다. 순순히 참석하겠다는 의지를 보이지 않는다면 사람을 보내서라도 끌어낼 터였다. 이번에는 아프다는 핑계가 통하지 않을 것만 같았다.

라하트와 사이가 좋지 않다고 해명하고 싶지만 시간이 너무 흘러 버렸다. 이미 보고 들은 게 있기 때문에 해명은 커녕 사랑의 다툼을 했냐며 오히려 더 붙이려고 성화일 것이었다.

본선이 진행되는 와중에도 답을 미루고 미루던 엘로라는 강력한 그들의 의지에 끝내 굴복하고 말았다. 빠져나갈 구멍이 없었다.

무사히 대회에 나가고 싶다면 이제 방법은 단 하나뿐이었다.

"아, 아가씨. 괜찮을까요?"

대역을 세우는 것.

무투 대회 출전자를 대역으로 내세울 수 없으니 당연히 못난이 엘로라의 대역이 필요했다. 그리고 그 역할은 이제껏 그러했듯이 히나가 맡게 되었다.

"히나, 심호흡 해."

"하지만……."

"내가 명심하라고 했던 것만 지키면 아무 일도 일어나지 않아."

단호한 엘로라의 말에도 히나는 불안으로 심하게 떨었다. 그동안은 혹 모를 방문자를 위해 변장만 했다면 무투대회 참여는 수많은 사람 앞에 서야 했기 때문에 규모가 아예 달라 불안해할 수밖에 없다는 건 알았다.

그녀의 거친 눈빛을 맞받아친 엘로라는 부드럽게 히나를 격려했다. 힘든 일을 시키는 듯해 미안했으나 달리 방도가 없었다.

히나에게 시키면 남자들을 무력으로 이기라고 할 수는 없지 않은가.

“내가 무엇을 명심하라고 했지?”

“첫째, 누가 말을 걸어도 절대 소리 내어서 대답하지 않는다. 불가피하게 답해야 할 경우 고갯짓으로. 둘째, 타인의 도발에 넘어가서는 안 된다. 대놓고 아가씨를 모욕해도 눈뜬 장님이자 귀머거리처럼 행동해야 한다. 만약 도가 지나쳐 도움이 필요할 경우에는 도련님들에게 신호를 보내야지 내가 직접 나서면 절대 안 된다. 셋째, 라하트 전하가 근처에 오면 무조건…….”

“무조건?”

더듬더듬 말을 잇던 히나가 마른침을 꿀꺽 삼켰다.

“도망친다.”

다 중요한 것들뿐이지만 그중 세 번째 사항이 가장 핵심적이었다.

라하트는 항상 그렇듯 요주의 인물이었다. 변장한 히나를 보자마자 진짜 엘로라가 아님을 바로 눈치챌 사람이니까.

어차피 맨얼굴도 드러냈는데 상관없다고 생각할 수도 있지만 민낯이 드러났다고 해서 이중 생활까지 드러난 건 아니었다. 괜히 비밀을 더 알리게 되어 소란을 피우고 싶지 않으니 라하트를 피하는 건 히나의 주요 임무가 되었다.

"……지금처럼만 있어 줬으면."

"예?"

"아무것도 아니야."

아직까지도 라하트는 감감무소식이었다.

대낮부터 코가 삐뚤어지도록 진창 술을 마신 탓에 어디 나자빠져 있는 것인지 그도 아니라면 궁에 얌전히 박혀 있는지 모를 노릇이었다.

그의 근황에 대해 알고 있는 사실이라고는 이제껏 무투대회에서 모습을 드러내지 않았다는 거다. 그러니 앞으로도 그러길 바랄 뿐이었다. 저도 모르게 속내를 입 밖으로 내뱉은 엘로라는 어색하게 웃으며 고개를 저었다.

라하트와 만난 초반이었더라면 분명 어디서 술병을 껴안고 있을 거라 단정 지었을 것이다. 하지만 요즘은 잘 모르겠다.

근래 들어 제정신이 아닌 척 제정신인 남자였다. 신경 쓰지 않으려 해도 고백한 날 전후로 그가 변했다는 걸 알았다. 그와 있었던 일을 떠올리니 괜히 머쓱해졌다.

"그런데 괜찮으시겠어요?"

"어? 무엇이?"

"아가씨가 공식적으로 데뷔하는 날인데 제가 대신 자리를 채우게 되는 거잖아요."

히나가 걱정스러운 표정으로 엘로라를 바라봤다. 마음 한편으로 계속 신경 쓰고 있었던 모양이었다.

그도 그럴 것이 결혼식은 황족의 혼인이라고 하기에는 유례없는 소규모였고, 결혼 후 이렇다 할 모임에 참석한 적도 없었다.

귀찮은 일에 휘말리고 싶지 않아 스스로 피한 것도 있었다. 어쩌다 보니 무투 대회에서 처음으로 얼굴을 비치게 되었다.

사교계 데뷔. 어린 영애들을 설레게 할 단어임이 분명했다. 엘로라가 몇 살만 더 어리고 사교계에 대한 환상을 안고 있었더라면 무투 대회에서 데뷔하게 된다는 것을 치욕스러워 했을지도 몰랐다. 하지만 애초에 그런 데에 미련을 가졌다면 못생긴 데다 성격 나쁜 사람으로 살아가지 않았을 거다.

살면서 느낀 점은 욕심껏 모든 것을 취할 수 없다는 거다. 귀족 영애의 삶과 하고 싶은 일을 마음껏 할 수 있는 삶. 두 삶이 양립할 수 없었다. 그랬기에 후자를 택했다. 이제 와서 제대로 된 파티에서 처음으로 얼굴을 드러내고 싶다는 욕망 같은 게 있을 리 없었다.

"딱히 상관없어."

"하지만 인생에서 딱 한 번밖에 없는 일인데……."

"사교계에 대해서는 예전부터 크게 의미를 두고 있지 않고 있어. 그리고 나는 결혼도 했잖아. 친목 쌓기와 결혼할 상대 찾는 게 주목적인 곳이니 어떤 식으로 얼굴을 보이든 그들 또한 나를 신경 쓰지 않을 거야."

무심한 대꾸에도 불구하고 히나는 할 말이 많은 표정으로 엘로라를 보았다. 아무래도 히나는 사교계에 대해 이런 저런 얘기를 들으며 환상을 키운 듯했다.

엘로라 또한 직접 참여한 적이 없어 무어라 큰 소리를 낼 수 없었으나 보고 들은 것이 있었기 때문에 그곳이 어떤 식으로 돌아가는지쯤은 잘 알고 있었다.

조금 더 제 감정을 솔직하게 드러내지 못할 뿐, 사교계라 해서 일반적인 모임과 다를 것 없었다. 그러니 계급 차이가 만들어 낸 환상에 현혹되지 않았다.

엘로라는 사교계 데뷔라는 현란한 타이틀보다 그곳에서 자신의 몫인 모진 말을 대신 들어야 하는 히나가 걱정되었다. 비난과 혐오의 시선, 당사자가 들으라는 듯이 큰 소리로 속닥거리는 험담. 그 모든 것은 히나에게 독이었다.

이미 언질을 주어 마음의 준비를 단단히 하고 있다고는 하나 상상하는 것과 직접 겪는 건 차원이 다른 법이었다. 보아도 보이지 않는 것처럼, 들어도 들리지 않는 것처럼 죽었다 생각하고 그 자리에 있어 주기만을 바랐다.

아직도 아쉬움이 역력한 표정으로 자신을 바라보는 히나

의 등을 가볍게 토닥여 준 엘로라는 방긋 웃어 보였다.

이 화제에 대해 서로의 의견만 내세워 봤자 합의점을 찾지 못할 게 뻔했기 때문에 대화를 피하기 위해 곱게 접힌 손수건의 산에 시선을 옮겼다.

모두 엘로라가 직접 어여쁘게 수를 놓은 손수건이었다.

실력이 눈에 띄게 좋아지고 나서는 소중한 사람에게 선물할 요량으로 수를 놓았기 때문에 제각각 주인이 있는 것들이었다. 그러나 아직 누구에게도 선물하지 않아 무엇 하나 빠진 것 없이 그대로였다.

매일 얼굴을 보는 히나나 자주 만나는 라엘의 것도 있었지만 머뭇거리기만 하고 건네주지 못했다. 라하트의 존재가 계속 돌부리처럼 걸렸기 때문이었다.

큰 의미가 있는 것도 아닌데 그에게 먼저 줘야 할 것 같은 의무감 비슷한 감정을 느끼고 있었다. 왜 이런 기분을 느끼는지는 엘로라 또한 정확히 알 수 없었다. 아몬과 헤어지는 날 도움을 받았기 때문일까? 계속 고민해 보아도 그 이유가 가장 납득이 됐다.

하지만 납득이 됐다고 하여 완벽히 수긍한 건 아니었다. 어디인가 석연치 않은 구석이 있었다. 명확히 정의를 내리고 싶어도 어디가 어떻게 이상한 건지 스스로도 파악이 되지 않았다. 남의 일도 아닌 본인의 일인데 잘 모르겠다니. 참으로 이상했다.

엘로라가 느끼기에는 인생에 라하트라는 존재가 끼어든

이후로 스스로가 고장 난 것 같았다. 다른 건 몰라도 '라하트'라는 존재가 끼어들기만 하면 꼭 이런 식이었다. 불규칙하고, 뒤죽박죽인 데다 명확하지 않은 것들이.

일단 한 가지 확실한 것은 직접 만나서 직접 수를 놓은 손수건을 건네주고 싶다는 거였다. 미로를 헤매는 것처럼 제 감정도 확실치 않은 와중에도 그것 하나만큼은 정확했다.

손수건을 주고 나면 지금 느끼는 이 감정에 대한 정의를 내릴 수 있을까. 또한 이 감정을 느끼는 근본적인 이유를 알 수 있지 않을까.

일단 지금까지 그토록 머리를 싸맸음에도 이렇다 할 것이 떠오르지 않는 것으로 보아 생각하는 것만으로는 아무런 진전이 없을 거라는 건 확신했다.

"치워 둘까요?"

엘로라가 아무 말 없이 손수건만 빤히 쳐다보고 있자 히나가 조심스레 물었다. 이전에 치우려는 걸 엘로라가 막은 이후로 내버려 두고 있었는데 살짝 무섭게 보고 있으니 무슨 문제라도 있는 건가 싶었다.

"아니, 때가 되면 내가 정리할게."

스스로 정의를 내릴 수 있을 때. 그때가 되면 고뇌처럼 쌓여 있는 손수건을 하나씩 주인의 품으로 보낼 수 있을 것만 같았다. 엘로라는 그때가 그다지 멀지 않을 거라 예감했다.

"수를 놓고 싶은 거라면 실과 바늘은 언제든 준비돼 있으니 말씀해 주세요. 대신 주무시는 시간을 줄여서는 안 돼요."

말 안 듣는 아이에게 꾸중하듯, 엄하게 뒷말을 덧붙이는 히나를 돌아보았다.

입궁 당시에는 불가피하게 히나를 이 일에 끌어들이게 되어 미안한 마음이 가득했다. 그건 지금도 마찬가지였다. 만약 과거로 돌아갈 수 있다면 최대한 라하트를 피해 히나까지 입궁하지 않도록 막았을 터였다.

그러나 한편으로는 지금 곁에 히나가 있어서 정말 다행이라고 생각하고 있었다. 히나가 없었더라면 더 깊은 슬픔에 홀로 빠져 있었을 거였다. 언제나 묵묵히 도움이 되어주는 그녀가 있었기에 지금 이 자리에 서 있었다.

항상 힘든 짐을 나누는 듯해 감사함과 미안함을 동시에 느끼고 있었다. 아몬이 처음으로 사귄 친구라면 히나는 가족만큼이나 소중한 존재였다.

히나가 없는 삶은 그리기 어려워졌음을 깨닫고 쓰게 웃은 엘로라는 빠르게 화제를 전환했다.

"몇 년치 수를 한꺼번에 놓은 탓에 한동안은 실과 바늘이 필요 없을 것 같아. 그래서 말인데 저 드레스를 입는 건 어때?"

얼떨결에 엘로라의 손가락을 따라 시선을 옮긴 히나가 한순간에 새파랗게 질렸다. 그도 그럴 것이 엘로라가 가리킨 드레스는 언뜻 봐도 매우 고가였기 때문이었다.

과한 디자인이나 멀리서도 한눈에 알아볼 수 있을 듯한 붉은색이라는 건 일단 뒷전이었다. 히나는 제 월급의 몇 년치는 될 것만 같은 드레스를 입게 될지도 모른다는 생각에 아찔해졌다.

"저, 저건 좀 과하지 않을까요? 게다가 제가 입기에는 너무 값나가는 것 같아요."

"내가 보기에는 딱 좋은 것 같은데."

"제가 실수로 드레스를 훼손하기라도 한다면 그땐 정말 아가씨를 볼 수 없을 것 같아요."

엘로라의 대역으로 서게 된다고는 하지만 히나는 히나였다. 갑자기 눈 돌아가게 화려한 옷을 입으려고 하니 살 떨릴 수밖에 없었다. 엘로라가 입는다고 자주 보고 만지긴 했지만 그건 입혀 주는 입장으로 본 옷이었다. 입는 입장으로 서 있으려니 똑바로 쳐다보는 것조차 힘들었다.

"네 실수를 탓할 사람은 없어. 그 날 이 옷의 주인은 너니까."

"하지만……."

"난 네가 가장 화려한 드레스를 입었으면 좋겠어. 귀족들 사이에 알려진 내가 그런 사람이기 때문인 것도 있지만 그 이유 하나만으로 권하는 게 아니야."

히나와 거리를 좁힌 엘로라가 부드러운 목소리로 다정하게 속삭였다.

"히나가 반짝반짝 화려하게 입으면 멀리서도 알아볼 수

있잖아.”

“…….”

“사랑하는 사람이 날 지켜보고 있다는 걸 알게 된다면 힘이 될 것 같아.”

“아가씨…….”

“히나, 날 지켜봐 줄 거지?”

엘로라가 히나의 손을 잡았다. 동시에 히나의 동공이 흔들렸다.

몇 년을 계속 보아도 질리지 않는 아름다운 얼굴로 간절한 표정을 짓고 있으니 눈 둘 곳이 없었다.

호소력 있는 푸른 눈동자와 마주한 히나는 얼굴이 살짝 달아오름을 느꼈다. 웬만해서는 타인에게 도움을 청하지도, 바라지도 않는 아가씨가 오로지 자신만을 바라보며 부탁하고 있었다. 심지어 사랑하는 사람이라고 언급하면서!

절대 거절할 수 없었다. 이 얼굴을 앞에 두고 어떻게 거절을 입에 담는단 말인가. 히나의 머릿속에 비싼 드레스에 대한 부담감은 싹 사라져 있었다. 그깟 옷, 아가씨께서 부탁하는데 몇 번이라도 입을 수 있을 것만 같은 근거 없는 용기가 샘솟고 있었다.

“입을게요.”

애초에 승부가 되지 않는 게임이었다. 히나의 패배 선언에 엘로라는 빙긋 웃었다.

“그렇다면 어울리는 액세서리를 골라 볼까.”

"액세서리도 골라요?!"

"당연하지. 드레스를 고른다고 치장이 끝난 게 아니라는 걸 누구보다 잘 알고 있잖아."

"드레스만으로도 이미 부담스러운데 제가 버틸 수 있을까요."

"심적 부담보다 실질적인 무게를 더 신경 써야 할걸."

엘로라는 저 드레스가 얼마나 무거운지 누구보다 잘 알고 있었다. 드레스 자체만 하더라도 원단을 겹겹이 쌓아 놓아서 무거운데 거기다 보석을 덕지덕지 붙여 놓아서 무게만큼 사치스러운 옷이었다.

한 손으로 들기 어려워 옮기는 데에도 많은 각오가 필요했다. 거기에 장신구까지 추가하면 앉아만 있어도 운동하는 듯한 기분을 느낄 수 있었다.

지금은 너무 비싸고 화려하다는 이유로 기겁해도, 착용한다면 드레스의 값어치보다 실질적인 무게가 훅 와닿을 것이었다.

입은 지 한 시간도 지나지 않아 값어치가 아닌 무게 때문에 드레스를 벗어 던지고 싶은 욕구에 시달릴 거라 단언할 수 있었다.

춤을 추고, 서서 대화를 나눠야 하는 파티가 아니라 얌전히 앉아서 구경만 하면 되는 무투 대회에 입고 나갈 옷이라서 불행 중 다행이었다.

불행이라 꼽을 만한 게 너무 많은 것이 문제였지만.

그저 히나가 잘 버티길 바랄 뿐이었다.

사람들의 시선도, 드레스의 무게도.

히나의 강함을 익히 알고 있는 엘로라는 그녀가 잘 이겨내리라 믿으며 장신구를 고르기 위해 보석함을 열었다. 귀족들의 보석함이 으레 그렇듯, 눈 돌아갈 정도로 반짝이는 보석들의 향연이 펼쳐졌다. 드레스를 고르며 한두 번 본 것도 아니건만 히나는 반짝이는 장신구가 초면인 것처럼 어색해했다.

엘로라에게 착용해 줄 때는 기쁜 마음이 먼저 들었는데 본인이 착용한다고 생각하니 보고만 있어도 정신이 혼미해졌다. 그렇다고 아무것도 안 하기에는 엘로라가 인자함을 가장한 부담스러운 미소를 짓고 있어서 무엇이든 골라야 했다.

마른침을 꿀꺽 삼킨 히나는 고가의 장신구들 사이에서 제일 저렴해 보이는 팔찌를 들었다. 이 정도면 부담 없을 거라는 생각에서 기인된 행동이었다.

그리고 그것은 공교롭게도 라하트가 뷔로스에서 엘로라에게 선물했던 팔찌였다. 히나의 손아귀에 있는 것이 라하트가 선물한 팔찌라는 사실을 알아채자마자 엘로라는 팔찌를 빠르게 낚아챘다. 생각보다 몸이 먼저 나갔다.

"안 돼."

"아……."

실수했다. 깜짝 놀란 히나와 눈이 마주친 순간 찬물을 끼

었듯 머릿속이 냉정해졌다. 뒤늦게 본인의 행동을 뒤돌아 본 엘로라는 표정을 굳혔다.

반사적으로 한 행동이었다. 대체 왜 그랬는지 본인도 납득이 가지 않았다. 그저 실수했다는 생각만이 머릿속을 맴돌았다.

라하트가 준 팔찌에 과민 반응하다니. 누가 봐도 이상하지 않은가. 어떤 표정으로 무슨 말을 해야 할지 몰라 단숨에 패닉 상태가 됐다.

“죄송해요. 아가씨의 물건을 함부로 만져서는 안 되는데 경솔하게 행동했어요. 제 과실이니 합당한 처벌을 내려 주세요.”

“아니야, 그런 거 아니야.”

목소리가 살짝 떨렸다. 이 사실을 히나가 눈치채지 못했길 바라며 빠르게 표정을 갈무리했다. 평소처럼 행동해야 했다. 방금 아무 일도 일어나지 않았던 것처럼.

느릿하게 두 눈을 깜빡였다. 히나가 먼저 말을 걸지 않았더라면 당황한 채로 가만히 서 있었을 거라 생각하며 입을 열었다. 입술이 바짝 말랐으나 눈에 띄는 짓은 해서는 안 됐다.

입꼬리를 올린 엘로라가 평소처럼 목소리를 냈다.

“드레스에 어울리지 않잖아.”

“그러네요. 드레스가 워낙 화려해서 팔찌가 보이지도 않겠어요.”

히나가 허리를 숙여 팔찌와 거리를 좁혔다. 무언가 떠오를 듯 말 듯한 표정을 지은 그녀는 팔찌를 자세히 보았다.

"그런데 이 팔찌……."

"히나, 이건 어때?"

라하트가 언급될 것만 같았다. 이 팔찌를 어떻게 가지게 됐는지 알아낸 듯해 이야기가 나오기 전에 히나의 말을 잘랐다. 마치 장신구에 주의를 기울이고 있어 히나가 말하는 도중이라는 걸 몰랐다는 표정을 최대한 지으려고 노력했지만 엘로라가 동요하고 있음을 일찍이 눈치챈 히나에게는 통하지 않았다. 눈이 마주치자 히나는 살짝 놀란 얼굴을 하고 있었다.

경솔하게 행동하고 있는 건 엘로라, 자신이었다.

크게 놀랄 필요도 없는 일에 과하게 반응하여 히나를 난처하게 하고 있지 않은가. 라하트가 언급되는 것만 하더라도 웃으며 넘길 수 있을 텐데 일을 더 키우고 있었다.

마른침을 꿀꺽 삼켰다. 어떤 질타가 날아오더라도 이번에는 피하지 않으리라 마음먹으며.

그러나 언제나 그렇듯 엘로라에게 약한 히나는 꼬치꼬치 캐묻기보다는 그냥 넘어갔다.

"일부러 제일 비싼 장신구를 고르신 거죠?"

"……부담 갖지 말고 날 꾸민다고 생각하면서 골라 줘."

"안 하면 안 될까요? 드레스만으로 충분한 것 같은데."

"안 돼."

고개를 저은 엘로라는 팔찌가 다시 화제에 오르면 또 동요할 것 같아서 슬쩍 팔찌를 숨겼다. 일말의 죄책감이 들었다. 대체 이 팔찌가 무엇이라고.

본인도 왜 그러는지 이해하지 못할 행동이 하나 더 추가되는 순간이었다.

엘로라는 목을 만지작거렸다. 은근히 거슬리는 점이 한두 가지가 아니었다. 목에 두른 푸른 띠만 하더라도 숨이 막히지는 않았으나 신경이 쓰였다. 가볍게 목을 조이는 느낌 탓인지 목걸이와는 다른 느낌이었다.

시합이 끝날 때까지 벗을 수 없었기 때문에 가능한 한 띠를 두르고 있다는 사실 자체를 잊으려 했다.

띠가 목에서 사라지는 순간은 경기에서 패배했을 때 혹은 시합이 끝났을 때뿐이니까. 매일 스스로 끈을 풀기를 바랐다.

아직 때가 아니었기 때문에 엘로라는 슬금슬금 올라가려는 손을 겨우 막았다. 한 번 손대기 시작하면 끝이 없었다. 그리고 보는 눈이 많은 만큼 튀는 행동은 되도록 자제해야 했다.

시비 거는 사람이 많았다. 숨만 쉬어도 근처에 다가와 왕왕거리는 사람이 잔뜩 있는 대기실이니 꼼지락거리고 싶은 두 손을 진정시킬 필요가 있었다.

두 손을 다소곳이 포갰다. 서로가 움직이지 못하도록 저지하고 있다는 게 더 옳은 표현일지 몰랐다. 이렇듯, 최대한 조용히 자신의 차례를 기다리기 위해 노력했다.

부단한 노력 끝에 겉으로 보기에는 고요했으나 속은 제법 시끄러웠다. 잡념이 가장 많이 드는 시간이었다. 시합 직전, 지금은.

평소에는 들지 않는 쓸데없는 생각도 샘솟았다. 이 모든 것이 긴장 탓이라는 걸 스스로도 느낄 수 있었다. 오페라 무대에 설 때도 이만큼 긴장되지 않았다. 오히려 오페라 무대에는 겁이 없었다.

규모가 달라서 그런 것일까. 혹은 짜인 극본이 있는 오페라와는 다르게 무투 대회는 한 치 앞도 내다볼 수 없기 때문일 수도 있었다.

무대 위의 세상이 현실을 가장한 거짓이라면 이곳, 원형 투기장 내부에서 벌어지는 일은 모두 현실이었다. 죽음이라는 최악의 결말로 내딛지 않도록 실력과 약간의 운으로 부딪쳐야 했다.

한 번 맺은 결말은 되돌릴 수 없었다.

두 손을 꼭 부여잡은 채로 가만히 앉아 있던 엘로라는 격하게 움직이다가 가발이 벗겨지지는 않을까, 땀을 흘리다가 화장이 흘러내리는 건 아닐까, 목에 두른 끈은 단단히 묶여 있는 걸까 하는 생각에 머리가 터지려고 했다.

머릿속이 잡념으로 가득 채워져 기나긴 대기 시간으로 지친 이들이 지루함을 참지 못해 시시콜콜한 이야기를 나누는 것은 아예 귀에 들어오지 않았다. 엘로라처럼 조용히 있는 이가 있는 한편 대부분 삼삼오오 모여 제 기행을 늘어놓는 사람들도 많아 대기실은 말소리로 가득 채워져 북적북적했다.

이마저도 시간이 흐를수록 보기 드문 광경이 될 것이었다. 대기실에 올 때마다 사람이 줄었다.

꾸준히 줄었으나 아직도 제법 수가 많았다. 예선을 통해 한 번 솎아 냈다고는 하지만 원체 참여자가 많아서 본선 진출자의 숫자도 그다지 적지 않았다.

마지막으로 화장을 확인할까 말까 고민하고 있는데 머리를 툭 하고 치듯, 불쑥 끼어드는 목소리에 엘로라는 고개를 들었다. 벌써 시간이 됐는지 경기 시작을 위해 엘로라를 부르고 있었다.

활동한 지 얼마 되지 않은 탓인지 아직 어색한 가명을 진짜 이름처럼 익숙해지기 위해 속으로 되뇐 엘로라는 자리에서 일어나 경기장으로 걸어갔다.

자리에서 일어난 순간부터 언제 수선스러웠냐는 듯이 머릿속은 고요했다. 시합 직전, 대기하고 있을 때가 가장 부산스럽다면 시합하기 위해 나서는 길부터는 가장 적요했다.

한 걸음, 한 걸음 내디딜 때마다 허리춤에 걸린 검의 무게를 생생히 느끼며 깊게 숨을 내쉰 엘로라는 빛 속으로 나아갔다.

이기는 법은 간단했다.

첫 번째, 상대가 기권을 외친다.

기권을 외치는 경우가 없을 듯해도 제 목숨 아까운 줄 아는 사람은 꽤 많았다. 생명에 위협을 느낀 이들이 자주 기권을 외치고는 했다. 그렇지 않으면 죽으니까. 하지만 더 빨리 외치지 못해 기권하는 도중 죽음에 이르는 사람도 제법 있었다.

두 번째, 개의 목줄처럼 목에 두른 끈을 끊어 낸다.

각각 푸른색과 붉은색의 끈을 목에 두른 채 시합을 진행하게 되는데, 이를 끊어 내면 됐다. 손이 아닌 검을 사용하고 있는데 말이 쉬워서 끈을 끊어 내는 것이지 몸통과 머리를 분리하게끔 유도하고 있었다.

시합을 진행하다 보면 이성보다 본능에 충실하게 된다. 목을 노리는 순간 힘 조절을 할 수 있을 리 없었다. 때문에 많은 젊은이들이 손써 보기 전에 죽었다.

노예제가 실존했을 때부터 행해졌던 경기다웠다. 그때

무투 대회 참가자는 대부분 노예였다. 노예를 가축만도 못한 취급을 한 당시 사람들의 잔혹함이 적나라하게 드러나는 부분이었다.

노예제가 폐지되고, 생명의 고귀함을 인식하게 되면서 너무 야만스러운 규칙이니 팔이나 다리에 끈을 두르는 건 어떠냐는 의견이 나왔지만 임시로 적용해 본 결과 치열함이 없었다.

관중들은 죽이지 않는다면 죽게 된다는 그 절박함에 열광하는 것이었다. 인간의 본능을 자극하는 처절함이 없다면 3년을 기다려 무투 대회를 볼 바에 동네 불한당의 패싸움을 보겠다는 게 중론이었다.

무거운 갑옷이 움직임을 방해해서 경기가 재미없어진다는 이유로 방어구 착용을 금하고 있는 대회이니 목 이외의 부위에 끈을 두르는 시안이 불발되는 건 어찌 보면 당연한 수순이었다.

덕분에 피 냄새 나는 경기는 계속 진행되고 있었다.

그리고 대회에서 이기는 마지막 세 번째 방법은 상대를 쓰러뜨리는 것이다.

굉장히 포괄적인 의미인데 기본적으로는 자신의 의지가 아닌, 상대의 공격으로 인해 바닥에 쓰러지면 패배로 인정됐다. 뒤로 넘어지든 앞으로 넘어지든 상관없었으나 한쪽 다리만 꿇게 되는 건 인정되지 않았다.

아무래도 끈을 끊는 것만으로 승리를 인정하게 된다면

결국 다른 한쪽은 죽을 수밖에 없었기 때문에 근대에 들어와서 추가된 규칙이었다. 이외에도 더는 경기 진행이 불가능한 상황이나 과다 출혈, 장외 이탈 등이 포함돼 있다.

젊은 혈기가 들끓는 대부분의 참여자는 당연하게도 상대의 목을 노렸다. 끈을 잘라 내는 것이 정통적인 승리라 여겨 제일로 쳐주는 분위기도 한몫했다.

사람을 죽일 각오로 참가한 그들과 다르게 엘로라는 죽음은커녕 피조차 보고 싶지 않았다. 이 자리에 서기 전만 하더라도 오늘은 검에 피를 묻히지 않길 간절히 바랐다.

그래서 세 번째 방법을 적극적으로 이용하며 승리를 이루고 있었다.

일순 귀가 먹먹해질 정도로 크나큰 환호성이 원형 투기장을 울렸다. 엘로라의 승리를 환호하는 함성이었다.

엘로라는 주저앉은 남자를 내려다보았다. 목에 붉은 끈을 단 남자는 본인의 패배를 납득하지 못하는 표정이었다. 피 한 방울 흘리지 않은 경기를 그다지 명예롭게 여기지 않은 부류인 듯했다. 이런 표정을 한두 번 보는 게 아니었다.

본인이 지게 되더라도 피 튀기는 승부 끝에 명예롭게 질 거라 생각한 남자에게는 미안한 일이지만 엘로라는 라엘과의 훈련에서 사람을 죽이기보다 빈틈을 노려 상대를 쓰러뜨리는 법을 배웠다.

방어 위주이긴 하나, 공격하는 시늉을 아예 하지 않는 건 아니었다. 방어만 하게 되면 관객들이 쉬이 지루해하여 야유를 받기 십상이었다. 무투 대회의 기본적인 취지를 이해하고 있는 엘로라에게는 쇼맨십이 있었다.

호각으로 싸우다가 조금씩 말리면서 상대가 실수하게끔 유도하고는 그 틈으로 파고들었다. 이 방법이 통하지 않는 상대도 있었으나 유동적으로 패턴을 바꾸며 아슬아슬한 줄타기를 이어 갔다.

그 긴장 끝에 승리를 차지한다. 싸우는 사람은 에너지 소비가 심해도 관중들에게는 완벽한 경기였다. 본디 역전할 때 가장 큰 희열을 느끼는 법이었다.

일광을 받아 차갑게 반짝이는 은빛 검을 검집에 넣은 엘로라는 대충 히나가 있을 법한 곳으로 시선을 돌렸다. 황자비이기에 상석에 앉은 그녀의 핏빛 드레스가 어렵지 않게 시야에 잡혔다.

붉은 드레스를 입고 있어 단번에 눈에 띄었다. 게다가 드레스에 어울리는 화려한 베일까지 쓰고 있어 관객 중 가장 화려한 이를 고르라면 으뜸으로 꼽힐 것이었다.

대역을 세웠다는 사실이 들킬 확률은 현저히 낮았지만, 혹 모를 상황을 대비해 평소보다 더 정성을 들여 화장한 것도 모자라 베일을 씌웠는데 나쁘지 않은 선택이었던 듯했다. 히나 또한 그 얇은 천이 불안을 덮어 주는지 만족했다.

그래도 많은 이들을 속이는 자리이니 부담되는 건 어쩔 수 없는 터라 헤어질 때만 해도 창백하다 못해 새파랗게 질린 얼굴이었는데 아직도 그 상태일 것 같아 걱정이 되었다.

당장이라도 히나에게 달려가고 싶은 마음을 억누른 엘로라는 정중히 인사를 하고는 왔던 길을 돌아갔다.

돌아가니 엘로라 앞으로 보내진 손수건이 한가득이었다. 다양한 수가 놓인 손수건을 고이 접었다.

아무리 생각해도 과분한 관심이었다. 엘로라가 여자라는 사실을 알게 되면 정성 들여 수놓은 손수건이 엉뚱한 곳에 갔음을 깨닫고 피눈물을 흘릴 것이었다. 그런 여인들의 모습을 떠올린 엘로라는 식은땀을 흘렸다.

하나씩 소중하게 손수건을 챙기고 있으니 주위에서 또 조롱이 쏟아졌다. 매일 같은 패턴이라서 이제는 살짝 지겨울 정도였다.

포크 하나 겨우 들 것 같은 외모다, 결국 기둥서방이 될 게 뻔하다, 귀족 부인 눈에 들고 싶어서 안달이 났다, 남자의 수치다 등등.

괜히 샘이 나서 하는 짓임을 알고 있었다.

엘로라가 받은 손수건이 평민 중에서는 독보적인 숫자일 거라는 얘기가 있었다. 얼굴 탓에 관심도 인기도 독차지했으니 샘이 나는 것이다.

그들의 치졸한 심리를 알고 있었기에 한 귀로 듣고 한 귀로 흘렸다. 가능만 했더라면 적당히 변장하여 미소년이라는 칭호도 듣지 않았을 텐데 아쉽게 되었다.

어릴 적부터 교육받고, 꾸며진 귀족 남성과 다르게 무투대회에 참여하는 평민 남성 대부분이 덩치가 크고 위협적인 인상인 터라 평민으로 위장한 엘로라가 원치 않아도 섬세한 얼굴이 도드라져 보이는 것이 문제였다.

차라리 가면을 쓸 걸 그랬나, 하는 생각이 자주 들었는데 이마저도 경기가 시작되면 싹 사라졌다. 목숨이 오가는 현장에서 가면이라니. 이곳은 가장무도회가 아니었다.

손수건을 정리하고 푸른 끈을 풀었다. 손끝이 살짝 떨렸다. 일상에서는 평범한 끈일 테지만 이곳에서는 생명 끈이었다. 무사히 제 손으로 끈을 풀 수 있다는 건 오늘을 잘 이겨 냈다는 의미였다.

조심스러운 손길로 끈을 풀어내고 나니 긴장이 풀렸다. 단숨에 피곤함이 몰려왔다. 종일 긴장한 상태로 있었으니 당연했다.

내일은 또 내일의 경기가 있지만 그건 잠깐 쉬고 나서 걱정해야 할 일이었다.

이대로 쓰러져 한숨 잔다고 해도 이상할 것 없는 상태였다. 잊고 있었던 식욕도 도는 듯했다. 궁으로 돌아가 먹을 만찬을 떠올리니 절로 군침이 돌았다.

근래 들어 아침 식사는 제대로 못해도 저녁 식사만큼은 아주 잘 먹고 있었다. 역시 격한 운동 후에 먹는 음식처럼 맛있는 건 없었다.

가벼운 마음으로 돌아갈 채비를 마친 엘로라가 이만 나가기 위해 걸어가는데 웬 덩치 큰 남자가 길을 막았다. 가만히 서 있어도 얌전히 있는 모양새가 알아서 길을 비켜 줄 것 같지는 않았다.

어서 쉬고 싶은 마음이 가득이었기 때문에 군말 없이 오른쪽으로 한 걸음 옮겼다. 남자 또한 따라서 움직였다. 이번에는 왼쪽으로 한 걸음 옮겼다. 남자 또한 그쪽으로 움직였다. 우연이라고 하기에는 의도적으로 길을 막으려는 속내가 훤히 보이는 시간 차였다.

피로감이 두 배로 쌓인 기분이었다. 상대의 얼굴을 한 번 보고 싶었으나 키가 훌쩍 커서 고개를 들어야 겨우 볼 수 있었다. 인상을 살짝 찡그린 엘로라가 한 발자국 뒤로 물러섰다.

그리고 상대의 얼굴을 확인할 수 있었다. 수염이 잔뜩 난, 전형적인 볼흐라스 남자의 얼굴을 한 사람이었다.

"어느 집안 부인에게 후원받고 있지?"

남자가 엘로라를 거만하게 내려다보며 말했다.

본선 진출과 함께 견제를 받으면서 이런 식으로 무례하게 접근한 사람이 한둘이 아니었다. 다른 사람들에게는 그러지 않으면서 유독 엘로라에게는 언어뿐만 아니라 행동으로도 적대감을 드러냈다. 이 또한 눈에 띄는 외모 탓이리라.

상대가 자신을 만만하게 보고 있음을 알고 무시하려고 했는데 남자가 어깨에 팔을 둘렀다. 불쾌한 무게감과 체향이 훅 끼쳤다. 땀 냄새와 뒤섞여서 도저히 참을 수 없을 정도로 역겨웠다.

"예쁜 목소리는 부인 앞에서만 내는 건가? 그렇다면 억지로라도 소리를 내게 해 주지."

강압과 폭력을 고스란히 드러낸 발언이었다.

엘로라는 일단 어깨에 둘러진 남자의 팔을 쳐 냈다. 제법 힘이 실려 있었기 때문인지 잠깐 의외라는 표정을 짓던 남자가 기분 나쁘게 웃었다.

그러든 말든 남자를 무시하고 지나가려는데 비웃음이 담긴 야유가 귀에 똑똑히 박혔다.

"위선자 같으니라고."

어떤 감정도 담기지 않은 무표정으로 남자를 돌아봤다. 눈이 마주치자 남자는 더욱 감정이 실린 어조로 말했다.

"너 같은 놈이 매 대회마다 있지."

"저 같은 놈이 어떤 놈인데요."

딱히 대꾸하고 싶은 마음은 없었지만 내버려 뒀다가는 계속 따라올 것 같았다. 무시가 통하지 않는 부류였다. 매도 먼저 맞는 게 낫다고, 앞으로 계속 귀찮아질 바에 일찍이 처리하는 것이 편했다.

이런 엘로라의 속내는 모르고 도발에 넘어갔다고 생각한 건지 남자가 씨익 웃었다.

"식사라도 같이하는 건 어때? 내 친구들도 너한테 관심이 많거든."

한마디로 다수로 덤비겠다는 의미였다. 친구가 다섯 명, 열 명 이렇게 많지는 않았으면 좋겠건만. 친구가 두세 명 이상 넘어가면 상대하기 힘들었다.

앞으로 고생할 자신이 훤히 보여 엘로라는 한숨을 내쉬었다.

"빨리 끝내죠."

"그래, 처음부터 그렇게 나왔어야지."

친구가 많이 없는지 근처에 있던 남자 둘이 기다렸다는 듯이 붙었다. 그중 한 사람은 이전 경기에서 엘로라에게 패배한 사람이었다. 한 번의 시합으로 그의 공격 패턴은 외웠다. 수월하게 처치할 수 있을 듯했다.

친한 척, 은근슬쩍 또 어깨에 팔을 올리려는 남자를 날파리 쫓아내듯 쳐 낸 엘로라의 머릿속에는 이들을 빨리 처리하고 궁으로 돌아갈 생각만 가득했다.

피곤하고, 배고프고, 짜증 났다. 최악의 컨디션이었다.

이들을 처치할 때 사적인 감정이 섞일 가능성이 다분했다.

덩치 큰 남자들에게 둘러싸인 엘로라의 주변에는 흉흉한 분위기가 맴돌았으나 이 모습을 지켜보던 그 누구도 나서지 않았다.

본인 일이 아니니 몸을 사리는 건 당연했다.

그들이 나설 이유는 없었다.

애초에 누군가의 도움을 받을 거라 생각하지 않았던 엘로라가 묵묵히 걸어가고 있는데 언뜻 자칭 어둠의 지존과 눈이 마주친 듯한 기분이 들었다.

착각일 거라고 생각했다. 그도 그럴 것이 철저하게 얼굴을 가리는 투구를 쓰고 있어 눈동자도 잘 보이지 않는 남자였다.

피곤하니 별별 이상한 착각을 다 하게 된다고 생각하며 엘로라는 남자들을 따라 밖으로 나왔다. 남자들은 사람이 잘 다니지 않는 길목 쪽으로 엘로라를 끌고 갔다.

"술은 할 줄 아나?"

"용건은 그게 아닐 텐데요."

누가 들으면 친한 사람들끼리 술 마시러 가고 있는 듯한 물음이었다. 여지를 주지 않는 엘로라의 차가운 대꾸에 다른 두 남자가 한마디씩 거들었다.

"못 마신다는 말을 참 길게도 하네. 이거 완전 샌님이잖아."

"술도 못 마시는 풋내기이니 그딴 비열한 방식으로 눈속임을 하는 거겠지."

끼리끼리 모인다고, 나머지 두 사람 또한 타인을 상처 내지 않고 승리를 거머쥐는 것이 잘못됐다고 생각하는 듯했다. 불법으로 이긴 것도 아닌데 눈속임이니 비열하니 등의 말을 계속 듣고 있으니 이제껏 별다른 생각이 없던 엘로라마저 불쑥 억울함이 들었다.

이 사람들은 일찍 죽고 싶은 걸까? 왜 타인에게 살인을 강요하는 분위기를 조장하는지 이해할 수 없을뿐더러 이해하고 싶지도 않은 사고 회로였다.

저들끼리 저열한 비속어로 시시덕거리는 꼴을 지켜만 보다가 이제 더는 시간 낭비하고 싶지 않아서 가던 것을 멈추고 우뚝 섰다. 엘로라가 갑자기 제자리에 서니 남자들 또한 자연스레 멈춰 섰다.

"뭐야? 오줌이라도 지렸어?"

"오줌만 지렸으면 다행이지! 가랑이 사이에 그게 똑 하고 떨어졌을지도!"

추잡한 말을 하면서 재미있는 농담을 듣기라도 한 것처럼 남자들이 폭소했다. 쏟아지는 남자들의 낮은 웃음소리를 가만히 듣던 엘로라가 검집에 손을 댔다.

상대는 셋. 한 명의 공격 패턴은 꿰고 있으니 두 명 하고도 반 명을 상대하는 셈이었다.

원래라면 이마저도 살짝 버거워했을 테지만 손에 무기가 있다면 얘기가 살짝 달라졌다. 무기로 상대보다 약한 악력을 충분히 보완할 수 있었다. 뷔로스에서 불한당을 만났을 때처럼 안절부절못할 상황이 아니었다.

공격할 움직임을 보이자 남자들이 웃음을 뚝 멈추고 긴장된 표정으로 보았다. 순순히 따라간다 해서 별다른 저항 없이 당해 줄 것이라 착각이라도 한 듯했다.

세상에 눈 뜨고 코 베이는 멍청이가 어디 있단 말인가. 깔봐도 너무 깔보고 있었다.

심지어 긴장하며 경계하던 것도 잠깐이고 마찬가지로 검집에 손을 댄 그들이 치기 어린 애송이를 보는 듯한 시선으로 보았다. 본선까지 진출했어도 남자들에게 있어 엘로라는 사람 한 번 죽여 보지 못한 어린아이로 여겨지고 있었다.

"배짱도 좋지. 본인 실력이 좋다고 믿고 있는 건가?"

"글쎄, 어떨까."

꼬박꼬박 존대를 하다가 갑자기 말을 놓으니 남자들이 당황했다. 그들만 반말을 할 줄 아는 것이 아니었다.

처음 보는 상대에게 존대하는 것이 입에 붙어 습관적으로 존댓말을 하고 있었던 것뿐이었는데 홀로 존대를 하고 있다는 사실을 의식하고 나니 굳이 그럴 필요성을 느끼지 못해 편하게 말했다. 솔직한 심정으로는 그들과 이렇게 말을 섞는 것조차 불편했다.

주위를 둘러보았다. 꽤 깊숙이 들어온 건지 골목에는 아무도 없었다. 기척은 느껴지지 않았고, 지켜보는 시선 또한 없었다. 햇살이 스며들어도 그늘이 진 데다 무덤 같은 고요만 떠돌아 기본적으로 으슥한 곳이었다.

사람 하나 소리 소문 없이 처리하기 딱 좋은 장소였다.

그들은 엘로라를 조용히 처리할 요량으로 여기까지 끌고 왔겠지만 반대로 엘로라는 그들을 조용히 처리할 생각을 하고 있었다.

사람 많은 곳에서 소란을 피웠다가는 대회 참여 자격이 박탈될 수도 있었기에 이런 곳이 필요했다.

"사례비는 선불로 받은 거야?"

"뭐라는 거야. 이 새끼가!"

예상이 정확했는지 남자가 동요했다.

목소리가 크다고 진실이 가려지는 것도 아니건만 성을

내는 걸로 모든 것이 해결되리라 생각하는 듯했다.

성난 황소처럼 콧김을 내뿜은 남자가 당장이라도 달려들 듯이 굴었다. 만약 옆에 있던 동료가 그의 어깨를 잡지 않았더라면 검을 빼 들었을 것이었다.

덕분에 말이 아닌 행동으로 확증을 얻을 수 있었다. 엘로라가 일말의 감정도 담기지 않은 얼굴로 남자들을 보았다.

귀족이 평민에게 돈을 주어 제 적이 될 만한 사람을 미리 처리한다는 소문을 지나가듯 들은 적이 있는데 아예 근거 없는 소문은 아니었던 모양이다.

세 남자 모두 차림새에 비해 값어치가 나가는 비슷한 디자인의 검을 착용하고 있어 지레짐작 말한 건데 이렇게 솔직하게 반응할 줄 몰랐다.

이런 일까지 돈으로 해결하려는 드는 사람이 진짜 있었구나. 건조한 감상평을 내린 엘로라의 머릿속에 이 사건의 배후를 알아내야 한다는 생각은 들지 않았다.

비겁한 수를 쓰는 자는 굳이 직접 손쓰지 않아도 알아서 자멸하게 돼 있었다. 타인을 내세워야 겨우 이길 수 있는 사람이라면 수족이 사라짐과 함께 자멸은 당연한 수순이었다.

"그 돈, 유흥으로 탕진하지 않았더라면 솜씨 좋은 의사에게 찾아가 봐. 그러지 않으면 내일은 경기장 근처에 얼씬도 하지 못할 테니까."

차갑게 말한 엘로라가 검을 뽑았다. 동시에 남자들의 뒤에서 그림자처럼 쓰윽 무언가가 나타났다. 그 무언가의 등장으로 인해 곧장 공격하지 못하고 머뭇거린 엘로라는 헛숨을 들이켰다.

일순 변한 엘로라의 표정을 목격했음에도 남자들은 이상함을 눈치채지 못했다.

엘로라에게 이목이 집중된 사이 그것은 한 치의 망설임 없이 남자의 뒤통수를 내려쳤다.

둔탁한 소리가 났다.

소리만 들어도 무지막지하게 강한 힘으로 때렸음을 알 수 있었다.

"뭐야!"

그제야 남자들이 홱 하고 돌아봤지만 이미 늦었다.

검은 투구에 검은 옷, 검은 신발. 거기다 무려 검집마저 검은색인 그것이 검은 망토를 휘날리며 거침없이 한 번 더 때렸다. 그런 그것의 유일하게 드러난 하얀 목덜미에는 붉은 끈이 묶여 있었다.

그것, 아니 그는 기민한 움직임으로 남자들을 상대했다. 너무 깔끔한 솜씨라서 군더더기라고는 찾아볼 수 없었다. 지켜보고 있자니 절로 감탄이 나왔다.

엘로라와 남자들의 싸움 구도가 자연스레 검은 투구와 남자들의 구도로 바뀌었다. 정황상 검은 투구를 쓴 사내가 엘로라를 도와주고 있는 듯했다.

검을 든 엘로라는 잘못 끼어들었다가 도와주는 그를 한 대 치기라도 할까 봐 어찌 움직이지도 못했다. 게다가 굳이 도와줄 필요성을 느끼지 못할 정도로 혼자서 순조롭게 세 명을 해치우고 있었다.

폭력이 난무한 현장 한가운데에 선 그녀는 얼떨결에 태풍의 눈 같은 상태가 되었다.

으슥한 골목에 남자들의 신음이 울려 퍼졌다. 모두 세 남자가 내는 소리였다. 한 대도 맞지 않은 검은 투구는 묵묵히 상대를 처리했다.

악감정이라도 있는지 얼굴 위주로 때린 탓에 남자들이 쓰러지는 데에는 그다지 오랜 시간이 걸리지 않았다.

남자들을 차례차례 쓰러뜨리고, 도망치려는 놈까지 끝내 때려잡은 검은 투구였다. 상황이 정리될 때까지 지켜보던 엘로라는 다급히 바닥에 나뒹구는 남자들에게 다가가 먼저 맥을 짚었다.

기절한 것일 뿐, 살아 있었다. 검이 아닌 검집을 휘두르는 것으로 죽일 생각이 없다는 건 일찍이 눈치챘으나 혹시나 하는 마음에 살핀 것인데 크게 문제 될 게 없다는 것을 확인하고 나니 안도감이 들었다.

엘로라가 고개를 들어 검은 투구를 보았다. 그는 엘로라를 지켜보고 있었다. 고개를 들자마자 눈이 마주쳤다.

이번에는 착각이 아니었다. 눈동자가 투구에 숨어져 보이지 않았으나 확신할 수 있었다.

침묵이 깊게 내려앉았다. 짧은 시선 교환 끝에 먼저 움직인 사람은 검은 투구의 사내였다. 그가 등을 돌렸다. 등장할 때처럼 조용한 퇴장이었다.

"저……!"

사람만 쓰러뜨리고 사라지는 검은 투구를 불렀다.

그가 스스로를 어떤 이름으로 부르는지 정확히 알고 있었지만 차마 그 이름으로 부를 수 없었다. 도저히 맨정신으로 부를 수 없는 이름이었다.

머릿속에 떠올리기만 해도 민망해지는 그 이름을 되새김질하게 되어 부끄러움에 살짝 얼굴을 붉힌 엘로라가 빠르게 말을 이었다. 그러지 않는다면 검은 투구의 사내가 훌쩍 떠나 버릴 것만 같았기 때문이었다.

"감사합니다. 하지만 이런 사람은 제 선에서 처리할 수 있으니 다음부터 도와주지 않으셔도 돼요."

어째서 그가 도움의 손길을 뻗었는지는 알 수 없었다.

이 후미진 골목을 지나가던 길이었던 것일까. 사람이 잘 다니지 않는 길을 우연히 지나가고 있었던 것이 매우 수상했다. 타이밍이 좋아도 너무 좋았다.

일부러 도와주러 뒤따라 왔다고 하기에는 대화 한 번 나눠 보지 못한, 접점이라고는 찾아볼 수 없는 관계였기에 깊게 생각하면 할수록 의문만 가득했다.

잠깐 뜸을 들이고 가만히 남자를 바라보았다. 그의 행동에 악의나 적의를 찾을 수 없는 건 사실이었다. 유해한 인물 같지는 않았다.

어쩌면 특이한 취향으로 인해 다가가기 힘들어 보이는

겉모습과는 다르게 불의를 지나치지 못하는 피곤한 성격일 수도 있다는 생각이 문득 들었다. 겉모습으로 모든 걸 판단할 수는 없는 노릇이었다.

어찌 되었든 남의 손을 빌리게 돼서 썩 개운치 않은 것이 현재 심정이었다.

혼자서도 충분히 할 수 있는 일이었다. 타인의 조력을 바란 적 없었다. 오히려 불필요한 도움을 받음으로써 부채감만이 생겼다.

그렇다 하여 적반하장으로 호의를 보인 사람을 탓할 수 없었다.

불편한 감정을 숨긴 채 엘로라가 말했다.

"저 때문에 불미스러운 사건으로 엮여 출전 금지라도 당하면 큰일이잖아요."

불편한 감정을 제한다면 가장 솔직한 고백이었다.

방금 눈앞에서 검은 투구의 실력을 지켜보게 되면서 단언할 수 있었다. 그는 실력자였다. 꼭 싸워서 이기고 싶었다.

경기장 밖에서 과도하게 폭력을 행사하다가 출전 금지를 당하는 경우가 왕왕 있었기에 작은 걱정 또한 담아서 말하자 이제껏 아무 반응이 없던 검은 투구가 고개를 끄덕였다. 엘로라가 하고자 하는 말을 알아들은 듯했다.

다시금 감사의 인사를 전한 엘로라에게 검은 투구가 등을 보였다. 펄럭이는 검은 망토를 지켜보던 엘로라의 배 속에서 긴장이 풀린 탓인지 꼬르륵 소리가 났다. 그리 큰 소리는 아니었으나 제 의사를 표출하기에는 충분했다.

허기졌다. 바닥에 처참한 꼴로 기절해 있는 남자들에게 끌려오기 전부터 굶주리고 있었다.

당장 뭐라도 먹고 싶었지만 그 뭐가 없었기 때문에 달래듯이 배를 쓸고는 고개를 들었다. 그리고 헛숨을 들이켰다. 바로 코앞에 투구가 있었다.

이번에도 기척은 느끼지 못했는데.

배가 고파서 무뎌지기라도 한 걸까.

돌아가는 길에 군것질거리라도 먹어야겠다고 생각한 엘로라가 두 눈을 휘둥그레 뜬 채로 물었다.

"저에게 할 말이라도 있으세요?"

돌아오는 대답은 없었다. 대신 굉장히 조심스러운 손길로 엘로라의 손목을 잡은 검은 투구가 그대로 달렸다. 그렇다. 엘로라를 잡고 달렸다. 꼭 납치라도 당하는 듯했다.

뜬금없는 행동에 당황한 엘로라는 어안이 벙벙했다. 대체 어떻게 돌아가는 일인지 곧장 판단이 서지 않았다.

"저, 잠시만요!"

겨우 보폭을 맞춰 따라가던 엘로라의 뒤늦은 외침에 검은 투구가 급히 걸음을 옮기던 것을 멈추고 우뚝 서서 뒤를 돌아봤다.

아예 말이 통하지 않는 상대는 아닌 듯했다. 짧게라도 상황 설명을 하거나 사과를 들을 수 있을 거라 예상했던 엘로라는 자신의 배를 가리키는 손가락을 멍하니 볼 수밖에 없었다.

검은 장갑을 끼고 있는, 곧고 기다란 손가락이었다.

"예?"

그는 정확히 엘로라의 배를 가리켰다. 그것이 의미하는 바를 바로 알아채지 못한 엘로라가 멍청한 소리로 되물었으나 검은 투구는 그다지 친절한 말 상대가 아니었다. 그는 다시 엘로라를 잡고 가던 길을 가기 시작했다.

저항할 타이밍을 놓치고 말았다. 딱히 이상한 짓을 할 작자라 보이지 않아 긴장을 놓은 것도 있었다.

어쩐지 이 상황에 친숙감 또한 느껴져서 놀라던 엘로라는 식당 앞에 와서야 공복을 알리는 꼬르륵 소리와 배를 가리킨 행동이 연관되었음을 알 수 있었다.

그 뒤로는 마치 물 흐르는 듯이 자연스럽게 식당에 들어가 착석했다.

말 한마디 하지 않았지만 손놀림만으로도 자연스럽게 검은 투구가 주문을 끝냈다. 정신을 차리니 눈앞에는 먹음직스러운 음식이 그득그득했다.

맛있는 음식 냄새가 코끝을 찔렀다. 오감을 자극하는 강렬한 향에 뒤늦게 정신을 차린 엘로라는 자신이 무슨 일을 당했는지 자각할 수 있었다.

몹시 사기당한 기분이었다.

"굳이 이러시지 않아도 되는데……."

돌아오는 대답은 없었다. 말끝을 흐린 엘로라는 검은 투구의 눈치를 보았다. 얼굴 자체가 드러나 있지 않으니 그의 심중을 정확히 알 수 없었다.

본디 사람의 기분이나 속셈은 얼굴에 드러나기 마련이다. 표정 관리를 잘하는 사람이라 하더라도 투명하게 비친 눈동자를 보고 있자면 무슨 생각을 하고 있는지 대충 알 수 있었다.

하지만 이 남자는 철통 보안 속에 철저히 가려져 있었다. 저 검은 투구를 본다 하여 알 수 있는 건 없었다. 그저 작은 몸짓 하나하나를 살피며 유추할 뿐이었다.

적의가 없다는 것도 행동이나 전체적인 분위기로 짐작할 수 있었던 것이었다. 결국 지금 이렇게 남자를 보는 건 소득 없는 행동이었다.

"일어나 볼게요."

아무래도 이건 아닌 듯해 일어나려는 엘로라의 팔이 붙잡혔다. 검은 투구가 반쯤 일어난 엘로라를 올려다보고 있었다. 얼굴도 보이지 않건만 그것이 꼭 주인한테 버림받은 강아지 같은 모양새였다. 다 큰 남자를 강아지에 비유하는 것이 굉장히 실례되는 일이었지만 그보다 더 적절한 표현을 찾을 수 없었다.

어정쩡한 자세로 서 있게 된 엘로라는 매정하게 남자의 손을 뿌리치지도 못하고 머뭇거리다가 입을 열었다.

"가지 말라는 뜻인가요?"

그가 고개를 끄덕였다.

과묵한 남자였다. 아니, 과묵하다 하기에는 소리를 낸 적이 단 한 번도 없었다. 실수로라도 작은 신음조차 흘린 적이 없음을 깨닫고 물었다.

"혹시 말을 못하세요?"

이번에는 반응이 없었다. 눈싸움을 하듯 검은 투구를 뚫어져라 쳐다보던 엘로라가 깊은 한숨을 내쉬었다. 그 소리에 혼이라도 난 것처럼 남자가 움찔했다.

어떤 상황에서도 반응을 보이지 않던 남자가 작은 행동 하나에 크게 반응하니 신경 쓰이지 않을 리 없었다.

자칭 어둠의 지존이면서 한숨 한 번에 움찔거리는 건 무엇인가. 괜히 마음 약해지게.

이런 반응에 면역력이 없는 엘로라가 결국 도로 자리에 앉았다. 어차피 허기가 진 상태이기도 했고 도움을 받았으니 이런 식으로라도 소소하게 보답을 하겠다는 자기합리화를 하면서.

자기합리화를 마치고 나니 눈앞에 차려진 만찬에 시선이 갔다. 배고픈 상태에서 먹는 식사만큼 맛있는 건 없었다. 거부할 수 없는 본능에 엘로라가 포크를 들었다.

그제야 마음이 놓였는지, 긴장한 기색을 여과 없이 보여주던 검은 투구가 뚫린 구멍 안에 억지로 빨대를 쑤셔 넣어서 맥주를 마셨다.

보는 사람으로서는 굳이 저렇게 먹어야 하나 싶은 모양새였다. 투구를 벗으면 편하게 마실 수 있을 텐데 빨대까지 구해서 마시다니. 꼭 투구를 쓰고 맥주를 마시겠다는 강한 의지가 느껴졌다.

처음에는 쪽쪽 맥주를 마시는 남자를 의식하게 되었으나 막상 입에 음식이 들어가니 배는 너무 고프고 음식은 너무 맛있어서 앞에 검은 투구가 있다는 사실조차 잠깐 잊고 먹었다. 테이블을 채우던 음식이 게 눈 감추듯 사라지는 순간이었다.

반쯤 배 속으로 사라지니 자연스레 먹는 속도가 느려졌다. 더불어 맞은편에 앉아 있는 남자를 다시 의식하게 되었다.

그는 투구를 벗지 않으면 음식을 못 먹기 때문인지 맥주 외에는 손도 대지 않고 있었다. 꿋꿋이 마시고 있는 맥주도 벌써 두 잔째였다. 그마저도 슬슬 바닥을 보이고 있었다.

그 기묘한 광경은 식사 내내 이어졌다.

검은 투구는 말수가 적은 건지 말을 못하는 건지 몰라도 애초에 소리를 내지 않는 사람이었고, 엘로라는 초면인 데다 말이 없어도 너무 없는 사람 앞에서 아랑곳하지 않고 제 얘기를 떠들 만큼 사교적이지 않았다.

만약 그가 조금이라도 말을 했더라면 어째서 어둠의 지존이라는 해괴한 명칭으로 무투 대회에 참여했는지 물어봤겠지만 묻는다 하여 대답이 돌아올 것 같지 않았다. 어차피 침묵 속의 식사가 그다지 불편하지 않아 서로 먹고 마실 때만 입을 열었다.

대화를 제외한 오롯한 식사 시간이었기 때문인지 음식은 금방 동이 났다. 검은 투구 또한 마치 음료를 마시듯 시원시원하게 빈 맥주잔을 쌓아 갔다.

식사를 마치고 슬슬 일어날 준비를 하려던 엘로라는 문득 수중에 있는 돈이 얼마 되지 않음을 깨닫고 침묵을 깨뜨렸다.

"돈은 내일 드릴게요."

엘로라의 말에 검은 투구가 멈칫했다. 그는 빨대에서 입을 뗀 채 돌처럼 굳었다. 미동조차 하지 않는 남자를 보며 이상한 낌새를 눈치챈 엘로라가 "저기요?" 하고 불렀지만 돌아오는 반응은 없었다.

불길한 기운이 발목을 타고 슬금슬금 올라왔다.

돈 얘기가 나오자마자 굳어 버린 남자라니.

그 이유가 대충 짐작이 가지 않는가.

"……혹시 돈 없으세요?"

조심스러운 물음에 남자가 작게 고개를 끄덕였다. 미세하지만 의미하는 바가 정확한 움직임에 경악했다.

설마 했건만 돈이 없다고? 대체 무슨 정신으로 이곳까지 왔는지 이해가 가지 않았다.

당당하게 데려와서 당연히 식사 한 끼를 할 돈은 있는 줄 알았다. 상식적으로 돈이 있어야 식당에 들어오는 것 아닌가. 주문도 혼자서 끝내 놓고, 여유가 있다는 듯이 맥주까지 마시고 싶은 만큼 마시더니 이제 와서 돈이 없다고 말하고 있었다.

사색이 된 엘로라가 다급하게 주머니를 털었다.

무슨 일이 있어도 무전취식으로 잡혀가고 싶지 않았다. 가짜 신분이라 치안대에 끌려가게 되면 일이 복잡해졌다.

그들은 친인척 혹은 연고 있는 자에게 연락을 취해 돈을 대신 갚으라고 할 터인데 이 모습으로 당당하게 아르미트 가문 혹은 황실에 연락을 넣을 수는 없는 일이었다.

이번에도 대충 아무 연고 없이 시골에서 상경한 젊은이라는 콘셉트를 밀어붙이고 있는데, 만약 아르미트 가문에 연락을 취하게 된다면 실은 아르미트 가문이 후원해 주고 있다는 소문이 삽시간이 퍼질 것이었다. 그 아르미트가 후원하는 사람이라는 얘기가 떠돌게 되면 부가적인 질문은 어미를 뒤쫓는 새끼처럼 당연히 따라왔다.

되도록 가문과 엮이고 싶지 않은 엘로라에게는 최악이었다.

있는 대로 돈을 긁어모아 테이블 위에 올려놓았다. 바깥에서 식사할 계획이 전혀 없었기에 군것질거리를 할 수 있는 몇 푼만이 나왔다. 미련을 버리지 못하고 탈탈 털었지만 결과는 마찬가지였다.

만약 전날로 돌아갈 수 있다면 옷 주머니에 금화 한 닢을 넣어 두고 잘 것이었다. 그도 아니라면 과거의 자신에게 돈은 쓸 일이 없더라도 꼭 들고 다녀야 한다고 세뇌처럼 속삭일 것이었다.

엘로라는 좌절했다.

말도 안 되는 가정을 연속적으로 할 만큼 절망적이었다. 이제껏 금전적인 문제로 물의를 일으킨 적이 없건만 한 끼 식사값을 내지 못해 끌려갈 위기에 처해 있었다. 무려 아르미트 가문의 여식이!

인생 참 오래 살고 볼 일이었다.

몇 푼 없는 돈을 앞에 두고 마른세수를 했다.

가망이 없었다. 돈이 저들끼리 증식하면 몰라도 턱없이 부족한 돈이었다. 혹 검은 투구에게 이 문제를 타개할 방법이 있지 않을까 싶어 고개를 들었는데 고개를 들자마자 기다렸다는 듯이 그가 손을 내밀었다.

누가 보아도 악수하자는 의미에서 손을 내민 건 아닌 것 같았다. 잠시 검은 장갑을 보던 엘로라는 눈치껏 몇 푼 안 되는 돈을 그 위에 올려놓았다.

주머니를 뒤지고 있는 동안 검은 투구 또한 탈탈 털어서 소지한 돈을 찾았을 수도 있는 일이었다. 그러다 잔돈이 부족해서 달라고 요구한 것이라면 희소식이었다.

지레짐작이 맞았는지 돈을 쥔 검은 투구가 벌떡 자리에서 일어났다. 뒤따라가려던 엘로라는 그가 그대로 계산대를 지나쳐서 식당을 나가는 모습을 목격하고 뒷걸음질하여 도로 자리에 앉았다.

그렇다. 나갔다.

돈을 들고 튄 것이다.

잔돈마저 없는, 알거지가 된 엘로라는 자신이 처한 상황을 깨닫고 배신감에 치를 떨었다.

유일한 희망인 검은 투구가 뒤통수를 쳤다.

그 몇 푼 되지도 않는 돈을 노리고 있을 줄 누가 알았을까.

시비를 걸던 남자들의 뒤통수를 치며 등장했을 때 눈치 챘어야 했다. 그가 뒤통수를 치는 인물임을.

무저갱에 빠진 듯했다. 빠져나갈 구멍이 없었다. 차라리 검은 투구를 이곳에 내버려 두고 빠르게 황궁에 가서 돈을 챙겨 올 생각을 했어야 했는데……! 순서를 빼앗겨 버렸다.

손바닥으로 얼굴을 감싼 엘로라가 깊은 절망감을 맛보는 동안 얼마 지나지 않아 누군가 맞은편 자리에 앉았다. 일부러 내는 듯한 기척을 느끼고는 의문스러운 표정으로 고개를 들었다.

그리고 그곳에는 검은 투구가 원래부터 그 자리에 있었던 것처럼 앉아 있었다.

도망친 것 아니었던가?

당연히 도망쳤다고 단정 짓고 있었다.

식당을 벗어난 순간부터 그의 죄목은 무전취식 후 도망에 금전 강탈이었다. 그런데 아무 일 없었다는 듯 시치미를 떼고 있는 모습을 보고 있자니 얼떨떨했다.

"나가서 뭐 했어요?"

가장 궁금했던 점이 자동으로 입 밖에 나왔다. 말을 내뱉은 후에 이 질문이 몸짓으로 표현하기에는 힘들다는 걸 깨닫고 재빨리 바꾸었다.

"돈은요?"

검은 투구가 엄지와 검지로 동그라미를 만들었다.

돈을 뜻하는 것이 아닌 괜찮다는 사인이었다. 무엇이 괜찮다는 건지 전혀 이해할 수 없었으나 더 따져 봤자 대답이 돌아올 리 만무했기에 참고 있을 수밖에 없었다.

가져갔던 돈은 그 짧은 시간 내에 어디서 어떻게 쓴 건지 돌려줄 기미가 보이지 않았다.

애꿎은 빈 그릇만 노려본 엘로라는 기적 같은 일이 일어나길 빌었다.

그렇게 두 사람 다 무일푼인 상태로 초조하게 시간만 갔다.

무언가를 먹는 것도 아니고, 그렇다고 대화에 열중하는 것도 아닌 그들을 식당에서 슬슬 이상하게 여길 때쯤 기다란 녹색 머리칼의 여자가 들어왔다.

그녀는 무서운 기세로 엘로라가 있는 테이블 쪽으로 달려오더니 한 치의 망설임도 없이 검은 투구의 등짝을 때렸다. 어찌나 세게 때렸는지 찰싹하는 소리가 크게 울려 상념에서 깨어난 엘로라가 두 눈을 휘둥그레 뜨고 쳐다볼 지경이었다.

"바빠 죽겠는데 이런 일로 부르지 좀 마세요! 이런 뒤치다꺼리까지 직접 해 줘야 해요? 돈 정도는 알아서 들고 다니라고요!"

검은 투구에게 잔뜩 불만을 표하던 여자는 할 말을 다 끝내고 나서야 뚫어져라 쳐다보는 시선을 느꼈는지 고개를 돌렸다. 여자와 엘로라의 눈이 마주쳤다. 그제야 지켜보는 눈이 있다는 걸 깨달은 여자가 잠깐 놀란 표정을 지었다.

"어머, 이게 무슨 일이야."

이내 싱긋 웃어 보인 여자가 나긋나긋한 목소리로 말하며 엘로라에게 성큼 다가왔다.

"정말 잘생기셨네요. 어디서 많이 본 것 같은데……. 아, 제가 떠올릴 수 있으니 말하지 말아 봐요."

살짝 인상을 찡그리며 고민하던 여인이 짝 소리가 나게 손뼉을 한 번 쳤다. 그녀의 얼굴에는 옅은 흥분이 드러나 있었다.

"무투 대회 출전자 맞죠? 평민 중에서 가장 잘생긴 사람! 멀리서 봤을 때는 작고 말라서 과장된 소문이라고 생각했는데 가까이서 보니 아니네요. 가까우면 가까울수록 더 잘생겼어요. 볼흐라스의 소문도 영 못 믿을 만한 것만 도는 게 아닌가 봐요. 그런데 이름이 뭐였더라."

"그윈입니다."

속사포처럼 쏟아지는 여자의 말을 듣던 엘로라가 어색한 웃음을 흘리며 가명을 입에 담았다. 엘로라의 대답에 그녀는 "맞아, 그런 이름이었어요."라며 수긍했다. 검은 투구의 등짝을 때릴 때만 하더라도 기분이 나빠 보였는데 삽시간에 그녀는 진심으로 기쁜 얼굴을 하고 있었다.

"그쪽이 20년만 더 일찍 태어났더라면 데릴사위로 업어 갔을 텐데 아쉽게 됐어요."

"예?"

"제 취향이 이 악독한 사회에 찌들지 않은 순진무구한 중년이거든요. 근래 들어 연하도 좋지만 너무 어리면 조금 부담스럽더라고요. 신분 차는 어찌 극복할 수 있어도 나이 차는 극복하기 힘든 일이니까요."

엄청난 얘기를 듣고 있는 듯한 기분이었다. 뒤에서 검은 투구가 여자의 어깨를 톡톡 두드리지 않았더라면 엘로라는 그녀의 남자 취향에 대해 더 자세히 듣게 되었을 것이다. 여자가 다소 짜증스러운 표정으로 검은 투구를 보자 그는 말없이 계산대를 가리켰다.

짧고 간결하며 확실한 의사 표현이었다.

"아, 맞다. 계산하러 왔었지. 식사는 다 하셨나요? 더 먹을 게 없다면 나가도록 해요."

고개를 끄덕인 엘로라가 자리에서 일어났다.

여자는 완벽하게 검은 투구를 무시하고 엘로라에게 호의를 보이고 있었다. 검은 투구의 일행이 아니던가? 엘로라가 의문을 표하는 것도 잠시, 계산을 하다가 고개를 돌린 여자가 의도적으로 엘로라와 눈을 마주쳤다. 생글생글 웃는 예쁜 얼굴을 마주하게 된 엘로라는 예의상 따라 미소를 지어 주었다.

그녀의 등장으로 인해 무전취식으로 치안대에 끌려갈 일은 없어졌다. 무사히 계산을 마치는 걸 확인하고, 드디어 바깥공기를 맡게 된 엘로라는 안도의 한숨을 내쉬었다.

"난처하던 참이었는데 도와주셔서 감사합니다. 돈은 내일 꼭 갚도록 하겠습니다."

"제가 내는 것이니 그럴 필요 없어요. 그리고 이거 받으세요."

그러면서 동전 몇 닢을 건네주었다. 엘로라가 검은 투구에게 넘겼던 금액과 정확히 일치했다.

"이 사람이 저한테 연락한다고 돈을 빌렸다는데 확인해 보세요. 부족해요?"

"아니요, 딱 맞아요."

검은 투구가 돈을 들고 잠깐 바깥에 나갔던 이유는 이 때문이었다. 본인이 직접 찾아가서 돈을 가져왔으면 됐을 텐데 굳이 사람을 시켜 누군가를 부른 이유는 긴 설명이 필요했기 때문이었을까. 엘로라는 검은 투구에게 짧게 시선을 주었다.

"아직 이른 시간인데 이 인간은 보내고 저랑 후식이라도 드실래요? 비용은 제가 낼게요."

두 눈을 반짝이며 다가온 여자를 보며 난색을 표하고 있는데 검은 투구가 그녀를 제 쪽으로 끌어당겨 저지했다.

고개를 저으며 그러지 말라는 의사를 전달했으나 여자는 오히려 골이 난 듯했다. 인상을 와락 찡그리고는 검은 투구와 티격태격 말싸움을 했다. 사실 검은 투구가 한마디도 하지 않아 일방적인 공격에 가깝긴 했다.

무능한 인간이라며 검은 투구를 비난하는 모습을 지켜보다가 내버려 뒀다가는 끝이 없을 듯해 결국 엘로라가 나섰다.

"감사한 말씀이지만 일이 있어서 먼저 가 봐야 할 것 같네요."

"아, 정말 아쉽게 됐어요. 그렇다면 다음을 기약하도록 하죠."

정말 아쉬운 표정이었다. 검은 투구를 대할 때와는 상반된 온도 차이에 살짝 웃음을 터트린 엘로라는 여자와 검은 투구를 번갈아 보았다.

언뜻 보면 타인이라 여길 만큼 두 사람이 어떤 관계인지 전혀 유추되지 않았다. 검은 투구를 전혀 격 없이 대하는 것으로 부부 사이인가? 하는 생각이 잠깐 들긴 했으나 그녀가 청혼을 운운했기에 가능성이 매우 낮았다.

"그런데 죄송하지만 두 분 관계가?"

힐끗 검은 투구의 눈치를 본 여자가 대답했다.

"후원자예요."

"아."

"저는 상단을 꾸리고 있어요. 그쪽도 후원자가 필요하면 찾아와요. 제 마음에 쏙 드는 미소년이니 잘해 줄게요."

적극적인 여자의 행동에 엘로라는 어색하게 웃었다. 다른 것보다도 미소년이라는 부분에서 뜨끔했기 때문이었다. 하지만 여자는 다르게 해석한 건지 나름 진지하게 말했다.

"농담 아니에요. 사는 게 힘들면 언제든 찾아오세요. 데릴사위 하나 두는 것쯤은 제 능력에 일도 아니니까. 막상 취향에 부합한 얼굴을 보고 있자니 남편 하나 잘 키워도 뿌듯한 인생이 될 것 같다는 확신이 드네요. 대신 요리는 잘했으면 좋겠어요. 내조할 자신 있어요?"

"예?!"

"하긴 자신이 없다면 배우면 되죠. 능력은 노력하면 갈고 닦을 수 있지만 외모는 가꾸는 데에 한계가…… 아! 말하고 있잖아요!"

검은 투구가 여자의 입을 막았다. 그대로 끌고 가려는 듯이 굴어서 또 두 사람은 티격태격 싸웠다. 그 사이에 낀 엘로라는 사태를 파악하고 빠르게 화제를 돌렸다.

"크리센즈 사람이죠?"

"어? 티가 나요?"

"네, 크리센즈 여성분들이 유독 아름답잖아요."

사실 복장부터 시작하여 말투, 행동거지, 얼굴 등에서 티가 났다. 그녀는 누가 봐도 크리센즈인이었다.

"잘생긴 사람한테 들으니 매우 듣기 좋네요."

여자는 예의상 하는 말임을 알면서도 흡족한 미소를 지었다. 엘로라에게 이상할 정도로 호의를 보이는 여자였다.

"그쪽은 제가 크리센즈 사람이라 해서 딱히 싫어하지 않네요? 이 나라 남자들은 크리센즈 여자라면 질색하잖아요."

"제가 개인적으로 좋아했던 분이 크리센즈인이라서 싫어하지 않아요. 오히려 좋아하는 편이죠."

크리센즈는 여권이 높아 경제 활동 대부분을 여성이 하

고 있었다. 귀족이나 왕족 또한 후계권이 남성에게 돌아가는 대부분의 나라와는 다르게 그들에게 우선순위는 여성이었다.

여성 가주와 여성 왕이 통치하는 나라였다. 그 탓에 여성은 가정을 돌보는 것이 주 임무라고 생각하는 볼흐라스인은 크리센즈 여자는 기가 세다며 학을 떼었다.

엘로라는 본인이 여성이기 때문일지는 몰라도 볼흐라스와는 다른 크리센즈 여성의 특징을 긍정적으로 여길뿐더러 개인적으로 좋아했던 사람이 크리센즈인이라는 말은 거짓이 아니었다.

솔직한 엘로라의 말에 여자가 신기하다는 듯이 엘로라를 훑어보았다. 불쾌한 시선은 아니었다. 그저 타국에 와서 그녀가 어떤 모진 말을 들었을지 대략 짐작할 수 있었다.

그녀의 녹색 눈동자를 보고 있자니 괜찮은 사람이라는 확신이 들었다.

"귀찮은 일에 말렸다고 질색했는데 이번에 볼흐라스에 온 건 좋은 선택이었던 것 같아요."

"볼흐라스에 온 걸 후회하지 않으신다니 국민으로서 기분이 좋네요."

두 사람은 마주 보며 웃었다. 서로 호감이 담긴 미소였다.

"덕분에 즐거웠어요. 오늘은 이만 헤어지고 다음을 기약하죠. 그리고 일 때문에 무투 대회는 잠시 구경만 할 테지만 응원할게요. 힘내요."

"감사합니다."

가볍게 인사를 나눈 그들은 헤어졌다.

되돌아가는 길에 계속 떠오를 정도로 인상 깊은 만남이었다.

비밀 통로에 와서야 뒤늦게 크리센즈 여성과 통성명을 하지 않았음을 깨달았지만 안타까워하지 않았다. 기회가 닿는다면 다시 만날 거라는 믿음이 있었다.

크리센즈 여성도 참 기억에 남지만 검은 투구 또한 마찬가지였다. 특히 크리센즈인에게 후원을 받고 있다는 점이 색다르게 다가왔다.

무투 대회는 볼흐라스 국적을 가진 이만 참여할 수 있으니 검은 투구가 크리센즈인은 아닐 텐데 후원자가 크리센즈인이라는 건 특이 사항이 될 만했다.

볼흐라스 남자가 크리센즈 여자를 썩 좋아하지 않듯, 크리센즈 여자 또한 볼흐라스 남자를 썩 좋게 보지 않았다. 자국에서는 강자이지만 타국에서는 약자라는 입장 차이를 좁힐 수 없었던 탓이었다.

그런데 검은 투구는 크리센즈인에게 후원을 받을뿐더러 스스럼없이 지냈다. 때문에 검은 투구가 여성인 건 아닐까 하는 의문도 잠깐 들었으나 검은 투구는 의심할 것 없이 남자였다. 골격이나 악력 그리고 남성의 평균보다 훌쩍 큰 신장 등.

여성이 태생적으로 가지기 힘든 특징을 가지고 있었다.

온몸을 검은색으로 도배했다 하여 엘로라의 눈썰미를 피할 수 없었다.

볼흐라스 남성이 크리센즈 여성과 일정 수준을 넘어 친근하게 지내는 건 흔하지 않았다. 자신의 권력을 잠시 내려놓은 채 상대를 이해하고 존중하지 않는다면 불가능하니까.

태어날 때부터 숨 쉬듯 써 온 권력이었다. 본인이 권력을 가졌다고 자각하지 못하는 경우가 대다수이니 말은 쉬워도 지속적으로 실천하기는 어려웠다. 어떤 인연으로 크리센즈인에게 후원받게 되었는지 몰라도 이 사실은 그가 좋은 사람이라는 데에 신빙성을 덧붙였다.

오늘 있었던 일을 차례대로 떠올리던 엘로라는 중간에 오해가 있었으나 검은 투구가 좋은 사람이라고 판단했다. 꼭 크리센즈인과 엮였기 때문이 아니라 불순한 목적을 가진 일당에게서 도와주기도 하고 배고프다는 걸 알자마자 식당에 데려다주었다. 다소 제멋대로였지만 그건 말을 하지 못하여 생긴 소통의 부재 탓이지 그가 악의를 가진 건 아니었다.

그윈으로서는 오로지 승리를 향해 달릴 예정이라 인연을 맺으리라 생각지 못했는데 우연찮은 계기로 검은 투구가 좋은 사람임을 알게 되고 역시나 성격 좋은 크리센즈인을 만나게 되어 즐거웠다. 새로운 사람을 만나는 건 언제나 유쾌했다.

비록 이별이 빠르게 다가오고 있더라도.

이제 결승까지 남은 시간은 그리 길지 않았다. 무투 대회의 끝은 그들과의 헤어짐이나 마찬가지였다. 반복되는 헤어짐에 지칠 법도 하나 이런 식의 이별은 의연해지도록 노력하고 있어 아몬 때처럼 큰 상실에 빠지지 않으리라 장담할 수 있었다.

어차피 헤어질 거면 깊게 정들기 전이 나았다.

언제나 그렇듯 비밀 통로를 통해 궁으로 돌아간 엘로라가 하늘을 올려다보았다.

개와 늑대의 시간이었다.

그날을 기점으로 항상 똑같던 일상이 조금 바뀌었다. 가장 크게 바뀐 점은 경기가 끝나면 검은 투구와 저녁 식사를 하게 되었다는 거였다.

돈을 한 푼도 들고 오지 않아 작은 소란을 일으킨 게 마음에 걸렸는지 다음 날, 그가 먼저 함께 식사를 하자고 제안했다.

크리센즈인에게 진 빚을 갚기 위해 식사 한 끼 정도는 너끈히 할 수 있는 돈을 들고 왔던 엘로라는 이를 거절하지 않았다. 비록 돈은 크리센즈인이 내긴 했으나 그녀는 검은 투구의 후원자니 그 돈이 그 돈이라 여겨서 식사 한 끼 값을 내고 끝낼 생각이었다. 참으로 안일한 생각이었다.

한 끼가 아니었다. 다음 날도 그다음 날도 두 사람의 저녁 식사는 계속 이어졌다.

원인은 계산이었다. 엘로라가 계산하려는데 검은 투구가 선수를 가로챘다.

돈을 주겠다고 해도 받지 않고, 마음의 짐이 늘어난 엘로라는 다음에는 꼭 자신이 내겠다고 구두 약속을 잡았다. 그리고 다음 날 또 검은 투구가 저녁 식사를 제안했다. 전날의 빚을 갚을 기회라 생각하여 시원하게 수락했는데 계산은 또 검은 투구가 다 했다. 전날의 반복이었다.

그렇게 가벼운 식사 약속은 눈치 싸움이 되었다.

입에 들어가는 음식이 중요한 것이 아니었다. 누가 먼저 계산을 하는지가 중요했다. 두 사람 다 자신이 먼저 계산하려고 신경이 날카롭게 곤두서 있으니 날이 갈수록 계산하는 방법이 정교하고 치밀해졌다.

그릇이 비자마자 벌떡 일어나 계산대로 달려가는 건 초반이었고, 화장실을 간다고 속여 계산하는 것도 모자라 나중에는 선불제도 아닌데 주문과 동시에 돈부터 몰래 내밀었다. 마치 마약 밀수라도 하듯 맞은편에 앉은 상대가 눈치채기 전에 결제를 끝내야 하는 방법이었다. 눈앞에서 돈을 내미는 모습을 보인다면 이쪽 돈을 받으라고 성화일 게 분명하니까.

어찌 보면 무투 대회보다 더 치열한 경쟁 끝에 엘로라의 패배가 쌓여 갔다.

보통 대화를 나누고 친분을 쌓기 위해 함께 식사를 하지만 엘로라와 검은 투구는 조용한 전쟁을 치르기 위해 저녁 식사를 계속했다. 식사할 때는 식기가 부딪치는 소리조차 들리지 않아 말 그대로 조용한 전쟁이었다.

의도치 않게 검은 투구와 얼굴을 마주하는 날이 늘어나니 정이 들었는지 남들이 검은 투구에 대해 얘기하면 절로 귀를 기울이게 됐다.

엘로라와는 다른 의미지만 어디를 가도 눈에 띄는 외모와 드러난 것이라고는 '어둠의 지존'이라는 입에 담을 수도 없는 이상한 명칭밖에 없다 보니 이런저런 소문이 나도는 건 검은 투구 또한 마찬가지였다.

얼굴에 화상을 입어서 저런 차림으로 돌아다닌다, 숲에서 은둔하여 속세를 모르는 고수이다, 흉악 범죄자인데 신분을 속이고 거액의 상금을 노려 참여했다 등등의 상상과 과장이 섞인 소문이 주를 이루었다.

그중 무엇이 진실인지는 검은 투구가 입을 꾹 다물고 있으니 증명할 방법이 없어 소문만 계속 부풀려졌다.

가만히 있어도 들리는 소문을 하나씩 들으며 엘로라는 그중 진실이 없다는 쪽에 걸었다.

크리센즈인과 관련된 얘기는 하나도 없는 것으로 보아 전부 사람들의 머릿속에서 나온 허황된 소리라는 걸 쉬이 유추할 수 있었다. 당사자가 부정하지 않으니 저들끼리 속닥거린 얘기가 산불처럼 번진 것이다.

본디 진실보다 거짓이 빨리 퍼지는 법이었다.

초반에는 소문을 귀 기울여 듣던 엘로라는 결국 시간이 지날수록 대충 흘려듣게 되었다. 당사자도 신경 쓰지 않는 헛소문이었다. 게다가 이야기도 다 비슷비슷하여 몇 번 듣다 보면 서론만 들어도 결론까지 예측이 가능했다.

진부한 소문이 입에서 입으로 옮겨지는 가운데 엘로라가 검은 투구와 어울리게 된 이후로 당연하다는 듯이 쏟아지던 조롱이 줄었다. 대기실에 있으면 자연스럽게 근처에 자리를 잡는 커다랗고 검은 존재감이 한몫했음을 부정할 수 없었다.

혼자 있을 때는 만만하게 보인 건지 노골적으로 제 감정을 표현했다면 검은 투구가 있을 때는 그 위압감 탓에 시비를 거는 사람을 찾기 힘들었다. 더불어 결승에 가까워질수록 대기실 사람들이 줄면서 압박감을 느낀 출전자들이 더는 여유를 부릴 수 없게 된 것도 있었다.

덕분에 오롯이 대회에 집중하게 된 엘로라는 몇 번의 위기 끝에 큰 부상 없이 쭉쭉 올라가서 검은 투구와의 결전을 펼칠 날을 맞이했다. 결승이 코앞이었다.

강자만이 남은 현재 상황에서 필요한 건 순간 판단력과 운이었다. 라엘처럼 실력이 월등하게 우월하지 않아 얼마 남지 않은 고지에 다다를 수 있을지 확신할 수 없으나 항상 그랬듯 최선을 다할 것이었다.

모든 것을 쏟아 내서.

결심을 다진 엘로라가 당당하게 빛으로 나아가 검은 투구 앞에 섰다.

"오늘 무기명, 어둠의 지존과 싸울 상대는 바로 광휘의 미소녀! 그윈입니다!"

검은 투구와 마주하게 된 엘로라가 주먹을 꽉 쥐었다.

심장이 떨렸다. 얼굴에 살짝 열이 오르는 것이 붉게 달아오른 것 같았다. 차갑게 식은 손으로 두 뺨을 식히고 싶은 마음이 들어도 섣불리 움직일 수 없는 자리라 꼼짝하지 않고 서 있었다.

"빛과 어둠의 대결! 평민 중 가장 이목을 받는 두 사람의 경기입니다. 숨 막히는 승부만큼 손수건 경쟁도 치열할 거라 예상합니다."

상대를 앞에 두고 진정하지 못하는 건 승부를 향한 들끓는 투지 탓이 아니었다. 수치심이었다. 사회자의 말을 잠자코 듣고 있자니 쥐구멍이 있다면 숨고 싶어졌다.

엘로라가 만약 이 자리에서 죽게 된다면 사인은 수치였다.

검은 투구는 붉은 피가 흐르는 사람이 맞는 걸까?

저런 말을 듣고 미동도 하지 않는 그가 신기했다. 지금 이 순간, 검은 투구 아래에 숨겨진 얼굴이 어떤 표정을 짓고 있을지 궁금했다. 애초에 스스로를 어둠의 지존이라 칭하는 사람이니 즐기고 있을지도.

빛과 어둠. 흔히 대비되는 개념이었다. 자칭 어둠의 지존과 빛과는 아무런 연관이 없지만 화사한 미모 탓에 사전 동의 없이 광휘의 미소년이 되어 버렸다. 인생 최고의 수치였다.

미리 얘기해 주기라도 했으면 마음의 준비라도 단단히 해 놨을 텐데 급조한 건지 관련으로 들은 얘기는 하나도 없었다. 면역 없이 훅 치고 들어온 공격에 엘로라는 두 경기는 치른 듯한 효과를 봤다.

진짜 강적은 사회자였다. 제정신으로 듣기 힘든 말을 아무렇지 않게 지껄이고 있었다.

최대한 듣지 않으려 애쓰며, 소개가 어서 끝나고 경기에 들어가길 바랐다. 다행히 그리 길지 않은 시간이 지나 사회자가 경기 시작을 알렸다. 그 소리에 엘로라는 이때까지 느껴 본 적 없는 안도감을 느꼈다.

검은 투구는 붉은 끈을, 엘로라는 푸른 끈을 매고 있었다.

관중의 환호 속에 서로를 마주 본 그들은 동시에 검을 뽑았다.

엘로라는 부끄러움으로 인해 빠르게 뜀박질하던 심장이 칼자루에 손을 대자 삽시간에 고요해짐을 느낄 수 있었다. 냉정을 찾았다.

굳은 표정으로 남자의 하얀 목덜미에 달린 붉은 끈을 노려보았다. 사위에 울리는 타인의 환호성은 얇은 막이 씌워지듯 들리지 않은 지 오래였다.

서슬이 퍼런 두 개의 검날이 태양 아래 반짝였다.

그리고 누가 먼저라 할 것 없이 서로에게 달려들었다.

동시에 나아간 서로의 검이 요란한 소리를 내며 부딪쳤다. 고막을 뚫고 지나가는 소리에 엘로라는 헛숨을 들이쉬었다.

검을 맞대 보니 더욱 확실해졌다. 강했다. 힘으로 밀어붙인다면 속수무책으로 당할지도 모르겠다는 생각이 들 정도로.

어디서 이런 괴력이 나오는지 이제껏 상대했던 사람들과는 상대도 되지 않았다. 바짝 거리를 좁힌 채 검은 투구의 검을 막은 엘로라가 튕기듯 반걸음 뒤로 물러섰다.

이에 검은 투구는 숨을 몰아쉴 틈조차 주지 않고 정확히 목을 노렸다. 당장이라도 벨 듯이 구는 검의 움직임을 읽자마자 곧바로 막아 냈다. 검과 검이 부딪치자 강한 떨림이 느껴졌다.

검은 투구는 거침없이 엘로라에게 달려들었다. 바람처럼 가벼운 움직임이었다. 약간의 망설임도 없이 베어 내겠다는 의지만이 남은 공격에 계속 뒷걸음질 치며 남자의 검을 막아 냈다.

빨랐다. 검을 부딪칠 때마다 묵직한 무게감이 느껴졌다.

보통 빠르면 그만큼 힘이 빠질 수밖에 없었다. 하지만 검은 투구는 속도도, 힘도, 기술도, 체력도 뒤지지 않았다. 무투 대회 중 이 정도로 압도적인 차이를 절절히 느낀 적은 처음이었다. 이제껏 라엘이 기합을 주었을 때밖에 느끼지 못했던 감각이었다.

엘로라가 진심으로 그를 상대하듯, 검은 투구 또한 잔정에 연연하여 대회를 그르칠 사람이 아니었던 것이다.

점점 숨이 가빠졌다. 막는 것만으로도 벅찼다.

이제껏 상대했던 사람들에게선 상처를 입지 않을 여유가 있었다. 라엘이 대륙 최고의 기사라고 불리는 건 과대포장된 소문이 아닌지 모두 라엘에 비하면 느리고, 투박하며, 약했기 때문이었다.

라엘을 따라잡지 못했더라도 그 실력에 제법 익숙해진 덕에 생각하기도 전에 몸이 먼저 움직여 상대의 공격을 재빠르게 피할 수 있었다. 그러나 검은 투구와 검을 맞대고 있는 지금, 여유는 사치였다.

움직임을 눈으로 읽기보다 반사적으로 막을 때가 대부분인데 그마저도 간발의 차였다. 조금만 더 느렸더라면 큰 상처를 입었을 경우가 많았다.

만약 라엘의 특훈이 아니었더라면 지금쯤 과다 출혈로 패배당했을 거라는 생각이 엄습했을 정도였다.

또다시 검이 부딪쳤다. 검날이 날카롭게 파고들었다. 이번에도 막아 낸 엘로라는 강하게 칼자루를 쥐고 있어 손이 떨리고 있음을 깨달았다.

손목이 시큰거렸다. 온 힘을 짜내고 있으니 육체가 슬슬 한계에 다다르고 있었다. 부서질 각오는 돼 있지만 여기서 부서져서는 안 됐다. 앞으로 나아갈 길이 남아 있으니. 마음을 다잡았다.

또다. 또 간발의 차이였다. 당장은 간발의 차이여도 지속될수록 차이가 좁혀지기는커녕 넓어져 이 간발의 차로 패배할 것이었다.

계속 뒤로 물러서기만 할 수 없었다.

반공을 하지 않는다면 제대로 싸워보지도 못한 채 지는 것이 되었다. 그건 너무 억울하지 않은가. 어서 끝내야 했다. 체력이 바닥나 그에게 공격할 힘도 없어지기 전에 승부를 봐야 했다.

어금니를 꽉 깨문 엘로라는 더는 물러서지 않고 가까스로 검을 쳐 냈다. 그리고 군더더기 없는 움직임으로 투구 탓에 생긴 시야의 사각을 노렸다. 검은 투구의 검이 엘로라의 검을 막기 위해 움직이기 전이었다.

처음 검은 투구를 봤을 때 놀랐던 이유는 그의 괴이한 센스 탓이 아니었다. 저렇게 얼굴을 가리는 투구를 쓰게 되면 필연적으로 시야에 사각이 생길 수밖에 없었다.

심지어 눈이 보이지 않는 디자인의 투구이니 허점이 많았다. 몸이 무거워진다고 방어구를 제대로 착용하지 않는 사람들 사이에서 시야 확보가 되지 않는다는 건 치명적인 약점이었다.

하지만 그는 여기까지 왔다. 시야의 사각을 노린 상대는 많았을 텐데 그럼에도 연승했다는 건 약점을 보완할 수 있다는 뜻이었다. 미약한 불안감이 들었지만 정공법으로는 상대가 되지 않음을 알고 있었다. 조금이라도 높은 확률에 도박을 거는 건 당연했다.

이번 공격이 먹힌다면 기세가 기울 수 있었다.

제대로 공격이 들어갈 수 있다고 확신하며 망설임 없이 달려들었다.

그리고 막혔다.

착각이 아니었다. 금속성이 부딪치는 소리가 사위를 울렸다. 엘로라가 당황한 틈을 타 검을 튕겨 낸 검은 투구가 엘로라의 목을 노렸다. 이번에는 막을 수 없었다. 도저히 따라갈 수 있는 속도가 아니었다.

어쩔 수 없이 임기응변으로 왼쪽 팔을 들었다.

목을 내어 줄 바에야 팔을 주는 것이 나았다.

무서운 기세로 목을 꿰뚫듯이 다가온 검이 엘로라의 팔을 스쳐 지나갔다. 미약한 통증에 엘로라는 인상을 찡그렸다. 피비린내가 퍼졌다. 여유가 없어 제대로 확인할 수 없었지만 다행히 깊게 베인 것 같지 않았다. 무리 없이 왼팔을 사용할 수 있었다.

충분히 팔을 자를 수 있었음에도 불구하고 큰 상처 없이 끝난 것에 어리둥절해하는 것도 잠시, 아무 일 없었다는 듯이 다시 공격해 오는 검은 투구를 피했다.

그 뒤로 검은 투구의 페이스가 무너졌다. 직접 맞대고 있으니 확실히 알 수 있었다. 매섭게 치고 들어오던 조금 전과는 달랐다.

처음으로 잡은 기회였다. 무엇이 그를 동요시켰는지는 깊게 생각하지 않았다. 지금을 놓친다면 패배만이 있으리라. 승리. 그것을 향해 잡념을 지우고 앞으로 나아갔다.

검을 고쳐 잡은 엘로라는 꾸준히 사각을 노렸다. 마치 곳곳에 눈이라도 달린 것처럼 검은 투구는 엘로라의 공격을 꾸준히 막고 피했으나 경계가 느슨했다. 아까의 기세는 어디로 갔는지 수비적으로 나왔다.

처음과 반대였다. 사각지대를 빠르게 치고 들어오는 엘로라의 공격에 검은 투구가 거리를 벌리기 위해 뒷걸음질치며 공격을 막아 냈다. 엘로라가 뒷걸음질 쳤던 거리만큼 앞으로 나아갔다.

접전이 다시 이루어졌다. 이번에도 역시 간발의 차로 공격이 먹히지 않았다.

피를 보지 않고 검은 투구를 쓰러뜨려야 한다는 생각은 머릿속에 지워진 지 오래였다. 그런 각오로는 그를 이길 수 없었다. 그를 이기고 싶다면 어찌 되었든 피를 봐야 했다.

죽이는 것이 아니었다. 상처를 입히고, 최대한 극한으로 몰아붙여야 이길 수 있는 싸움이었다.

슬슬 체력이 한계에 다다르자 엘로라가 검은 투구에게 큰 상처를 입히기 위해 조급하게 움직였다. 강하게 힘을 실어 큰 동작을 하려고 하니 안 그래도 무리가 왔던 손목이 시큰거렸다. 무시할 수 없는 강렬한 통증이었다.

감전된 것 같은 그 느낌에 머뭇거리고 말았다.

찰나의 순간이었으나 때를 놓치지 않은 검은 투구가 엘로라의 검을 강하게 내려치고는 발을 걸었다.

손에 힘이 제대로 들어가지 않은 상태라 영원히 붙어 있을 것만 같았던 검이 엘로라의 손을 떠났다. 또한, 검은 투구의 위세가 약해졌다는 생각에 집착한 탓에 그가 이런 식으로 나올 줄 몰랐던 엘로라는 순식간에 균형을 잃었다.

뒤로 넘어진다.

몸이 기울어지고 있음을 자각했다.

그리고 엘로라는 보았다. 목을 꿰뚫기 위해 다가오는 검은 투구의 은빛 날을.

죽는다.

죽음. 드리워진 그림자에 등골을 타고 소름이 돋았다.

모든 것이 느리게 보였다. 그도, 자신도.

마치 둘밖에 남지 않은 것 같은 세상에서 목숨을 틀어쥐고 있는 검을 보았다. 이렇게 선명하게 움직임이 보이건만 실제로 할 수 있는 건 아무것도 없었다.

엘로라의 팔은 균형이 무너지자마자 엉망진창으로 넘어지는 것을 방지하도록 본능적으로 바닥을 짚을 준비를 하고 있었다. 아까처럼 팔을 들어 목 대신 가져가라 할 수 없었다. 완전한 무방비 상태였다.

눈을 질끈 감는 것조차 허락되지 않아 허망하게 다가오는 죽음을 지켜보았다. 솜털이 쭈뼛 설 정도로 긴장된 상태였다.

검이 지척까지 다가왔다.

그때, 기적처럼 검이 방향을 틀었다.

그리고 엘로라의 시야에는 은빛 날 대신 검은 것이 잡혔다. 손이었다. 손이라는 걸 인식하기도 전에 검은 투구는 엘로라의 끈을 잡아챘다.

모든 일은 한순간에 일어났다.

그대로 넘어진 엘로라는 바닥에 손을 짚었다. 손목이 통증을 호소하고 있었다. 바닥에 부딪친 엉덩이 또한 마찬가지였다.

통증과 함께 시간이 돌아왔다. 멍하니 검은 투구 손에 들린 푸른 끈을 보았다. 목이 허전했다. 뒤늦게 목을 더듬어 보았으나 아무것도 없었다.

패배였다. 그 사실을 인정하기까지 약간의 시간이 걸렸다.

초점을 잃은 눈으로 허공을 쳐다보고 있는 엘로라에게 손이 내밀어졌다. 이번에 내밀어진 손은 엘로라를 패배로 인도하는 것이 아니었다. 가만히 그 손을 올려다보던 엘로라는 허탈하여 작게 웃음소리를 내었다.

졌다. 완벽하게. 그토록 아몬에게 주고 싶었던 팔찌는 주지 못하게 되었다. 그런데도 불쾌하다거나 화가 나지 않았다.

"오늘은 식사보다 같이 술을 마시죠."

검은 투구의 손을 잡은 엘로라가 도움을 받아 일어나며

속삭였다. 검은 투구는 무반응이었다. 그것이 긍정을 뜻함을 익히 아는 엘로라는 활짝 웃었다. 다른 의미가 내포되지 않은 순수한 미소였다.

"대신 제가 낼게요."

이번에 돌아오는 반응은 빨랐다. 검은 투구가 거세게 고개를 저었다. 다른 건 몰라도 이것만큼은 그가 양보하지 않는다는 사실을 알고 있었다. 그래서 말을 덧붙였다.

"제 승리를 받아 갔으니 벌을 받으셔야죠."

농담 섞인 엘로라의 말에 잠깐 고민하는 기색을 보이던 검은 투구가 어쩔 수 없다는 듯이 고개를 한 번 끄덕였다.

그 대답을 만족스럽게 쳐다보던 엘로라는 가슴속에 진 응어리가 사라졌음을 느꼈다. 온몸이 부서지기 전까지 최선을 다했기 때문일까. 비록 승부는 졌지만 기분 나쁘거나 찝찝하지 않았다.

대진표를 보고 그와의 대결도 오늘로써 어떤 방식으로든 끝이 날 거라 예상했다. 은연중 이제껏 이겨 왔던 것처럼 승리를 거머쥘 수 있을 거라 생각했는데 막상 지고 나니 후련함이 컸다.

물론 그렇다 하여 패배에 만족하는 건 아니었다. 만약 다음이 있다면 꼭 그를 이기고 싶었다.

다음에는 만나게 된다면 이 모습이 아닐 테지만 큰 욕심은 부리지 않기로 했다. 어떤 가면을 쓰든 결국 추억을 간직하는 건 엘로라, 자신이니.

엘로라와 검은 투구는 마지막으로 악수를 나눴다. 경기가 끝난 후 관례였다.

가볍게 검은 손을 잡은 엘로라는 살짝 인상을 구겼다. 손목 통증이 생각보다 심했다. 당분간 오른손으로 할 수 있는 모든 행동은 자제해야 할 듯했다.

악수가 끝난 후 너덜너덜해진 손목을 숨긴 엘로라가 등을 돌렸다. 깔끔한 퇴장이었다.

그래서 보지 못했다. 검은 투구에 가려진 남자의 눈동자가 제법 오랫동안 엘로라를 향했음을. 그 시선은 엘로라에게서 떨어지지 않았다.

15. 승자는 누구?

15. 승자는 누구?

"아가씨, 어디 불편하신 데는 없으세요?"

"괜찮아. 아주 건강해."

"현기증이 나거나 어디 약간, 아주 약간이라도 통증이 느껴지시는 곳은요?"

"전혀."

옆에서 안절부절못하는 히나를 안심시키기 위해 되도록 냉정하게 말했다. 하지만 이런 말로는 히나를 안심시킬 수 없었다. 조금도 진정하지 못한 히나가 흥분을 감추지 못한 채 빠르게 중얼거렸다.

"얼마나 놀랐는지 몰라요! 그 검고 음침한 남자가 아가씨를……!"

떠올리는 것만으로도 끔찍한지 말하다가 만 히나가 두

눈을 질끈 감았다. 오만상을 다 찡그리는 것을 보아하니 눈을 감아도 자연스레 떠오르는 모양이었다.

작게 웃음을 터트린 엘로라가 혼자 고통에 몸부림치는 히나의 어깨를 토닥여 주었다. 다정한 손길이었음에도 불구하고 히나는 눈을 감고 그날의 악몽을 재생시키고 있었기에 움찔했다. 꼭 겁먹은 토끼 같았다.

엘로라가 소리 내어 웃었다. 그걸 듣고 히나가 못마땅한 표정으로 눈을 떴다.

웃을 일이 아니었다. 본인 일인데도 여유를 부리는 엘로라가 불만스러웠다.

"붕대 갈아드릴게요. 팔 들어 주세요."

"내 기억이 맞다면 새 붕대를 감은 지 한 시간도 채 지나지 않았어."

"붕대는 자주 감을수록 위생적이라 좋아요. 잊지 마세요. 아가씨는 환자예요."

"환자라고 칭하기 거창한 상처야. 이 정도는 동네 꼬마들끼리 놀다가도 생겨."

"아가씨께서는 흔한 동네 꼬마도 아닐뿐더러 팔만이 아니라 손목도 안 좋으시잖아요."

무심한 엘로라의 말에 히나가 살짝 언성을 높여 대꾸했다. 하얀 붕대가 감긴 팔을 보고 있자니 감정이 격해지는 히나였다.

"식사할 때 제가 직접 떠먹여 드리고 싶은 거 꾹 참고 있으니까 그렇게 알고 계세요."

억지로 감정을 억누르고 있음이 여실히 드러나는 목소리였다. 히나가 어떤 심정으로 지금 이 자리에 서 있을지 뻔히 알면서도 엘로라는 빙그레 미소만 지었다. 수많은 말로 위로를 전하기보다는 침묵으로 일관하겠다는 입장이었다.

히나가 뾰로통한 채 약을 바르고 붕대를 갈았다.

엘로라는 동네 꼬마도 입을 상처라며 별것 아닌 것처럼 말했지만 절대 가벼이 여길 수 없었다. 검이 제법 깊숙이 들어가 적지 않은 출혈이 있었음에도 불구하고 대기실로 돌아가 대강 응급 처치를 한 엘로라는 상처를 낸 장본인과 보란 듯이 식사를 즐기고 돌아왔다.

타인도 아닌 제 몸이 다쳤는데 대수롭지 않게 여기는 엘로라를 히나는 이해하지 못했다. 게다가 길게 그어진 이 선은 평생 흉터로 남을지도 몰랐다. 히나는 속이 상했다.

"이런 말씀 드리면 아가씨께서 저를 싫어할지도 모르지만 거짓말하기 싫으니 솔직하게 말할게요. 아가씨께서 더는 무투 대회에 나가지 않아도 된다는 사실이 다행이라고 생각했어요."

"……."

"그곳은 무법지대잖아요. 언제 어떻게 아가씨께서 다칠지 모르는데 제가 할 수 있는 일이라고는 아무것도 없어요. 만약 아가씨께서 이보다 더 크게 다치셨더라면 저는 마음의 병을 앓았을지도 몰라요."

"덕분에 네가 병을 앓지 않게 되었구나. 그가 진심이었더라면 이 팔은 쓸 수 없었을 거야."

"예?!"

덤덤히 말한 엘로라가 깔끔하게 잘 묶인 붕대를 내려다보았다. 어떤 부정적인 감정도 담겨 있지 않은 깨끗한 푸른 눈동자로.

"팔을 자르지 않은 관용에 감사해야겠지."

팔을 자르지 않은, 관용, 감사.

엘로라의 단어 선택 중 히나의 마음을 건드리지 않은 것이 없었다. 제 감정을 겨우 억누르고 있던 히나가 결국 분에 못 이겨 화를 냈다.

"팔을 잃었을지도 모른다는 말을 어째서 아무렇지 않게 하세요? 정말 잃으셨으면 어쩔 뻔했어요! 저를 계속 대역으로 내세우실 생각이셨어요? 아니, 애초에 목숨을 잃게 되면 어쩌시려고 나간 거예요!"

"그런 사태에 대비해서 유서를 써 놨어."

붉게 달아오른 얼굴로 속사포처럼 말하던 히나가 그 상태로 굳었다. 발갛던 얼굴이 점점 제 색을 되찾다가 이내 새하얗게 질리는 것을 실시간으로 볼 수 있었다.

"농담이야."

"아가씨!"

히나가 비명처럼 엘로라의 이름을 불렀다. 히나의 반응을 지켜보고 있자니 혹시 모를 사태를 대비해서 쓴 매뉴얼은 조용히 처분하는 걸로 결정이 났다.

그 존재를 히나에게 들키게 된다면 이 정도로 끝나지 않을 거였다. 한동안 엘로라를 보지 않겠다며 뛰쳐나갈 것을 확신할 수 있었다.

"농담이라도 그런 말 하지 마세요."

"그래야 할 것 같아."

속내를 숨긴 채 엘로라가 희미하게 웃었다. 언뜻 스스로가 성격이 고약하다 느껴지기는 해도 기뻐서 웃는 것이었다.

엘로라는 스스로에게 엄격하게 구는 경향이 있었다. 그랬기에 왼팔의 상처는 정말 아무렇지 않았다. 하지만 고통에 자신의 일처럼 화를 내 주는 사람이 있다는 것이 행운이라는 걸 알았다. 격하게 반응하는 히나를 보고 있자면 사랑받고 있구나, 하고 새삼 느끼게 되었다.

"그동안 제가 아무 말 하지 않은 이유는 알고 계시죠?"

고개를 끄덕였다. 무투 대회에 참여한다고 했을 때도, 라엘과 훈련을 했을 때도, 대회 중 자잘한 상처를 입고 돌아와도 히나는 이제껏 한마디도 하지 않았다. 할 말이 많아 보였으나 걱정이 섞인 얼굴로 조용히 엘로라를 보조했을 뿐이었다.

"아가씨께서는 원하는 것이 있다면 주인님이 말려도 듣지 않으셨어요. 그리고 남들이 무리라고 해도 끝끝내 이루어 내셨죠. 항상 원하는 결말을 보시는 분이니 이번에도 그러리라는 믿음이 마음 한편에 있었어요. 물론 큰 상처

없이.”

“믿음을 저버리게 되었네. 하지만 나라고 만능은 아니니까.”

어디서 많이 들어 본 얘기인가 싶었더니 라엘과 똑같은 말을 하고 있었다.

엘로라는 문득 깨달았다. 주위에서 항상 이런 반응이니 자만하게 되는 것이었다. 실제로 검은 투구와 검을 맞대기 전까지만 해도 엘로라는 우승을 차지할 거라 확신하고 있었다. 고난이 있을지라도 끝내 이겨 내고 손쉽게 얻어 내리라는 확신이.

노력은 항상 배반하지 않았다.

배반하지 않는 노력. 이 얼마나 달콤한 말인가. 세상은 공평하지 않고 모든 결과가 순수하게 노력을 따르지 않았다. 하나 타인의 가면을 쓰고 있을 때에는 달랐기에 자만하고 있었다. 이만큼 노력하면 또 원하는 것을 얻을 수 있겠지, 하고.

더는 분위기에 휩쓸려 객관성을 잃어서는 안 됐다. 겸손한 마음을 가질 필요가 있었다.

“화를 내실 줄 알았어요.”

“화? 내가?”

“정확히 표현하자면…… 집착이라고 해야 할까요. 제대로 끝내지 못하면 더 깊게 파고드시잖아요. 그런데 오늘은 편안해 보이시네요. 마치 우승한 것 같아요.”

원하는 결과를 보지 못하면 노력이 부족하다고 판단하여

더 일에 매달린 건 사실이었다. 하지만 이번만은 그런 생각이 들지 않았다. 그 이유는 엘로라도 알고 있었다.

"압도적인 힘의 차이를 느꼈어. 그건 내가 요행을 부린다 해서 좁힐 수 없는 차이야."

엘로라가 특별 훈련을 받았다 해서 라엘을 이길 수 없는 것과 같았다. 그만큼 엘로라는 검은 투구의 실력을 인정하고 깔끔하게 패배를 인정하고 있었다.

"당장 내가 할 수 있는 최선을 다했지만 간발의 차이는 좁히지 못했어. 하지만 간발의 차라는 건 꾸준히 노력하면 다른 결과가 있다는 뜻이지. 내 모든 걸 쏟아 내며 그와 싸우면서 진정 꺾어 보고 싶다는 생각이 들었어. 그래서 지금은 이 보 전진을 위해서 일 보 후퇴한 상태야."

"팔찌는요? 원래 목표는 팔찌였잖아요."

"카피 제품이라도 나중에 따로 살 예정이야. 진짜는 얻지 못하게 되었으니 어쩔 수 없이 대체품이라도 건네줘야지. 실제 아몬에게 전달해 주고 싶은 건 클라우디아의 진심이니까."

진짜였으면 더 좋았을 테지만 엘로라에게 더는 기회가 없었다. 무투 대회 우승자가 나온다면 돈을 주고 팔찌를 매수해 볼까 하고 생각도 해 보았는데 강압적으로 빼앗는 것 같아 그만두었다.

아쉽지 않다면 거짓이었다. 클라우디아가 아몬에게 주고 싶어 했던 선물은 다른 무엇도 아닌 무투 대회 상품으로 걸린 그 팔찌였으니. 그러나 목적을 위해 남에게 폐를 끼칠 수 없는 노릇이라 받아들이기로 했다.

"제가 사 올까요?"

"아니, 내가 할게. 이런 건 직접 해야 의미가 있으니까."

아직은 일이 남아 있어 무투 대회가 끝난 후에 신중하게 골라 줄 예정이었다. 진짜를 줄 수 없게 되었으니 성의라도 담아야 되지 않겠는가. 그것은 클라우디아가 주는 선물이자 엘로라가 주는 선물이었다.

"그리고 히나는 그간 고생이 많았잖아. 지금도 내게 하지 못한 말이 많을 것 같은데."

자연스레 머릿속에 떠오르는 그리운 얼굴을 뒤로 밀어내고, 엘로라가 빙긋 미소를 지으며 히나를 보았다.

엘로라가 무투 대회에 참여하겠다고 결정한 이후로 두 사람은 긴 대화를 나누지 않았다. 엘로라는 준비하느라 바빴고, 히나는 그런 엘로라를 방해하고 싶지 않았기 때문이었다.

엘로라를 대신하여 관람객으로서 원형 경기장에 갔을 때도 마찬가지였다. 혹 자신 때문에 엘로라가 집중하지 못할까 봐 많은 일이 있었음에도 불구하고 입을 꾹 다물고 있었다.

그러나 이제 엘로라는 타인의 이름을 빌려 무투 대회에 참여하지 않았다. 잠시나마 광휘의 미소년이라 불렸던 그 윈은 사라지고 오롯이 엘로라만이 남은 것이었다.

제 마음을 꿰뚫어 보는 듯한 푸른빛 눈동자와 마주한 히나는 그동안 바깥으로 꺼내 놓지 않고 마음속에 꾹꾹 눌러 놨던 푸념을 늘어놓았다.

"아가씨께서는 인기인이셨어요."

"맞아, 부정적인 방향으로 인기인이지. 나쁜 말 하는 사람이 많았지?"

"아니라고 해도 믿지 않으시겠죠."

"당연하지. 내가 뿌린 씨앗인걸."

어떤 소문을 퍼뜨렸는지 정확히 알고 있었다. 스스로 만들어 낸 나쁜 이미지인데 좋은 말을 듣는다면 오히려 이상하게 여길 것이었다.

히나는 남들이 엘로라의 험담을 하는 것만 들었다는 사실을 얘기하는 것이 껄끄러워서 처음에 머뭇거렸다. 그러나 엘로라가 아무렇지 않게 맞장구를 쳤기 때문에 조금씩 용기를 얻어서 이런저런 얘기를 했다. 그러다 문득 무언가가 떠올랐는지 서두를 뗐다.

"아, 혹시 로렌츠 남작 가문과 연이 닿은 적이 있으세요?"

"아니. 왜?"

"남작가의 여식께서 계속 주위를 맴돌기에 아가씨와 아는 사인 줄 알았어요."

"전혀. 우연이라도 만난 적도 없어. 알고 있는 점이라고는 올해 볼흐라스에서 가장 아름다운 미혼 영애로 뽑혔다는 것뿐이지. 아차, 그러고 보니 남작가에 여식이 둘 이상일 수도 있겠네. 내가 말하는 영애와 네가 말하는 영애가 동일 인물 맞지?"

"예, 맞아요. 아가씨에 비하면 못하지만 확실히 예뻤어요. 그런데 로렌츠 남작 가문이 유명하지 않은데도 바로 알아차리시네요."

"최근에 관련 가십이라면 틈틈이 챙겨서 읽고 있어."

굵직굵직한 사교계 가십에는 최소한의 관심이라도 보이고 있었다. 고위 귀족의 얼굴이나 이름은 익히 알고 있긴 했지만 볼흐라스는 제국이라는 이름에 걸맞게 귀족이 많은 터라 알아도 알아도 끝이 없었다.

"그런데 조금 이상한 분이셨어요."

"그녀와 무슨 문제라도 있었어?"

"별일은 없었어요. 그분께서 자꾸 말을 붙이려는 듯했지만 열심히 무시하고 피해 다녔거든요!"

"잘했어. 그런데 네 말대로라면 딱히 이상할 것도 없지 않아?"

엘로라에게 관심을 가지는 건 자연스러운 일이었다.

아마 귀족이든 평민이든 상관없이 그 엘로라의 등장에 다들 관심을 가졌을 터였다. 떠도는 소문이 맞는지, 그 엘로라가 어떤 사람인지, 그 라하트와 순조로운 결혼 생활을 보내고 있다는데 날조는 아닌지 등 궁금하여 대화를 시도하는 건 이미 예상한 것이었다. 앞서 그런 사람들의 얘기를 잔뜩 하여 특별할 것 없어 보이는데 히나가 도리도리

고개를 저었다.
"그분은 달랐어요."
"어떤 점에서?"
"조금…… 아니, 많이 집요했어요."
그러고는 히나가 신중히 말을 골랐다.
"무시하면 자존심이 팍 상한 표정으로 뒤에서 나쁜 말을 하던데 그분은 포기하지 않았어요. 무서울 정도로 끈질기게 제 곁을 떠나지 않았죠. 그럴 리는 없지만 제가 진짜 아가씨가 아니라는 걸 안 게 아닐까 싶을 정도라서 두려웠어요."
"음, 로렌츠 남작가라……."
보통 남작 지위를 가진 이가 한둘도 아니었기 때문에 신분밖에 내세울 것이 없는 가문이 부지기수였다.
달콤한 로맨스를 꿈꾸며 수도에 올라와 사교계에 데뷔한다 하더라도 가문의 경제 능력이 받쳐 주지 않는다면 남작은 취급도 안 하는 사람이 많아서 무시당하는 경우가 빈번했다.
특별히 두각을 드러내는 분야가 없다면 눈에 띄기 어려운 지위였다. 그래도 로렌츠 남작이 자식 복이 있는지 로렌츠 영식이 무에 일가견이 있어 황실 기사단을 지망하고 있다고 했다.
그는 이번 무투 대회도 참여했다. 엘로라는 평민으로 참여한 탓에 대진표에서는 멀찍이 떨어져 직접 검을 맞댄 적은 없으나 우승 후보로 사람들의 입에 자주 거론된 것으로 보아 실력은 확실한 듯했다.

올해 데뷔하자마자 아름다운 영애로 뽑힌 로렌츠 영애와 무투 대회에서 강력한 우승 후보로 꼽히는 로렌츠 영식. 만약 사교계에서 이런 식의 좋은 인상을 지속적으로 남긴다면 둘 다 좋은 혼처를 찾아 남들이 말하는 괜찮은 인생을 살게 될 것이었다.

문제는 이런 로렌츠 영애가 어째서 엘로라에게 관심을 가지느냐, 인데 딱히 이렇다 할 생각이 떠오르지 않았다.

예쁘장하게 태어나 비교적 낮은 지위에도 불구하고 주목을 받으며, 오라비가 출세한다면 덕을 톡톡히 볼 예정인 그녀와 못난이 엘로라는 이전에 옷깃 한 번 스친 적이 없었다.

로렌츠 영애의 행동은 확실히 의문투성이였다.

"오늘부터 내가 나가게 될 테니 한 번 알아보도록 할게. 그 외에 더 이상한 사람은 없었어?"

"다 비슷비슷했어요. 지금 생각해 보면 라하트 전하를 만나지 않아서 그나마 편했던 것 같아요."

"그가 오지 않았어?"

"예."

"단 한 번도?"

"단 한 번도요."

엘로라가 고개를 갸웃거렸다. 분명 황제와 황후가 라하트를 압박했을 것이었다. 엘로라 혼자 세우는 것보다 라하트와 나란히 세워 단란한 부부를 연출하고 싶었을 테니까. 그런데 라하트가 그림자조차 보이지 않았다니. 정말 무슨 일이 생긴 걸까 하는 걱정이 들었다.

"대신 에곤 도련님이 저를 무섭게 노려봤어요."

그때가 떠올랐는지 히나가 몸을 파르르 떨었다.

그 원인을 아는 엘로라는 어색한 웃음만 흘렸다. 워낙 신경 쓸 것이 많아서 잠시 잊고 있었는데 에곤이 역시 화가 난 모양이었다.

"농담 아니라 진심이에요. 도저히 대외적으로 사이가 안 좋음을 표현하기 위한 눈빛이 아니었어요. 아가씨, 도련님과 다투셨어요?"

아무것도 모르는 눈으로 자신을 쳐다보는 히나를 보고 있자니 어떻게 말해야 할지 참 걱정이었다. 잠깐 고민하던 엘로라는 거짓말을 하는 대신 교묘한 진실로 문제를 덮었다.

"오라버니와 내가 다투다니. 그럴 리가. 근래 만나지도 않았는걸."

"그렇죠? 그런데 도련님께서 대체 왜 그러셨을까요? 혹시 연기력이 좋아지신 걸까요?"

"히나! 슬슬 신문을 가져올 시간이네. 갔다 와서 잠시 쉬고 외출할 준비를 하자."

최대한 어색하지 않게 자리에서 일어난 엘로라가 대화를 끊었다. 하고자 했던 말은 다 했기 때문에 이상함을 느끼지 못한 히나가 순순히 따라 일어났다.

그녀가 나가고 잠시 혼자가 된 엘로라는 에곤이 예상보다 더 화가 났다는 사실을 알게 되어 앞으로 어떻게 달래주어야 할지 고민했다.

이로 인해 히나가 신문을 갖고 와서도 집중하지 못하고 설렁설렁 페이지를 넘겼다. 멍하니 흩어지는 활자를 지켜보던 엘로라는 흑백의 그림이 불쑥 시야에 잡히자 순식간에 머릿속이 새하얗게 변했다.

조금 전만 하더라도 가장 큰 고민이었던 에곤을 달래는 것은 엘로라의 머릿속에 남지 않았다. 단지 사진 한 장. 라하트가 분명한 사람과 절묘한 각도로 얼굴이 잘 드러나지 않은 여인이 동행하는 모습이 깊이, 아주 깊이 박혔다.

사진에서 시선을 떼고 '라하트의 새로운 여자'라는 자극적인 제목을 응시하던 엘로라는 의자 등받이에 몸을 기대고 살며시 두 눈을 감았다.

그가 황제와 황후의 압박에도 무투 대회를 구경하러 오지 않은 이유를 이제야 알 것 같았다.

그윈의 패배 이후로 대역이 아닌 진짜 엘로라가 무투 대회를 꼬박꼬박 관람했다. 그렇다 하여 변한 건 없었다. 그동안 자리를 지킨 것이 당사자가 아니라는 사실은 둘만의 비밀이었으니까.

그리하여 엘로라는 히나가 겪었던 일을 그대로 겪었다. 엘로라의 외모와 평판에 대한 비난과 라하트의 부재, 아히발트의 방관, 그리고 로렌츠 영애로 추정되는 어여쁜 여자의 집요한 시선.

뒤에서 들려오는 타인의 비난은 스스로 자초한 일이니 그리 신경 쓰이지 않았고, 아히발트야 본인의 부인도 아니니 굳이 엘로라를 신경 써야 할 의무는 없었기 때문에 방관하는 태도를 취하는 것이 마음 편했다.

다들 예상 범위 내라서 큰 문제랄 것도 없었지만 로렌츠 영애, 그녀는 히나의 말마따나 집요한 구석이 있었다.

뒷담을 하는 것도 아니고 그렇다고 대화를 하려는 것도 아니었다. 그저 조용히 바라보기만 했다. 의도 모를 행동이었다. 한 번 대화를 시도하려던 엘로라는 자신과 일정 거리를 꾸준히 유지하는 영애의 행동에 대체 왜 그러느냐고 물어보는 건 잠시 뒤로 미뤄 두기로 했다.

엘로라를 관찰하는 듯한 로렌츠 영애도 로렌츠 영애였으나 이따금 따끔하게 꽂히는 에곤의 시선이 그가 지금 화났음을 말해 줬다. 그윈의 패배로 승리를 향한 질주가 끝난 현재, 당장 얘기해야 할 상대는 에곤이었다.

엘로라는 에곤이 화가 난 이유는 알고 있었다. 모두 스스로 자초한 일이었다.

당시 우승에 눈이 멀어 에곤을 전혀 배려하지 못한 방법을 쓴 것이 문제였다. 이제는 우승하여 팔찌를 본래 주인인 아몬에게 주겠다는 미련마저 탈탈 털어 내어 주위를 둘러볼 여유가 생겨 에곤과 제대로 대화를 나눌 수 있을 듯했다.

어떤 식으로 얘기를 이끌어야 할지 고민하던 엘로라는 회피하고픈 마음을 억누르며 며칠이라는 시간이 지난 후에야 먼저 에곤에게 편지를 보냈다. 구구절절하게 문자로 이런저런 얘기를 늘어놓기보다는 직접 만나고 싶다는 의사를 밝힌 짧은 편지였다.

엘로라가 먼저 연락해 주길 기다리고 있었던 에곤은 흔쾌히 긍정적인 답을 보냈다.

그리하여 늦은 밤, 무투 대회에서 검은 투구가 결점 없이 완벽한 경기를 보여 주며 결승전에 가까워지는 모습을 확인하고는 궁으로 돌아와 가볍게 변장했다. 얼굴 대부분이 모자에 가려진 평민 소년으로 차림새를 바꾼 그녀는 서둘러 약속 장소로 이동했다.

뛰다시피 빠른 걸음으로 인적이 드문 골목에 들어서니 금세 낯익은 인형을 발견할 수 있었다. 기껏 변장을 해 봐야 색이 맞지 않은 콧수염을 붙이는 것이 다였기 때문에 평소대로 차려입고는 은빛 머리칼을 반짝이는 에곤에게 가까이 다가섰다.

엘로라가 가까워지자 기민하게 기척을 느낀 에곤이 고개

를 돌렸다.

"엘로라."

눈이 마주쳤다. 엘로라는 곧장 사태가 평소보다 더 심각함을 느낄 수 있었다.

음산하게 골목을 울리는 제 이름을 듣게 되니 걸음 속도가 살짝 느려졌다. 에곤은 지금 잔뜩 골이 나 있었다.

"그간 잘 지냈어?"

유한 분위기를 이끌어 내기 위해 엘로라가 싱긋 웃으며 상투적인 인사를 건넸다. 그런 엘로라를 빤히 바라보던 에곤이 한숨을 내쉬었다.

많은 감정이 담긴 한숨에 엘로라가 움찔했다.

굳이 나쁜 의도가 없었더라도 에곤의 입장에서 본다면 섭섭할 만할 일을 벌였다. 후폭풍까지 계산하여 결정한 일이긴 했지만 왠지 얘기가 짧게 끝날 것 같지 않았다.

일단 잘못한 사람은 엘로라, 자신이었기 때문에 굽히고 들어가기로 마음먹었다.

바짝 긴장한 엘로라 앞에서 마른세수를 한 에곤이 곧바로 본론에 들어갔다.

"어째서 내게 아무 말도 하지 않았지?"

하나마저 모르는 에곤이 화가 난 이유.

그것은 침묵이었다.

"네가 라엘에게 훈련받은 것을 포함하면 몇 달이야! 며칠도 아닌 무려 몇 달! 아버지도 형제들도 아는 사실을 나

혼자 몰랐어. 네가 본선에 진출할 때도 나는 네가 그런 위험한 일에 가담했을 줄은 꿈에도 몰랐지."

엘로라가 무투 대회에 참여한다는 건 아르미트 후작도, 라엘도, 요제프도 알고 있었다.

아르미트 후작에게는 아버지이니 간단하게라도 알리는 편이 낫겠다고 생각하여 편지를 보냈고, 라엘은 애초에 목적을 알리고 배움을 청했으니 시작부터 알고 있었다. 그리고 요제프는 어쩌다 라엘에게 들은 것인지 얼떨결에 알게 되었다.

그렇게 아르미트 가문에서 에곤을 제외한 모두가 엘로라의 무투 대회 참여를 알았다. 저 혼자만 이 중요한 일을 몰랐다는 사실에 가까스로 분노를 억누른 말투로 말을 이은 에곤이 냉소적인 미소를 지었다.

가감 없이 에곤의 분노를 받은 엘로라는 차분히 입을 열었다.

"오라버니만 쏙 빼놓고 일을 진행할 생각은 없었어. 하지만 오라버니만이 이 일을 반대할 걸 알았기 때문에 결과가 나올 때까지 알리지 않을 생각이긴 했어. 내가 원하든 원치 않았든 다들 아는 사실을 본인만 모르게 되어 오라버니의 감정이 상하게 되었으니 사과할게."

"그 말은 같은 상황이 반복된다 하더라도 같은 선택을 할 거라는 뜻이지?"

"……응."

"웃기지도 않은 변명이야. 반대하는 것이 당연한 일 아닌가? 목숨이 오가는 사지에 직접 뛰어들어 가겠다는데 반대하지 않을 사람이 어디에 있지?"

"죽으러 간 거 아니야."

"네가 아니라고 하더라도 대회 중 사상자가 나온다는 사실은 변함없지."

"죽고 싶어서 나간 것도, 호기심에 나간 것도 아니야. 얻어야 할 것이 있었기 때문에 약간의 피해는 감수한 거지. 지금까지 타인으로 위장하여 살아간 것과 별반 다르지 않았어."

"약간?"

어이가 없다는 듯 에곤이 엘로라가 썼던 표현을 반복했다.

"라엘 오라버니에게 얘기를 들었으면 알 거야. 내가 죽을 각오로 임한 것이 아니라는 걸. 이기기 위해 노력하고 실제로 대회 중 중상을 입은 적도 없었어. 죽을 뻔한 적은…… 딱 한 번뿐이었어."

"목숨은 하나뿐이지."

죽을 뻔한 적도 없다고 하려던 엘로라의 머릿속에 검은 투구와의 결전이 스쳐 지나갔다. 검은 투구에게 목숨을 빗진 순간이었다.

그 아슬아슬했던 상황을 에곤도 분명 목격했을 것이었다.

거짓말은 통하지 않았다. 살짝 뜸을 들이며 죽을 뻔했을지도 몰랐던 것을 인정했다.

"그때 넌 정말 죽을지도 몰랐어."

에곤 또한 그때가 떠올랐는지 서늘한 회색 눈동자로 엘로라를 내려다보았다.

"확실히 위험한 상황이었다는 건 인정해. 하지만 항상 위험했던 것만은 아니었어. 라엘 오라버니가 이 실력이면 상대가 날 죽이려 들어도 웬만해서는 피할 수 있을 거라고 했는걸. 실제로 한 경기를 제외하고서는 이제껏 죽음은커녕 큰 부상 하나 입지 않았어. 라엘 오라버니 말대로 된 거지. 알잖아, 라엘 오라버니가 대회에서 몇 번이나 우승을 차지했다는 사실을. 그래서 누구보다 무투 대회를 잘 파악하고 있어."

"그 녀석은 제 발로 걸어 다닐 때부터 천재 소리 듣고 자란 녀석이라 무투 대회가 위험하다는 생각 자체를 하지 못해."

"라엘 오라버니뿐만 아니야. 요제프 오라버니도……."

"그 자식은 말로만 널 걱정하지 실없어. 제 일 아니라고 설렁설렁 넘어가는 놈이야."

에곤이 엘로라의 말을 단칼에 잘랐다.

한마디, 한마디가 차갑게 파고들었다.

그러나 기죽지 않은 엘로라가 차분함을 유지한 채로 물었다.

"그러면 아버지는? 아버지도 허락한 일이야."

"아버지는 네게 무르지. 네게 죄를 지었다고 생각하시는 분이니까. 너도 그 사실을 알았기 때문에 내게 말하려고 하지 않은 것이겠지."

"……그런 이유가 아니야."

"만약 네가 하는 일에 자신이 있었더라면 항상 그랬던 것처럼 날 설득하려 했겠지. 하나, 넌 그러지 않았어. 그 말은 본인 또한 무리하고 있음을 자각하고 있었다는 것 아닌가?"

"설득할 자신이 없어서 오라버니를 피한 것이 아니야. 당시 나는 지쳐 있었고, 오라버니와 불필요한 언쟁을 하고 싶지 않았어. 되도록 방해 없이 목표 하나만을 바라보고 매달리고 싶었을 뿐이야."

"목표의 방향을 잘못 잡았군. 엘로라, 적어도 네 목숨은 소중히 여겨야지."

"목숨보다 소중한 것이 있었어. 오라버니도 살면서 목숨보다 중한 것이 한 번쯤은 있었을 테니 나를 이해할 수 있을 거잖아."

"그래, 지금 내 눈앞에 있지."

미미하게 인상을 찡그린 에곤이 엘로라를 다그쳤다.

"네게 있어 목숨보다 소중한 것이 무엇이었는지 몰라도 무책임한 행동이었다. 귀족도 아닌 평민의 신분으로 참여하다니. 널 가르친 것이 라엘이라고 하여 네가 라엘과 동등한 실력을 가진 것은 아니야. 그 무식하게 검밖에 모르는 놈처럼 쉽게 이길 수 있을 거라 생각한 건가? 너무 이상적인 목표를 좇고 있었어. 너는."

“…….”

“그리고 내게 변명만 늘어놓고 있지. 아니, 애초에 내가 반대한다고 해서 신경을 썼던가? 차라리 나 같은 것이 찬성하든 반대하든 무슨 감정을 느끼든 고려조차 하지 않았다고 말하는 것이 솔직할 것 같군.”

“그렇게 말하지 마!”

잠자코 듣고 있던 엘로라가 버럭 소리를 질렀다. 소리를 친 것이 스스로도 놀라운지 깜짝 놀란 표정을 짓던 엘로라가 지그시 두 눈을 감고 손바닥으로 얼굴을 감쌌다.

차갑게 식은 손의 냉기가 뺨을 적셨다. 손끝이 살짝 떨리고 있었다. 에곤이 하는 말 한마디, 한마디가 비수가 되어 꽂혔다.

저도 모르게 흥분한 탓에 거칠어지는 숨을 가다듬은 엘로라는 두 눈을 떴다. 그리고 한결 차분해진 얼굴로 목소리를 낮추어 얘기했다. 겉은 멀쩡해 보였으나 속은 꺼멓게 타들어 가고 있었다.

“오라버니가 날 소중히 여긴다는 건 알아.”

“알고 있다면……!”

“알고 있어. 날 동생 이상으로 소중히 여기고 있다는 걸. 아버지가 내게 죄를 지었다고 생각해서 무르다고 했지? 그건 오라버니도 별반 다르지 않잖아. 어머니가 살아 계셨더라면, 당시에 아버지가 조금만 더 제정신을 차리고 계셨더라면 오라버니도 지금쯤 내게 덜 신경 쓰고 있었겠지.”

"엘로라!"

진실을 털어놓은 엘로라가 쓰게 웃었다.

이 자리에 나오기 전까지만 하더라도 대화의 주제가 이렇게 되리라고는 상상도 하지 못했다. 에곤과 말다툼을 하게 되리라는 건 감안했지만 이런 얘기까지는 하고 싶지 않았다.

하지만 자꾸 가족의 존재를 낮추고, 심지어 에곤 본인까지 별것 아닌 취급을 받고 있다는 듯이 얘기하니 참을 수가 없었다.

"오라버니가 가정을 꾸린다면 좋은 아버지가 될 거야. 지금도 날 본인의 딸처럼 여기니까. 어머니가 돌아가시고 아버지가 상심에 빠졌을 때, 성인이었던 오라버니는 장남으로서 책임감을 느끼고 날 부모님처럼 돌봐 주었지. 다른 오라버니들보다 더욱 날 애틋하게 여기는 건 그 탓이잖아."

어머니의 죽음은 아르미트가에 있어 큰 사건이었다.

어머니의 죽음을 받아들이기도 벅찬 와중에 아버지까지 돌연 마음의 문을 닫아 버려 부모님의 부재가 컸던 시기였다.

당연하게도 모든 책임과 의무는 장남인 에곤에게 돌아갔다. 그는 아버지를 대신하여 가문의 대소사를 직접 지휘했을 뿐만 아니라 세 동생을 돌봐 주었다. 제 상처도 돌보지 못한 채.

"오라버니가 날 어떤 식으로 보는지에 대해 탓하는 게 아니야. 덕분에 나는 부모님의 부재를 느끼지 않고 컸잖아."

엘로라의 머릿속에 어릴 적 추억이 주마등처럼 지나갔다. 모두 행복한 기억뿐이었다. 에곤이 남매의 기둥 같은 존재가 되어 줬기 때문에 유지할 수 있는 행복이었다.

그는 부모님의 몫까지 모든 일을 완벽하게 소화했다. 다른 형제들과 짐을 나눌 수도 있었음에도 오롯이 본인이 짊어졌다. 어쩌면 슬픔에 무너질 수 없는 위치에 있음을 자각하여 차라리 슬픔을 잊을 만큼 바쁜 생활을 유지하는 것을 선택했는지도 모른다.

"그날, 오라버니가 무엇을 희생했는지 알고 있어. 알기 때문에 내게 있어 오라버니는 항상 소중한 가족인 거야. 하지만 그렇다고 해서 오라버니가 원하는 '나'에 부응할 수는 없어. 언제나 그날의 어린아이로 살 수는 없잖아."

"……."

"아버지는 죄책감 탓에 내게 무른 게 아니야. 믿고 있는 거야. 마찬가지로 걱정되지만 내가 스스로 일어나 걷기 위해 한 걸음 물러서서 날 지켜봐 주고 있어."

입술을 꽉 깨문 엘로라는 짓이기듯이 말을 이었다.

"한 사람으로 자라나는 데에는 사랑도 필요하지만 홀로 서는 법도 배워야 해. 스스로 일어나 걷고, 길을 선택하고, 그 일에 대가를 치르는 건 당연한 거야. 그런데 오라버니는 항상 앞에서는 내 의견에 동의하면서 뒤에서는 내가 걷는 길이 평탄하도록 몰래 수작을 부리잖아. 본인은 손에 피 한 방울 묻히지 않는 교묘한 방식으로."

너무 늦게 깨달았다. 에곤의 성향은 익히 알고 있었으나 가족이니까, 하나밖에 없는 오라버니니까 믿었다. 말하면 말하는 대로, 보여 주면 보여 주는 대로 의심하지 않으려 했다. 진실보다는 균형을 깨지 않기 위해 외면했다.

"프라시아가 오페라화될 수 있도록 요제프 오라버니에게 바람을 넣은 것도 오라버니지? 요제프 오라버니는 아무리 가족이 소중하더라도 정에 휩쓸려서 실패할 위험은 높지만 그만한 이익은 볼 수 없는 투자는 하지 않아. 개인도 아닌 상단의 이름을 빌려서 투자자에게 압박을 넣다니. 그런 일 과감하게 벌일 사람이 아니야. 어떻게 알았냐고 묻고 싶은 거지? 가족이잖아. 그간 지켜본 게 있는데 요제프 오라버니에 대해 자세히 모르는 게 더 이상하지."

"……."

"난 내게 떳떳하고 싶어."

에곤은 엘로라가 완벽한 삶을 살기 원했다. 거듭되는 성공의 신화를 이룩하며 실패도 상처도 받지 않는, 남들이 보기에 완벽한 삶.

그러나 너무 무결점인 삶을 계획하면 자연스레 엘로라가 의심하게 될 테니 관용처럼 적당한 실패는 허락했다.

이런 이유 탓에 에곤과 말다툼을 하고 싶지 않았다는 것이 진심이었다. 무투 대회에서 귀족들이 제 앞길을 막을 것 같은 상대를 남의 손을 빌려서 처리하는 방식을 에곤 또한 썼을지도 모를 일이니까. 그런 악습은 되풀이하고 싶지 않았다.

“완벽주의자인 오라버니가 잘 닦아 놓은 흠집 하나 없는 길을 걷고자 시작한 일이 아니야.”

“그건…….”

찔리는 것이 있었기에 말이 막혔다. 차마 말을 잇지 못하는 에곤에게 엘로라는 여전히 가라앉은 목소리로 물음을 던졌다.

“오라버니는 날 믿지 못하는 거지?”

엘로라는 문득 에곤의 얼굴을 보았다. 옅은 불빛에 의존하고 있는 골목에서 그의 얼굴은 짙게 그림자 져 있었다.

어둠이 어루만지는 에곤의 얼굴은 슬퍼 보였다. 그림자가 만들어 낸 환상이 아니었다. 그 얼굴을 본 순간 자신이 무슨 말을 했는지 깨달은 엘로라는 다급하게 입을 다물었다.

찬물을 끼얹은 듯했다. 단 한 번도 본 적 없는 표정으로 서 있는 에곤은 낯선 남자 같았다.

“……미안, 원래 사과만 하려고 했는데 쓸데없는 말까지 했어. 아무래도 진정하고 나서 다시 만나는 게 좋을 것 같아.”

“…….”

“서로 감정을 정리한 후에 만나자. 괜찮지?”

에곤이 말없이 고개만 끄덕였다. 그 모습을 본 엘로라는 시선을 돌렸다. 차마 그 얼굴을 계속 볼 수 없었다.

“먼저 갈게.”

다급히 인사한 엘로라가 도망치듯 뛰쳐나갔다. 어두운

골목을 빠져나가는 길에 언뜻 자신의 것도 에곤의 것도 아닌 그림자를 본 듯했으나 거리에서 흔히 볼 수 있는 길고양이라고 생각했다.

워낙 머릿속이 어수선하여 신경 쓸 여유도 없었다. 그것을 대수롭지 않게 여겨 고개를 푹 숙인 엘로라는 숨이 턱 끝까지 차올라 더는 뛰지 못할 때까지 달렸다.

에곤과의 만남 이후 엘로라는 넋이 나갔다.

꼭 껍데기만 남은 듯이 멍하니 있다가 '엘로라, 이 바보!'라고 외치며 쾅쾅 머리 찧을 때가 있었다. 과격한 엘로라의 언행을 목격한 히나가 두려움에 가득 찬 눈빛을 했다.

아몬과 헤어진 직후보다 더 심각해진 것 같아 보여 한 번은 걱정을 담아 살며시 말을 걸어 보았으나 다른 데에는 반응이 없어도 '에곤'이 언급될 때마다 상태가 악화되어 멀찍이 떨어져야 했다.

에곤과의 만남에서 무슨 대화를 나눴는지는 몰라도 확실히 무슨 일이 있었음을 히나도 알게 되었다. 엘로라로 변장했을 때 에곤의 살벌한 눈빛이나 현재 엘로라의 상태로 보아 아무래도 싸우지 않았다는 말은 거짓말이었음을 쉬이 알 수 있었다.

그 사이 좋던 남매가 싸운다는 것이 상상조차 되지 않았다. 나이 차도 많이 나서 현실 남매 같은 투닥거림도 없는 터라 더더욱.

동생이 있는 히나는 자신의 가족의 평소 모습에 엘로라와 에곤을 대입하다가 전혀 어울리지 않아 금세 망상을 지워 내고는 하루라도 빨리 상태가 호전되길 바라며 엘로라의 앞에 디저트를 자주 내놓았다.

기분이 좋지 않을 때 단것만큼 좋은 약이 없었다.

본인 입에 평소보다 더 많은 양의 디저트가 들어가고 있음을 눈치채지 못한 엘로라는 에곤과 헤어진 이후 자신이 쏟아 버린 말을 후회하고 있었다.

분위기에 휩쓸려 할 말 못할 말 다 하고 말았다. 딱히 틀린 말은 없었으나 그렇다 하여 좋은 얘기는 아닌 터라 계속해서 떠올랐다. 마지막에 보았던 에곤의 얼굴 또한. 몹쓸 짓을 한 기분이었다.

에곤을 만나기 전까지만 하더라도 좋게 넘어가려 했는데 괜히 욱해서는 일을 키워 버렸다. 스스로를 용서하지 못한 엘로라가 마지막에 본 에곤의 얼굴이 떠오를 때마다 쾅쾅 머리를 찧어 이마가 발갛게 부었다. 셀 수 없을 정도로 많이 떠올렸다는 증거였다.

당황한 히나가 붓기를 가라앉히려고 노력했으나 썩 효과를 보지 못했다. 앞머리가 있어서 참으로 다행이었다. 강한 바람이라도 불어 앞머리가 날아가지 않는 이상 남들이 보기에 수상한 빨간 이마가 드러날 일은 없었다.

이렇듯 다소 제정신이 아닌 엘로라 앞에 일정 거리를 한결같이 유지하고 있던 로렌츠 가문의 영애, 루디아가 먼저 말을 걸었다. 그녀는 영혼이 사라진 엘로라에게 바짝 다가와 이런저런 질문을 폭풍처럼 쏟아 냈다. 상태가 썩 좋지 않은 엘로라의 귀에 그녀의 말이 제대로 들어올 리 만무했다.

대충 에곤의 이름이 많이 언급되었고 중간중간에 라하트 또한 들은 듯한데 두 사람 다 현재 엘로라에게 있어 썩 좋은 이야깃거리가 아니었다.

로렌츠 영애가 두 남자를 언급할 때마다 엘로라의 머릿속에 그 이름이 선명히 박혔다. 듣는 둥 마는 둥 있다가 얼떨결에 잠깐 잊고 있었던 라하트에 관한 일까지 떠오른 엘로라는 로렌츠 영애 앞에서 빨간 이마를 내보일 뻔했다.

다행히 한 줌의 이성은 남아 있어 귀족으로서 차마 보일 수 없는 과격한 행동은 하지 않았다. 대신 누구보다 성격이 더러운 못난이 엘로라로서 꺼지라는 말을 돌려 표현했다.

굉장히 당황한 표정을 지은 로렌츠 영애는 자리를 떠났다. 원래라면 그녀의 집요한 행동의 원인을 알아볼 계획이었으나 말도 제대로 못 듣고 있는 상황에서 그럴 정신이 남아 있을 리 없었다.

강하게 나갔으니 더는 귀찮게 굴지 않을 거라 생각했다.

그러나 그건 엘로라의 착각이었다. 그 뒤로 출석 도장 찍

듯이 매일 로렌츠 영애가 다가와 귀찮게 굴었다. 그제야 히나가 말했던 집요함이 무엇을 뜻하는지 정확히 이해할 수 있었다.

사실 로렌츠 영애가 달라붙는 건 그리 큰 사건은 아니었다. 제정신이라면 적당히 상대하고 돌려보냈겠지만 에곤의 일도 모자라 라하트까지 떠오른 엘로라는 제정신이 아니었다.

넋이 나간 엘로라는 그녀가 하는 말을 다 한 귀로 흘려들은 탓에 무엇을 하고 싶은지 정확히 파악하지 못했지만 질문 공세를 퍼붓는 것으로 보아 자신에게서 어떤 사실을 캐내고 싶어 하는 듯하다는 인상을 강하게 받았다.

그녀의 의도를 알고자 하는 의욕도 없는 터라 계속 넋을 놓고 있다가 에곤이나 라하트가 언급되어 이마를 찡고 싶은 마음이 들 때면 더는 얘기를 듣고 싶지 않다며 차가운 말을 한마디 해 주고는 자리를 떴다.

이전에 말을 건 것이 계기가 되어 준 건지 다시 회복한 로렌츠 영애를 상대 아닌 상대를 해 주고 있자니 대역하는 동안 그녀를 무시하느라 히나가 고생이 많았겠구나 싶었다.

로렌츠 영애와 이상한 관계를 유지하는 동안 에곤과는 아무런 진전이 없어도 시간은 흘러, 드디어 결승전이 다가왔다.

명예롭게 결승전에 오른 두 남자는 바로 검은 투구와 루디아의 오라비인 루시안 로렌츠였다.

루시안은 루디아와 똑 닮은 아마빛 머리가 눈에 띄는 청년이었다. 외모도 준수하여 뭇 여인들의 마음을 설레게 했다. 그는 아직 누구에게도 손수건을 청하지 않아 결승전인 오늘, 과연 누구에게 손수건을 청할지 귀추가 주목되었다.

검은 투구 또한 손수건을 청하지 않은 건 마찬가지여서 그들에게 손수건을 줄 영광을 안을 여인은 과연 누구인지에 대한 얘기로 원형 경기장이 가득 들어찼다. 혹시나 하는 마음에 두근대는 가슴을 안고 찾아온 여인들이 많은 날이었다.

경기 시작 전, 사회자가 두 남자 모두 손수건을 청하고 싶은 여성이 있음을 밝혔다.

먼저 움직인 건 루시안이었다. 그는 오를린 백작 영애 앞에 섰다. 로렌츠 남작 가문과 오를린 백작 가문의 관계를 생각한다면 지극히 정치적인 태도였다. 두 사람은 각본이 정해진 연극처럼 실수나 당황 없이 미리 준비해 두었던 손수건을 주고받았다.

그렇게 루시안이 자리로 돌아오고 검은 투구의 차례가 되었다.

얼굴도 보이지 않는 데다 온몸을 검은색으로 치장한 해괴한 취향을 가지고 있음에도 검은 투구는 인기가 많았다. 그 인기를 구사한 데는 뛰어난 검술 실력이 한몫하기도 했고, 얼굴이 안 보이니 오히려 상상할 여지를 줘서 얼굴을 드러내 놓고 다니는 것보다 설렌다는 것이 대부분의 의견이었다.

엘로라는 짧게 검은 투구에게 시선을 주었다. 그와 짧게나마 인연을 잇는 동안 만난 여자라고는 검은 투구의 후원자인 크리센즈인밖에 없었다.

그녀에게 주려는 것일까. 무투 대회에 내국인만 참여 가능하다는 규칙은 있었지만 외국인에게 손수건을 청하면 안 된다는 규칙은 없었다.

손수건을 받고 승리를 거머쥐면 여성이 승리의 여신이 되어 줬다 하여 여성 또한 영예를 얻었다. 특히 결승전에서는 그 의미가 특별해졌다.

그녀는 상단을 꾸리고 있다 했으니 상단의 인지도와 호감을 올릴 수 있는 기회가 될 터였다. 루시안과 마찬가지로 검은 투구 또한 현실적인 계산이 깔려 있는 것이었다. 애초에 이런 목적으로 후원을 한 것이겠지만.

전쟁에 나가는 남자에게 무운을 빌며, 자신을 잊지 말아 달라는 의미에서 흰 손수건을 주었던 것이 무투 대회의 손수건 주고받기의 기원이 되었다는데 현대에 와서 그 의미가 많이 변질되었다. 사실 다들 제 욕구를 채우기 위해 개최한 무투 대회이니 새삼스러울 것도 없었다.

이동하는 검은 투구에게서 시선을 뗀 엘로라는 다시 넋을 놓았다. 오늘 결승전을 치른다는 말은 오늘부로 무투 대회가 끝난다는 의미였다. 시간이 이리 지났으니 슬슬 에곤과 다시 얘기를 나눠 봐야 할 텐데 자신이 생기지 않아 걱정이었다.

에곤과 이런 식으로 언성을 높이며 말다툼을 한 건 처음이나 마찬가지였다. 엘로라는 의견이 상충되거나 분열의 조짐이 보이면 좋은 말로 설득부터 했고, 에곤은 저보다 한참 어린 엘로라에게 웬만해서는 한 수 접고 들어갔다. 비록 표면상일 뿐일지라도 어쩔 수 없다는 듯이 제 의견을 굽히는 다정한 오라비인 것이었다.

자주 다투던 사이면 비교적 빠르게 사과하고 끝을 맺을 테지만 처음이라서 낯설었다. 특히 쏟아지는 엘로라의 폭언에 에곤이 지은 표정은 평생 잊지 못할 것이었다.

에곤과 완벽하게 유지하던 균형이 부서졌다.

영원할 거라 믿었던 세계가 무너진 기분이었다. 평소보다 감정이 격앙되었음을 느꼈을 때 한 발자국 뒤로 물러섰어야 했다. 이제 와 후회한다 한들 지나간 일이지만.

한 번 쏟은 말은 돌이킬 수 없다. 그렇기 때문에 항상 신중해야 한다.

이 사실을 똑똑히 알고 있지만 엘로라도 사람인지라 감정이 격해지면 나중에 후회할 실수를 하고는 했다. 근래 들어 실수가 잦은 듯해 더 걱정이 깊었다.

에곤에 대해 생각하는 것만으로도 머릿속이 펑펑 터질 것처럼 벅찬데 사랑한다느니 뭐니 달콤한 말을 잔뜩 늘어놓고 어쩌면 지금도 다른 여자와 시시덕거릴지 모르는 라하트 또한 불쑥불쑥 떠올라 문제였다.

에곤에 비하면 그리 잦은 빈도는 아니었다. 정말 표현 그대로 불쑥불쑥 떠올랐다. 앞뒤 개연성이라고는 없이 에곤에 대해 걱정을 하다가, 아몬의 나무를 돌보다가, 식사를 하다가, 잠들기 위해 침대에 누웠다가. 라하트의 'ㄹ'도 나오지 않아도 뜬금없이 라하트가 묘령의 여인과 함께 있는 모습이 떠올랐다. 그러고 자연스럽게 라하트가 사랑한다 고백한 것은 정복욕 때문일지도 모른다고 했던 대화가 떠올랐다.

지금까지 라하트의 진심을 의심한 적 없었다.

진한 보랏빛 눈동자와 마주할 때마다 거짓 하나 없는 순수한 마음을 엿볼 수 있었다.

하지만 라하트가 진심마저 속일 수 있는 사람이라면?

언행이 솜털처럼 가벼워도 가끔 위화감이 들 때가 있었다. 그것이 타인을 속이는 데에 능숙한 라하트의 본모습일 수도 있었다.

고백은 장난이고, 반응을 떠보기 위해 단순히 갖고 논 것뿐이라면?

사랑을 해 본 적 없는 인간인 것 같으니 사랑한다 들이대면 어떻게 될지 궁금해서 고백하고 반응을 즐겼을 수도 있다.

라하트가 사랑을 고백하는 그 순간부터 항상 의문이었다. 성격도 나쁘고 외모도 추악한 인간을 연기한 자신을 사랑한다니. 사랑은 무조건적인 베풂이 아니었다. 인간의 감정이 마르지 않는 우물이 아니듯.

추악하기 때문에 사랑한다. 이 얼마나 위태로운 사랑이

란 말인가. 얄팍하고 깨지기 쉬웠다.

추악한 점까지 사랑한다는 말은 가능했으나 완벽히 추한 사람을 사랑한다는 건 있을 수 없었다. 그런 건 지어낸 이야기에서만 있을 수 있는 일이었다. 엘로라는 로맨스를 믿지 않았다.

아니면 그때 질린 거라면?

아몬과의 이별 이후 라하트에게 경계하지 않고 기댔다. 뾰족하게 내세웠던 가시를 그때만큼은 잠시 숨겼다. 솔직하게 자신을 내보인 것이다.

생각해 보면 그날 이후 연락이 끊겼다. 적극적으로 좋아하겠다고 선전 포고를 날린 것과 다르게 물속처럼 고요했다. 모두 망상인 듯하면서도 아귀가 딱딱 맞아떨어졌다.

이 가정이 모두 사실이라면 원래 최악이라고 정평이 자자한 남자이니 소문과 별반 다를 것 없다면서 넘어가면 됐다. 그들은 계약 관계이고, 엘로라는 라하트를 사랑하지 않으니까.

그러나 자주 부딪치면서 소문처럼 나쁜 이가 아니라 판단했기 때문인지 가정을 부정하고픈 마음이 컸다. 그리 순수하게 웃을 수 있는 사람이 타인의 감정을 가지고 노는 쓰레기일지도 모른다는 건 너무나 가혹한 일이지 않은가.

가정이 진실인지 한낱 망상인지 확인해 보는 방법이 있긴 했다. 그러나 라하트의 뒤를 캐내려는 시도는 하지 않았다. 모든 것을 머릿속에 묻어 둘 뿐이었다.

진실을 마주한다는 것이 두렵기도 했고 엘로라 자신이 그래도 되는 위치인지 확신이 서질 않았다.

그와는 얇은 종이 몇 장으로 엮인 관계였다. 감정적인 면은 최대한 제하고 있었다. 그가 고백했다 하더라도 엘로라는 그것이 변함없다 생각했다.

계약상으로는 그가 무엇을 하든 관심을 갖지 않는다 했으니 그래야 함이 옳았다. 게다가 곧 헤어질 사이였다. 이혼하면 남남이 될 텐데 굳이 그가 진짜 쓰레기가 맞는지 확인 절차를 거칠 필요는 없었다.

불쑥불쑥 떠오르는 건 이성적으로 제어할 수 있는 부분이 아니니 어쩔 수 없다만 라하트의 행적을 뒤쫓는 건 달랐다.

웬만해서는 라하트의 존재를 잊고 싶었지만 고장 난 건지 또 떠올리고 말았다.

그 반짝이는 보랏빛 눈동자가 머릿속에 선연하게 그려져 미미하게 인상을 찡그리던 엘로라는 뒤늦게 시끌벅적해야 하는 사위가 이상할 정도로 조용함을 깨달았다.

마치 무덤 같은 고요에 위화감을 느끼고는 퍼뜩 정신을 차리고 앞을 보았다.

시야가 까맣게 찼다. 그새 해가 지고 밤이 된 것은 아니었다. 검고 커다란 물체가 코앞에 있었다.

순간 상황을 인식하지 못한 엘로라가 느릿하게 두 눈을 깜빡였다. 검고, 커다랗고, 움직이는 물체. 아니, 정확히 말하자면 사람이었다. 흔히 볼 수 없지만 이제는 익숙한 디자인의 검은 투구가 엘로라의 시선이 닿는 곳에 있었다.

이렇게 가까이에서 투구를 볼 수 있다니. 이상했다. 원래라면 앉아 있는 엘로라가 고개를 들어야 볼 수 있는 투구였다.

발목을 타고 스멀스멀 올라오는 두려움을 느끼며 천천히 시선을 아래로 떨군 엘로라는 경악했다.

그가 있었다. 무릎을 꿇은 채로.

누가 있는 힘껏 뺨을 내려친 기분이었다.

솜털이 쭈뼛 섰다. 뻣뻣하게 굳은 엘로라가 조심스럽게 눈알을 굴려 주위를 둘러봤다. 다들 엘로라와 별반 다를 것 없는 표정을 짓고 있었다. 이에 용기를 얻어 동작을 조금 더 크게 했다.

믿어지지 않는 상황에 주위를 둘러보다가 옆에 앉은 황태자와 눈이 마주쳤다. 눈이 마주치자마자 다급히 살짝 시선을 비껴간 그가 웃었다. 엘로라의 얼굴이 아닌 어깨 너머, 허공을 쳐다본 황태자는 점잖은 목소리로 침묵을 깼다.

"레이디를 향한 기사의 손이 애처로워 보이는군. 고된 여행을 떠날 그를 위해 손수건 하나쯤은 맡기는 것도 나쁘지 않은 선택이지 않는가."

"……저에게 하는 말씀이신가요?"

"또 누가 있겠는가."

다른 이로 착각한 것 아니냐고 따지고 싶었다. 하지만 착각할 수 없는 위치였다. 근처에 다른 영애라도 있으면 실수했구나, 하겠지만 그런 것도 아니었다. 옆에 있는 사람이라고는 황태자밖에 없었다.

검은 투구는 취향이 독특할 뿐이지 미치지 않았다. 황태자에게 손수건을 청한다는 미친 상상을 하느니 차라리 얌전히 현실을 받아들이는 것이 나았다.

그렇게 현실이라는 막다른 벽에 부딪친 엘로라는 힐끗 검은 투구를 보았다. 손수건을 줄 때까지 떠나지 않겠다는 듯이 부동의 자세로 있었다.

"혹 손수건을 가져오지 않았을 리는 없을 테고. 다른 이에게 주는 모습은 내 보지 못했는데 무슨 문제라도 있는가?"

능청스러웠다. 문제가 있느냐고? 많았다. 그것도 엄청!

황태자쯤 되는 사람이 정말 아무것도 몰라 한 말은 아닐 테고, 분명 알고 있었다. 엘로라가 난처해하고 있음을. 그리고 충분히 난처한 상황임을.

엘로라는 유부녀였다. 미혼 여성과 기혼 여성이 주는 손수건의 의미는 사뭇 달랐다. 검은 투구가 아르미트가 혹은 황가에서 후원해 주는 사람이라면 선뜻 손수건을 주더라도 아무 문제가 되지 않을 테지만 익히 알고 있듯, 검은 투구는 크리센즈에서 온 후견인이 있었다.

대체 이 남자는 언제 만났다고 손수건을 청하는 것인가.

접점? 없었다. 옷깃만 스쳐도 인연? 옷깃도 스친 적 없었다!

그윈일 적은 아예 다른 사람으로 쳐야 하니 제외하면 눈도 마주친 적 없는 남자에게 손수건을 주길 강요받고 있었다. 여러모로 복잡했다. 보는 눈이 많았다. 손수건을 준 후 일어날 스캔들은 모두 엘로라가 홀로 감당해야 할 것들이었다.

괜한 소란을 원치 않은 엘로라로서는 이 갑작스러운 불청객이 반가울 리 없었다.

검은 투구의 의도가 무엇인지는 몰라도 무투 대회에서 손수건을 주고받는 보편적인 관념을 이해하고 있다면 이는 분명 엘로라를 엿 먹이려는 계략이었다.

아히발트도 마찬가지였다.

만약 아히발트가 검은 투구의 행동을 적당 선에서 저지했더라면 단순 해프닝 취급당하고 말았을 것이다. 황제와 황후가 석상에 없는 지금, 공식적으로 절대적인 발언권을 갖고 있는 건 아히발트이니.

그런데 아히발트까지 가세하여 손수건을 주라고 부추기고 있었다. 도망갈 구석이 없이 궁지에 몰렸다.

이런 일로 구설수에 오르면 불이익을 받는 건 엘로라뿐이었다. 검은 투구가 먼저 손수건을 청했고, 엘로라는 아무것도 모른 채 당했다 하더라도 상관없었다.

당장 눈앞에 건장한 남성이 유부녀, 그것도 제국에서 제일 못나고 결혼까지 한 여성에게 손수건을 청했다. 남자가 미치진 않았을 테니 먼저 꼬드긴 건 분명 여자 쪽일 거다.

사람들은 너무나도 자연스레 그런 식으로 생각하고 있을 것이었다.

비난을 받는 것도 손수건을 주고 난 후의 스캔들을 감안하며 난처해야 하는 것도 모두 엘로라의 몫이었다. 슬프게도 현실이 그러했다.

아히발트는 라하트처럼 쾌락주의에 빠진 사람이 아니었다. 재미있어 보이는데 본인 일이 아니니까 뒷일은 생각지 않고 무책임하게 행동하지 않았다. 아니, 그동안 그런 사람이라 믿어 왔다. 그런데 지금 아히발트의 행동은 그가 쌓아 왔던 이미지를 와르르 무너지게 했다.

이제껏 아히발트와 라하트는 형제임에도 불구하고 풍기는 분위기나 인상이 달라서 딱히 닮았다는 생각이 들지 않았다. 그런데 오늘 이후 확신했다. 둘은 피를 나눈 형제다. 누구 하나가 주워 온 자식일 경우는 절대 없었다.

모든 걸 알면서도 미소 짓는 아히발트의 얼굴은 라하트와 판박이였다.

"……아무런 문제 없습니다."

면전에 따지기에는 아히발트가 절대 권력을 쥐고 있었다.

대체 왜 그러는지 한마디 하고 싶었지만 그에게 반기를 들어 봤자 이득이 없었다. 실이 됐으면 되었지, 절대 이보다 상황이 좋아질 수 없었다.

소지품을 뒤졌다. 합의되지 않은 깜짝 이벤트에 손수건을 미리 준비해 뒀을 리 없었다. 불가항력을 받아들이고 나니 주위에서 경악 어린 시선으로 쳐다보는 것이 느껴졌다. 그럴 것이다. 당사자도 놀라운데 보는 사람은 오죽하겠는가.

따로 챙겨 온 손수건이 없었더라면 볼 만한 구경거리가 나올 뻔했겠지만 엘로라의 품에는 직접 수놓은 손수건이 딱 한 장 있었다. 무투 대회를 고려하여 들고 온 것은 아니었다. 개인적인 용도는 더더욱 아니었고.

라하트에게 주려 했던 손수건이었다.

만약 만나게 된다면 선물하려 했다. 그가 머리카락 한 올 보이지 않아 계속 들고 있게 되었지만.

오지 않을 확률이 높아도 혹시나 하는 가능성에 아침마다 챙기게 되었다. 언젠가 줄 날이 올 거라 믿으며. 기껏 열심히 수를 놓았는데 먼지만 쌓이면 마음 아프지 않은가.

손수건을 꺼내자 손끝이 떨렸다.

누군가에게 줄 목적으로 수를 놓았기 때문일까. 막상 건네주려니 망설여졌다. 손수건을 보인 이상 도로 집어넣을 수 없음을 알면서도.

항상 그렇다. 이성적으로 올바른 행동이 무엇인지 자각하고 있어도 그것을 하지 못할 때가 있었다. 그리고 지금은 이성적으로 행동해야 할 때였다.

어차피 주지 못할 손수건이라면 차라리 타인의 손에 들어가 그 가치를 인정받는 것이 나았다.

엘로라는 잠시 모든 걸 내려놓았다. 손수건 또한.

숨도 쉬지 않는 듯, 미동조차 하지 않던 검은 투구가 손수건을 받자마자 자리에서 일어났다. 깔끔한 움직임으로 인사한 그는 목적을 이루고 나니 미련 없이 사라졌다.

그와 함께 마법 같던 정적이 사라지고 차차 말소리가 공간을 메웠다. 그중 엘로라의 귀로 예상했던 얘기가 들어왔으나 못 들은 척 있었다. 마치 아무 일도 없었던 것처럼.

"자네의 손수건을 받았으니 우승은 확정이겠군."

"그것은 두고 보아야 아는 일이지요."

"황가의 일원이 주는 손수건을 받았다면 이기는 건 당연한 수순이지."

웃기지도 않은 말이었다.

아히발트 딴에는 좋은 의미로 한 말이겠지만 기만당하는 느낌이 강했다. 라하트의 관심이 없으면 누구도 인정하지 않는 지위였다. 타인에 의존해야 하는 위치. 엘로라에게 있어 황가의 일원이라는 건 그만큼 너무나도 덧없었다.

입을 꾹 다문 엘로라는 더는 대화를 지속하지 않았다. 대신 검은 투구를 내려다보았다. 이 소란의 시작을 알린 사람치고는 매우 태평했다. 온몸을 꽁꽁 싸매고 있으니 언뜻 감정 변화가 없어 보였다. 항상 그러했지만 상황이 상황인 터라 평온한 반응이 평소보다 더 도드라졌다.

조금 정이 많고, 조용하며, 나쁘지 않은 사람이라 생각했다.

그윈으로 만났을 때도 서로 속내를 털어놓는 사이는 아

니었던 터라 그 이상은 알 수 없었다. 때로는 타인을 깊게 들여다보는 것보다 서로 선을 지키며, 일정 거리를 유지하는 것을 더욱 친밀하게 느끼기에 엘로라는 검은 투구의 침묵을 좋아했다.

하지만 이럴 줄 알았다면 검은 투구의 근처에 얼씬도 거리지 않았을 거다. 아는 사람에게 골탕 먹는 것보다 모르는 사람에게 골탕 먹는 것이 훨씬 나았다.

검은 투구가 손수건을 받아 간 이후 꼭 사방이 적인 것처럼 느껴졌다. 주위의 귀족은 말할 것도 없으며 방관자였던 아히발트와 연관 없다 여겼던 검은 투구까지.

마치 짐승이 우글거리는 굴에 홀로 떨어진 것 같았다. 에곤과 라하트의 문제로 넋을 놓고 있을 때가 아니었다. 적어도 이 자리에 있을 때만큼은 정신 똑바로 차리고 있어야 했다.

뒤통수를 따끔하게 찌르는 시선을 인식하며 엘로라는 자신의 꼴을 돌아볼 수 있었다.

못난이 엘로라였다. 이 자리에 앉아 있는 인물은. 그러니 또 넋 놓고 있다가 이상한 일에 휘말리지 말고 잠깐 가면을 쓸 필요가 있었다.

좌중을 차갑게 만들었던 소란 끝에 경기가 정상적으로 시작했다. 보고도 믿어지지 않는 일이 잠깐 벌어졌으나 지금 벌어지는 경기는 결승전이었다. 한 번의 실수로 지금까지 쌓아 온 모든 것을 잃을 수 있었다. 팽팽한 긴장감이 주위를 압도했다.

결승에 오른 귀족과 평민. 이 구도에서는 보통 귀족이 이길 확률이 높았다. 높은 이유에는 별다를 게 없었다. 교육의 질이었다. 귀족들은 꾸준히 교육을 받아 왔지만 평민은 다르다. 어찌 이 자리에 올라왔어도 날 때부터 정해진 격차를 좁히지 못하고 패배하는 경우가 빈번했다.

검은 투구 또한 루시안 로렌츠와 검을 맞댄 지 얼마 지나지 않아 점차 밀리고 있는 것이 눈에 보였다. 결승답게 치열한 승부를 예상했던 것과는 달리 금방 결과가 날 듯했다. 고전하는 검은 투구를 보며 기대했던 많은 관객들이 비난을 날리기 시작했다. 혹 못난이 엘로라의 손수건을 받아 저주받은 것 아니냐는 조롱 어린 얘기도 섞여서 들려왔다.

지켜보고 있던 엘로라 또한 그 관객들처럼 검은 투구에게 비난을 날리고 싶은 심정이었다. 단순히 그가 형편없었기 때문이 아니었다. 직접 싸워 봐서 알았다. 검은 투구의 실력이 어느 정도인지. 그는 결코 덧없이 꺾일 실력을 가진 사내가 아니었다.

상대를 기만하고 있냐고 묻고 싶을 정도로 실력을 제대로 발휘하지 못하고 있었다. 상대의 검을 막는 것조차 버거워 보였다. 엘로라를 무섭게 몰아붙이던 그 남자와 달랐다.

검은 투구가 맥을 못 추스리고 있는 모습을 보고 있자니 화가 치밀었다.

저런 조잡한 실력으로 결승전에 올랐단 말인가? 엘로라

가 검을 맞댄 남자는 저렇게 나약하지 않았다. 엘로라는 드레스를 입은 채 자신이 저 자리에 서도 저것보다 나으리라 장담할 수 있었다. 그만큼 말도 안 되는 경기력을 보여 주고 있었다.

비록 검은 투구가 엘로라에게 엄청난 엿을 먹였지만 그렇다 하더라도 엘로라가 검은 투구의 실력을 인정한다는 사실은 변치 않았다. 우승을 목표로 지난 몇 달간 스스로를 담금질했던 엘로라를 단념케 한 상대였다. 엘로라는 올라가지 못하더라도 이 정도 실력이면 검은 투구가 대신 월계관을 쓸 수 있으리라 믿었다.

그런데 막상 고전하는 검은 투구를 보고 있자니 자존심이 상했다. 함께 검을 맞댈 때 그 존재가 커다랗게 보이던 검은 투구는 어떻게 결승전에 올라왔는지 의심이 들 만큼 수세에 몰리고 있었다.

엘로라가 검은 투구에게 진 것은 이딴 조악한 결승전을 보기 위함이 아니었다. 차마 눈 뜨고 보기 괴로울 정도로 처참했다. 실력을 인정했으면 그만한 기량을 보여 주길 바랐다. 다른 누구도 아닌 원래 결승전에 올라 우승을 차지할 엘로라를 저지했지 않은가. 검은 투구만 아니었어도 지금 저 자리에 서서 싸울 사람은 엘로라였다.

자만이 아니었다. 만반의 준비를 한 엘로라는 항상 완벽했다. 스스로 정한 기준에 부합하지 않으면 달리는 것을 멈추지 않는 그녀를 선선히 인정하게 만든 사람이 검은 투구였다.

그런데 자신을 꺾고 올라간 인물이 저러고 있으니 화가 나지 않을 리 없었다. 분노가 머리꼭지까지 차올라 얼굴이 뜨거워졌다.

주먹을 꽉 쥐었다. 검은 투구가 이기길 바랐다. 그가 손수건을 받아 갔든 말든 상관없었다. 무투 대회가 끝난 후 홀로 곪어져야 할 스캔들의 파장은 잠깐 잊혀졌다.

자신과의 대결이 검은 투구에게 있어 별것 아니었을 수도 있다. 그렇다 할지라도 엘로라에게는 패배를 안겨 줬던, 오래도록 기억에 남을 경기였다. 엘로라에게 검은 투구는 단순히 우승으로 가는 장애물이 아니었다. 언젠가 그 어깨를 나란히 하고 싶은 열망을 갖게 한 라이벌이었다.

엘로라는 지금의 검은 투구를 인정하고 싶지 않았기에 자연스럽게 그를 응원하게 되었다.

허접한 쓰레기한테 진 것이 아니었다. 그러니 직접 증명해 주길 바랐다. 그의 가치를.

엘로라의 바람이 닿기라도 한 것인지 경기 내내 고전하던 검은 투구의 움직임이 달라졌다. 페이스를 되찾은 듯, 조금씩 반격하기 시작했다. 일방적으로 맞기만 하던 경기의 흐름은 검은 투구의 움직임에 따라 살짝 묘해졌다.

일방적으로 한쪽이 압도적인 경기를 보기 위해 찾아온 것이 아니었던 관중들은 볼 만한 경기가 나오기 시작하자 환호했다. 엘로라 또한 자신이 아는 검은 투구의 모습이 점차 나오면서 덩달아 흥분했다.

그날, 엘로라가 검은 투구에게 졌던 건 실수나 우연이 아니었다. 유려하게 상대를 노리는 검이 이를 증명하고 있었다. 하지만 상대인 루시안은 당황하는 기색이 없었다.

검은 투구의 결정적인 약점. 정면이 아닌 모든 시야가 검은 투구에게 있어서 사각이라는 사실이 본인에게 유리하게 작용하고 있음을 인식하고 있었기 때문이었다.

검은 투구가 치고 올라오는 듯해도 결국 객기일 뿐이라 여기고 루시안은 더 강하지도 약하지도 않게 정공법을 유지했다. 그러나 루시안이 기세를 높여 검은 투구를 밀어붙이지 않은 건 실수였다.

검은 투구가 꼼수를 쓰거나 운이 좋아 약점을 이겨 내고 이 자리에 섰다고 여겨 지금처럼만 하면 이길 수 있을 거라고 안일하게 생각한 듯한데 진실은 그렇지 않았다.

투구에 눈이 달렸나 의심해 볼 만큼 상대의 움직임을 정확히 잡아냈다. 패턴을 익힌 것은 아니었다. 실제로 변칙적으로 공격을 바꿔 본 엘로라가 확실히 알았다. 그렇다면 검은 투구가 사각으로 치고 들어오는 공격을 막는 방법은 딱 하나뿐이었다.

오로지 정면으로 보이는 좁은 시야만으로 상대의 움직임을 예측하는 것이었다. 리스크가 큰 행동이었다. 조금이라도 타이밍이 늦거나 빠르면 큰 상처는 물론이고 목숨을 잃을 수도 있었다.

그럼에도 투구를 쓰는 것을 고집하며 여기까지 온 검은 투구는 여러 의미로 대단하다 할 수 있었다.

만약 검은 투구가 귀족이었더라면 루시안 또한 검은 투구의 실력을 의심치 않았을 것이다. 하지만 상대가 평민이었기에 얕보고 있었다. 평민끼리 싸워서 올라와 봤자 실력이 거기서 거기라는 인식이 깔려 있는 거였다. 그런 루시안의 방심은 검은 투구가 초반에 형편없는 실력을 보인 것도 한몫 거들었다.

상대의 실력을 제대로 파악하지 못하는 건 패인에 직접적인 영향을 끼쳤다. 과소평가하는 순간부터 최선을 다하지 않게 되며 쉽게 빈틈을 보일 수밖에 없었다.

검은 투구는 한정된 시야로 상대의 움직임을 잘 읽을 뿐만 아니라 찰나의 틈마저도 날카롭게 치고 들어오는 인물이었다. 그런 상대 앞에서 방심하고 있으니 결과는 불 보듯 뻔했다.

크게 휘두르는 루시안의 공격에 검은 투구가 몸을 숙였다. 이에 루시안은 검은 투구의 머리를 반으로 가를 듯, 거침없이 내리쳤다.

검은 투구는 큰 부상으로 이어질 수 있는 공격을 침착하게 막아 냈다. 검과 검이 부딪치고 루시안의 검이 크게 튕겨져 나갔다. 움직임을 최소화한 검은 투구는 곧바로 아래에서 위로, 루시안의 턱을 노리며 찌르려 했다.

루시안이 반사적으로 몸을 살짝 뒤로 기울였다. 원래라

면 검은 투구의 검을 쳐 냈겠지만 움직임을 쓸데없이 크게 한 바람에 다음 동작이 늦었다.

과소평가. 그것은 루시안이 저지른 크나큰 실수였다.

루시안의 동작이 굼뜬 순간을 놓칠 리 없는 검은 투구가 발로 복부를 가격했다. 무게 중심이 뒤쪽에 있던 루시안은 속수무책으로 뒤로 넘어졌다.

일반적으로 뒤로 넘어지게 되면 크게 다치지 않기 위해 손으로 바닥을 짚게 되었다. 그런데 루시안은 두 손으로 검을 꼭 쥐고 있던 탓에 뒤통수가 제대로 바닥에 부딪쳤다. 검을 놓을 법도 하건만 끝까지 쥐고 있었다.

마지막의 마지막까지 이길 수 있으리라 생각한 것일까.

줄곧 검은 투구에게 초점을 맞췄던 엘로라의 시선이 루시안에게로 향했다. 검은 투구가 루시안을 넘어뜨리는 순간 승리를 확신하여 벅차올랐던 기쁨은 고개를 숙이고 있었다.

루시안이 끝까지 검을 놓지 않았기 때문일까?

엘로라는 스스로에게 의문을 던졌다.

어디인가 위화감이 느껴졌다.

끝까지 자신의 패배를 생각지 않은 루시안을 시작으로 눈앞에 퍼즐 조각이 흩어졌음을 깨달을 수 있었다.

결승전이라고는 하나 압도적으로 유리한 경기였기 때문에 자만했던 남자와 붉은 띠를 두른 목만 드러내고 있어 언뜻 보면 기괴하다 느껴질 수 있는 검은 남자. 제 얼굴뿐만 아니라 정체까지 숨긴 검은 투구를 쓴 남자에게 쏟아지는 환호. 그리고 보는 이들을 모두 열광케 한 짜릿한 역전승.

루시안과 충분히 대등한, 어쩌면 그 이상의 실력을 가졌음에도 엘로라로 하여금 형편없다는 평을 가차 없이 내리게 한 초중반 경기력은 못난이 엘로라에게 손수건을 받아 저주 받았다는 초반 여론에 보탬이 되었으나 후반에 가서는 누구도 언급하지 않았다.

그도 그럴 것이 검은 투구는 절망적이기까지 했던 경기의 흐름을 조금씩 자신의 쪽으로 유리하게 이끌어 갔다.

어쩌면 검은 투구가 이길지도 모른다는 생각이 빈번하게 들수록 빈말이라도 엘로라 때문에 검은 투구가 저 꼴이라는 말을 할 수 없었다. 검은 투구에게 희망이 생긴 상황에서 엘로라를 언급하게 된다면 그가 잘하고 있는 것이 엘로라 덕분이라는 의미가 되었으니까.

엘로라는 전체적인 정경을 감상하듯, 멀찍이 떨어져서 검은 투구와 루시안의 경기를 시작부터 끝까지 머릿속에서 되돌려 보았다. 쭉 이어지는 흐름은 하나의 완벽한 성장 스토리를 감상하는 듯했다.

그리고 깨달았다. 오늘 검은 투구의 경기는 이제껏 그윈이 했던 수법과 비슷했다.

엘로라는 설마, 하는 생각을 떨쳐 냈다.

그럴 리 없었다. 검은 투구가 무엇이 아쉬워 결승전에 와서 그런 짓을 했단 말인가. 압도적으로 이기나 역전하여 이기나 우승하는 건 똑같았다. 굳이 따지자면 후자는 귀찮고 신경 쓸 것이 많았다.

지름길이 있는데 먼 길 돌아갈 필요가 없다는 말이었다. 일부러 후자의 상황을 유도하는 사람은 당연하게도 엘로라밖에 없었다.

쇼맨십이 필요했기 때문에? 하지만 검은 투구는 그런 걸 신경 쓰지 않는 남자였다. 마지막에 와서 쇼맨십을 운운하는 것도 웃겼다.

생면부지 남인 엘로라에게 손수건을 받아 낸 것부터 시작하여 수상한 점이 한두 가지가 아니긴 했으나 현재 검은 투구에게 쏟아지는 환호는 그가 정당하게 일구어 낸 결과물이었다. 그것만은 누구도 부정하지 못할 것이다.

지금은 축하해 줄 때였다. 찝찝함을 떨쳐 내며 엘로라는 악수를 나누고는 경기장에서 사라지는 두 남자의 뒷모습을 눈에 담았다.

결승전이 끝났다. 잠시 준비를 가진 후 하나뿐인 우승자를 위한 수여식이 있을 예정이었다.

관중석에서는 결승전이 끝났어도 들뜬 분위기가 가라앉지 않았다. 결승전의 끝이 대회의 끝은 아니었기 때문이었다. 검은 투구의 역전승에 대한 흥분이 쉬이 가라앉지 않은 것도 있었으나 제국의 명실상부한 최고의 기사, 라엘의 차례가 남아 있었다.

수여식에 오른 우승자를 보기 위함보다 라엘과 올해 무

투 대회 우승자의 대결을 지켜보기 위해 자리를 떠나지 않고 앉아 있는 사람이 대부분이리라.

수여식은 황태자인 아히발트가 직접 상품을 하사했다.

본디 황제가 해야 하는 일이지만 그는 건강을 문제 삼아 참석하지 않아 자연스레 아히발트의 몫으로 돌아갔다.

건강하던 황제가 근 몇 달 사이에 병환을 얻은 건 아니었다. 황제는 정정했다. 멀쩡한 황제가 황후와 함께 외부 행사에 참석하지 않은 이유는 아히발트에게 황위를 안정적으로 계승하기 위함이었다. 권력을 나눠 주는 과정이었다.

이로 인해 아히발트는 기반을 더욱 굳건히 다질 수 있을 터였다.

검은 투구가 단상 위로 올라갔다. 수여식에서도 검은 투구는 검은 투구였다. 특수 제작하여 하얀 목만 드러내는 검은 투구를 쓴 그는 복장도 바뀌지 않은 채 아히발트 앞에 섰다.

이례적인 일이었다. 무투 대회 개최 이후 최초로 펼쳐진 광경이라는 걸 이 자리에 있는 모두가 확신할 수 있었다. 황족 앞에서는 모자조차 벗어야 하는 것이 당연한 일인데 투구는 오죽할까. 꿋꿋이 투구를 쓰고 있는 행동은 무투 대회 우승자라 할지라도 충분히 무례한 일이었다.

그러나 우리의 자애로운 황태자, 아히발트는 너그러웠기에 예의를 문제 삼아 검은 투구가 숨기고자 하는 비밀을 만천하에 드러내지 않았다. 비밀에는 얼굴만이 포함되는 게 아니었다.

검은 투구는 수여식에서도 '어둠의 지존'이라 불렸다. 공식적인 기록에도 그렇게 적힐 것이었다. 아히발트의 도량이 얼마나 넓은지 알 수 있는 대목이었다.

더불어 검은 투구가 얼마나 대단한 사람인지도 알 수 있었다. 영원히 '어둠의 지존'이라 불려야 하는 고통을 감수한 것이다. 보통 사람이라면 참기 힘든 일이었다.

제법 긴 연설을 마친 아히발트가 남자의 머리에 월계관을 씌워 주었다. 정확히는 투구 위였다.

투구에 걸쳐진 월계관은 꼭 한 편의 희극처럼 보였다.

그러나 단상 위에 서 있는 사람은 배우가 아니었다. 그 사실을 직시하고 있었기 때문에 아무도 웃지 않았다. 그저 축하하고, 환호하고, 함성을 질렀다.

월계관 다음은 무투 대회가 개최되기 전부터 화제가 되었던 황실의 보물, 클라우디아의 팔찌였다. 사진으로만 모습을 보였던 보물이 드디어 세상에 드러나자 주위 소음이 더욱 커졌다. 그간 존재 자체도 몰랐다고는 하나 무려 황실의 보물이었고, 사랑을 이루어지게 하는 신물로 과대 포장되어 관심이 집중되었다.

그토록 바랐던 팔찌가 결국 저자에게 돌아가는구나.

검은 투구가 우승하길 강렬히 원했지만 정작 눈앞에 펼쳐진 풍경을 보고 있자니 실감이 나지 않았다. 클라우디아가 아몬에게 선물하기 위해 제작했던 팔찌는 오랫동안 수

많은 보물들 사이에서 먼지만 쌓이다가 결국 정체 모를 남자의 손에 떨어졌다.

클라우디아의 염원은 끝내 이루지 못할 것이 되었다. 엘로라의 목표도 저문 지 오래였다. 검은 투구와의 경기에서 패배하는 순간 개운하다 여겼는데 막상 보고 있자니 또 기분이 묘했다.

미련은 없다 생각했는데 역시 아쉬움이 남은 것일까. 쓴 미소가 절로 지어졌다.

수많은 사람들이 저 자리에 서기 위해 기나긴 대결을 했다는 걸 감안하면 짧은 시간 내에 상품 수여가 끝났다. 검은 투구가 들고 있는 팔찌에서 시선을 놓지 못했던 엘로라는 불쑥 제 쪽으로 고개를 돌리는 검은 투구의 행동에 놀랐다.

고개만 돌린 것이라면 놀란 티도 내지 않았을 것이다. 하지만 검은 투구와 눈이 마주친 듯한 기분에 모골이 송연했다.

투구 탓에 눈이 마주쳤다고 확신할 수는 없어서 웬만하면 우연이라 믿고 싶었다. 그저 고개를 돌렸을 뿐인데 딱 그곳에 자신이 있었다던가.

불길한 기운이 스쳐 지나갔다. 저도 모르게 미세하게 뒷걸음질 친 엘로라는 주위를 둘러봤다. 퇴로를 확보해야 했다. 정말 눈이 마주친 것이 아니라 믿고 싶었지만 세상은 혹시 모르는 일로 가득했다.

누구의 방해도 받지 않고 혼자 조용히 있을 만한 곳을 찾고 있는데 단상 아래로 내려온 검은 투구가 엘로라가 있는 방향으로 걸어가기 시작했다. 주위를 살피는 엘로라의 동공이 더욱 빠르게 굴렀다.

이미 이쪽으로 오기 시작한 검은 투구와 사방이 사람으로 가득한 원형 경기장. 혼자 조용히 있을 만한 곳이 근처에 있을 리 없었다. 레이디들의 휴게실이 있긴 했지만 그곳에 가려면 당장 뛰어가도 늦었다. 느릿하게 걷는 듯해도 실제로 검은 투구의 걸음 속도는 무척이나 빨랐다.

중간에 그가 다른 방향으로 틀지 않을까, 자신에게 온다고 생각하는 건 너무 과잉 반응이 아닐까 하고 생각한 적도 있지만 검은 투구는 꿋꿋했다. 단 한 번도 새지 않고 엘로라에게 다가왔다.

처음에는 신경 쓰지 않던 사람들도 검은 투구의 목적지가 점차 확실해지자 관심을 갖기 시작했다.

엘로라는 속으로 외쳤다.

다가오지 마, 다가오지 마, 다가오지 마!

이런 절박함과 다르게 점점 더 검은 투구와의 거리가 좁혀졌다.

검은 투구가 어떤 검은 속내를 갖고 다가오는지는 몰라도 이 이상 마주치고 싶지 않았다. 결승전을 치르기 전 손수건을 준 것만으로도 충분했다.

조금씩, 아주 조금씩 뒷걸음질 치던 엘로라는 희망을 버리지 않고 계속 주위를 살폈다. 검은 투구가 자신에게 오는 것이 명백한 상황에서 어딘가로 이동하기에는 매우 부자연스러웠다.

보는 눈이 없으면 마음대로 움직였을 테지만 보는 눈이 너무 많았다. 게다가 검은 투구의 목적지가 누구인지 알게 되는 사람이 늘어남에 따라 엘로라를 주목하는 시선이 부쩍 늘어났다.

여타 다른 귀족과 다른 행보를 보였다 해도 엘로라는 태생이 귀족이었으며 현재 황실의 일원이었다. 그건 달리고 싶어도 달릴 수 없는 사람이라는 뜻이었다. 지금 주위를 살피는 것조차 조심스러워 동작을 크게 하지 않았다.

차라리 무슨 일이 생겨서 아무나 자신을 어딘가로 데려가 줬으면 좋겠다는 생각이 들었다. 만약 곁에 히나가 있었더라면 눈치껏 아무 일이 없어도 일이 있는 척 자신을 데리고 나갔을 텐데 현재 시중을 드는 사람은 모두 황실 측 사람들이었다.

적당한 핑곗거리라도 생겼으면 하는 바람으로 또 고개를 돌리던 엘로라는 언뜻 은빛을 보았다. 엘로라와 똑같은 색의 머리칼이었다. 흔치 않은 그 색을 보자마자 머릿속은 백지장이 되었고 몸은 딱딱하게 굳었다.

에곤이 온 건가?

말다툼을 한 이후 경기장 근처에는 절대 걸음하지 않았던 에곤이었다. 서로가 서로를 피했는데 오늘 그날의 일을 해결하고자 걸음한 것일까 싶었다.

슬슬 에곤과 만나야 한다고 생각은 했지만 준비가 되지 않은 엘로라가 미래를 걱정하는 동안 당장 현실의 문제인 검은 투구가 앞에 섰다.

기척을 느끼고 그제야 정면을 바라본 엘로라는 저보다 키가 훌쩍 큰 검은 투구를 보기 위해 고개를 들려고 했다. 손수건만큼이나 충격적인 행동을 하면 어쩌나 걱정하며.

그러나 엘로라가 고개를 들 필요는 없었다. 바짝 긴장한 엘로라 앞에서 검은 투구는 정중히 무릎을 꿇었다.

기사를 흉내 내고자 하는 걸까. 투구를 쓰고 있는 탓에 한쪽 무릎을 꿇고 있는 검은 투구는 꼭 전쟁을 마치고 다급히 돌아온 병사 같았다. 승전고를 울리고 돌아온 병사.

하지만 기쁜 소식을 안고 돌아온 그에게 더는 줄 손수건도 없었다. 그의 승리이지 엘로라의 승리는 아니었기에 더더욱.

반 발자국 물러섰다. 솔직한 심정으로 매우 부담스러웠다. 다시 집중된 이목뿐만 아니라 검은 투구의 행동 또한. 썩 좋지 않은 표정으로 검은 투구를 내려다보니 그가 팔찌를 내밀었다. 손수건을 요구했던 그때처럼 의미가 분명한 행동이었다.

그는 항상 말 대신 행동으로 자신의 뜻을 드러냈다.

팔찌가 반짝였다. 세월의 흐름은 슬쩍 봐서는 티가 나지 않았다. 오랫동안 방황하여 사람의 손을 타지 않은 탓인지 새것 같았다.

검은 투구가 선뜻 내민 팔찌를 보고 흔들리지 않았다면 거짓이었다. 고양이 앞에서 생선을 흔드는 격인데 아무 감정도 들지 않을 리 없었다. 수여식을 지켜보면서 마지막의 마지막으로 남은 감정을 확인했지 않은가.

잠깐 갈등했다. 이것을 받을지에 대해.

덥석 받고 싶은 마음도 들었으나 그러지 않은 이유는 손수건 한 장을 주는 데에도 많은 고민을 했던 것과 같았다.

엘로라는 변장한 채 돌아다닐 때와 다르게 행동이 자유롭지 않았다. 지금도 호기심 어린 시선이 잔뜩 느껴졌다. 엘로라가 못난이 변장을 한 채 바깥에 모습을 드러내는 순간부터 보이지 않은 족쇄가 채워졌다.

수많은 말을 삼켰다.

사실 여기서 수락과 거절은 크게 의미가 없음을 인지하고 있었다. 손수건에 이어 팔찌까지. 팔찌를 받는다면 저들의 상상이 옳다고 주장할 테고 거절한다면 주위 시선을 의식하여 받지 않았을 뿐, 실제는 다르다고 주장할 것이었다.

엘로라는 그래도 자신을 보호할 구실이라도 만들기 위해 거절하기로 마음먹었다.

"……저는."

거절의 말을 하는 도중 우연히도 아히발트를 볼 수 있었다. 그는 빙긋 웃으면서 이 상황을 지켜보고 있었다. 라하트가 겹쳐 보이는 미소였다. 억지웃음도 아니고, 허례허식의 가식적인 웃음도 아니었다.

가능한 일인가?

혹 잘못 보고 있는 건가 싶어 빠르게 두 눈을 깜빡이고 다시 보았지만 마찬가지였다. 웃고 있었다. 이 상황이 기쁜 듯이. 아무 문제없다는 듯이. 참으로 사람 좋은 미소였다.

손수건을 주는 건 관례이니 어쩔 수 없다 하더라도 구애를 의미하는 팔찌마저 받게 된다면 엘로라는 황실을 기만하는 것이 되었다.

부도덕한 여자는 황실의 명예에 먹칠을 하고, 그를 낳은 가문에도 씻을 수 없는 오욕을 남긴다.

황실에서도 그리 좋은 일은 아닌 것이다.

철저하게 황제가 되기 위해 교육받아 온 아히발트가 이런 일을 달가워할 리는 없었다. 라하트와 엘로라의 이혼이라도 바라지 않는 이상.

'이혼'을 떠올린 순간 흠칫한 엘로라가 입술을 꾹 다물었다.

라하트의 바람은 이혼 사유가 될 수 없으나 엘로라의 바람, 아니 굳이 바람이 아니더라도 그 비슷한 것만으로도 이혼 사유가 될 수 있었다. 정숙하지 못한 아내는 어디에서도 환영받지 못했으니.

대신 지저분한 이혼이 될 것이었다. 절대적인 황실의 명령을 이기지 못하여 가문의 명예를 지키기 위해 계약 결혼을 결심한 엘로라가 선택할 리 없는 극단적인 방식이었다.

이혼을 바라듯이 계속 불명예를 지도록 등을 떠미는 아히발트, 새로운 여자를 찾았다는 소식이 들려오는 라하트, 엘로라를 망나니를 갱생시킬 도구로만 보는 황제와 황후, 피할 수 없는 스캔들, 그리고 그토록 바랐던 클라우디아의 팔찌.

가족과 친구는 엘로라에게 있어 절대적이었다.

둘 다 선택할 수 없어 가족이라도 지키고자 끝까지 두 발로 내딛고 서 있었으나 이제 현실을 냉정히 돌아보고 인정해야 했다.

불화는 불가피한 것이었다.

아히발트의 목표가 라하트의 이혼이어서 이런 상황을 의도적으로 꾸민 것이라고 가정한다면 아주 훌륭한 계획이었다. 엘로라 또한 느끼고 있었다. 자신을 더럽히지 않는 이상 아히발트가 결혼한다 하더라도 황제와 황후는 순순히 놓아주지 않을 거란 사실을.

라하트가 갱생될 수도 있다는 가능성을 봤으니 진실이 아니라 하더라도 그 가능성에 매달릴 거였다.

달콤한 허구를 놓지 못하는 것이 인간이었다.

'널 좋아하는 걸까?'

그건 엘로라가 라하트에게 묻고 싶은 질문이었다.

정말 날 좋아하나요?

'좋아해.'

'너를.'

한여름 밤의 꿈과도 같은 속삭임이었다.

다 녹아 버린 사탕 같은 기억이기도 했다.

사랑에는 다양한 종류가 있다.

엘로라는 그중 남녀 간의 사랑이 무엇인지 몰랐다. 그런 종류의 사랑을 받은 적도, 느껴 본 적도 없었다.

만약 그날 라하트가 말했던 감정을 받는 것조차 이토록 거슬리고 불유쾌하다면 냉정히 끊어야 했다. 그렇지 않다면 계속 반복될 뿐이었다.

차라리 이런 식으로라도 그와 멀어진다면.

결심한 엘로라가 손을 내밀었다. 손 위에 올려놓으라는 의미에서 손바닥이 위로 향하도록 내밀었지만 검은 투구는 직접 팔찌를 채워 줬다. 덩치와는 다르게 섬세한 손길이었다. 마치 정말 사랑하는 이에게 팔찌를 채워 주듯이.

지금 무슨 표정을 짓고 있을지 상상도 가지 않았다. 항상 표정만큼은 완벽하게 관리한다고 믿어 왔는데 이 얼굴이 꼭 자신의 얼굴이 아닌 것처럼 느껴졌다. 타인의 가면을 빌려 쓰기라도 한 것 같았다.

거울이 있었다면 제 얼굴을 자세히 들여다봤겠지만 안타깝게도 근처에 얼굴을 반사시킬 물건은 없었다. 당장 확인할 방도가 없으니 그저 해괴한 표정만은 아니기를 바랐다.

능숙한 솜씨로 팔찌를 채워 준 검은 투구가 제대로 착용됐는지 확인하듯 분주히 움직이던 손을 멈추었다. 그 짧은 시간 동안 엘로라는 저 검은 손이 라하트의 것이었더라면 어땠을까, 하고 생각했다. 하지만 그 생각은 검은 투구가 자리에서 일어남과 동시에 지워 버렸다.

있을 수 없는 일을 생각하는 걸 흔히들 망상이라 불렀다.

검은 투구가 라하트일지도 모른다는 건 망상이자, 엘로라의 작은 바람일 뿐이었다. 미약한 한숨에도 사라질 바람.

“황실의 보물은 손수건의 답례로 나쁘지 않은 선물이지.”

한차례 소란이 끝나고, 많은 이들이 기다렸던 라엘과 우승자의 대결을 앞둔 채 아히발트가 굉장히 즐거운 듯이 말했다. 그는 이 상황이 재미있는 모양이었다.

당황한 엘로라는 아무 말도 하지 않았다. 괜히 말해 봐야 무엇 하겠나 하는 심정이었다.

묘한 기분으로 팔찌를 내려다보았다. 의식하지 않으려 해도 계속해서 보게 되었다. 이런 식으로 손아귀에 쥘 거라 상상도 하지 못했는데. 노력에 대한 보상이 아닌 탓인지 썩 달갑지만은 않았다.

팔찌를 보며 상념에 빠져 있는 동안 휴식 시간이 끝나고 라엘과 검은 투구가 경기장에 모습을 드러냈다. 검은 투구가 치명상을 입었더라면 본 경기가 연기됐을 테지만 다행히 큰 부상을 입지 않아 빠르게 진행되고 있었다.

검은 투구의 체력이 걱정될 법했지만 주최 측에서 선수의 체력을 고려치 않고 무리하게 진행하는 일은 없으니 괜찮다는 뜻이었다.

엘로라는 많은 이들의 환호 속에서 등장하는 검은 투구와 라엘에게 시선을 주었다.

몇 주 전까지만 해도 매일 얼굴을 봤던 라엘은 그 사이에 별다른 일은 없었는지 그대로였다. 대신 누군가와 결투를 펼친다는 기대감 때문인지 생기 있어 보였다. 어쩌면 저보다 강한 상대일지도 모른다는 기대감. 멀리서 봐도 느껴지는 감정이었다.

"누가 이길 거라고 생각하는가?"

"오라비와 다르게 이쪽은 문외한이라 잘 모르겠습니다."

"그렇다면 나와 내기를 하지 않겠는가?"

"예?"

오늘따라 아히발트가 이상했다.

평소 아히발트의 입에서라면 절대 나오지 않을 '내기'라는 단어에 엘로라가 의문을 표했다. 이런 엘로라의 반응을 예상했다는 듯이 특유의 사람 좋은 미소를 지으며 말했다.

"농이 아닌 진담이네. 보통 누가 승자가 될지 돈내기를 하고는 하지. 그편이 더 재미있으니까. 하나 우리는 돈내기로 즐거움을 느낄 처지가 아니지 않는가. 그러니 각자 소원을 거는 건 어떤가?"

"제가 어찌 전하와 노름을 하겠습니까."

"자네 아니면 나와 놀이를 할 사람이 어디 있는가. 이런 제안에 그나마 응할 사람은 라하트 하나뿐인데 어디에서 무엇을 하고 있는지 코빼기도 보이지 않는 녀석을 부를 수 없는 일이지. 애초에 부른다 하여 올 녀석도 아니지만."

'라하트'라는 이름이 언급되자 엘로라는 저도 모르게 움찔했다.

"본디 내기란 운에 맡기는 것이지. 세간에는 아르미트의 연승에 추를 놓고 있다만 이변이란 언제든 일어나게 돼 있지. 결론이 나기 전에 둘 중 누가 이길지 정확히 단정 지을 수 없는 일 아닌가."

"……그렇지요."

"그 말은 결국 둘 중 하나는 이기게 돼 있으니 우리 둘 다 운에 맡기면 된다네. 부담스럽게 여길 것 없고, 단순히 흥을 돋운다고 생각하면 될 것이야."

엘로라가 검은 투구에게 팔찌를 받음으로써 기분이 좋아졌는지 들떠 있는 것이 한눈에 보였다. 더불어 아히발트는 물러설 생각이 없어 보였다. 내기에 응한다 하지 않으면 계속 괴롭힐 기세였다.

못생긴 얼굴 탓에 눈도 마주치지 못하는 사람이 내기를 하자고 하다니. 다소 어이가 없었지만 권력 앞에서 무기력했기에 어쩔 수 없이 승낙할 수밖에 없었다. 이래서 사람은 힘이 있어야 했다.

"그렇다면 저는 오라버니에게 거는 것이 맞겠지요."

"내기가 성립돼야 하니 나는 저 검은 투구에게 걸지."

아히발트도 차마 '어둠의 지존'이라는 이름으로 부를 수 없는지 검은 투구라고 불렀다. 누구도 부를 수 없는 이름을 지은 검은 투구가 존경스럽기까지 했다.

그 이름을 제대로 부르는 사람이 없을 거라 생각하는 엘로라 앞에 아히발트가 뒤늦게 떠올랐다는 듯이 "아, 그렇지." 하며 운을 띄웠다.

"그러고 보니 소개하는 걸 깜빡했군. 저자는 내가 후원하는 인물이라네."

"……예?"

"인재는 어디에서나 귀한 법이지. 사람이 몇이든 결국 시대를 이끌어 나가는 건 뛰어난 사람이니까. 그러니 당황해할 것 없네. 오늘 있었던 일은 철저히 함구시킬 예정이니. 주변에는 미리 언질을 해 두었지."

"……."

"자네가 생각하는 그런 일은 벌어지지 않아. 내 두 눈 뜨고 황실에 먹칠을 하는 일을 지켜볼 리 없지 않은가."

아히발트의 말을 듣고 엘로라는 속으로 비명을 질렀다.

이혼을 바라는 것이 아니었던가. 나쁜 의도가 없었다면 처음부터 얘기해 줬으면 좋았을 것 아닌가.

찰나의 순간에 수많은 고민과 걱정을 했던 엘로라는 허탈해졌다. 머릿속에 그렸던 최악의 상황은 아니라 다행이긴 했지만 할 수만 있었다면 아히발트의 멱살을 잡고도 남았다.

처참한 심정으로 손수건을 주고 팔찌를 받았다는 걸 뻔

히 알 만한 위치에 있는 사람이 늦어도 너무 늦게 진실을 밝혔으니 질이 나쁘다고밖에 표현할 길이 없었다.

누가 아히발트를 보고 성군이 되기에 충분한 자격을 갖춘 이라고 했던가. 방금 일을 듣게 된다면 그 소리는 쏙 들어가게 될 것이었다.

구겨지려는 인상을 억지로 편 엘로라는 간신히 이성을 잡았다.

사방이 적이었다. 이곳에서는 싫어도 싫은 티를 내서는 안 됐다.

몇 번이나 스스로를 다독이던 엘로라는 무언가 이상함을 느끼고 가만히 생각해 보니 자신이 알고 있는 사실과 아히발트의 발언이 앞뒤가 맞지 않음을 깨달았다.

그윈일 때 잠깐 만난 크리센즈인은 분명 본인이 검은 투구의 후견인이라고 했었다. 검은 투구 또한 그에 대한 부정을 하지 않았고.

그런데 아히발트는 지금 검은 투구의 후견인이 자신이라고 주장하고 있었다. 누구 한 명은 거짓말을 하고 있다는 의미인데, 둘 중 누구라도 거짓말을 할 필요가 없는 사람들이었다.

한 명은 은연중 볼흐라스에 대한 적대감이 남아 있는 크리센즈 상인이었고, 다른 한 명은 즉위가 기정사실화된 황태자였다. 그들이 무엇이 아쉬워 한낱 평민의 후견인이 자신이라고 앞다퉈 주장하겠는가. 진짜 평민이 아니라면 몰라도 불가능에 가까운 일이었다.

이쯤 되면 검은 투구의 정체가 궁금해졌다.

크리센즈인과도 친밀하며 무려 황태자에게 후견인이라는 말을 들을 수 있는 사람. 보통 인물이라면 가능한 일이 아니었다. 황실과의 접선이 있어야 했으며 크리센즈와도 연이 닿아야 했다.

크리센즈와 볼흐라스라고 하면 물과 기름처럼 서로 어울리지 않았기 때문에 한쪽도 이루기 힘든 조건이었다. 하지만 검은 투구는 당당하게 그 중간에 있었다.

결국 둘 중 하나였다. 익히 알려졌듯 평민이지만 남들보다 더 굴곡 있는 인생을 살아왔거나 평민이 아니거나.

태생이 귀족이지만 아예 신분 자체를 속여 무투 대회에 참여했던 엘로라는 본인의 경험이 있어 후자에도 무게의 추를 올렸다. 그러나 검은 투구는 머리카락 한 올조차 드러내지 않은 남자였기 때문에 그의 실체는 미궁 속으로 빠졌다.

검은 투구의 정체에 대해 여러 가지로 유추하며 라엘과 검은 투구의 경기를 보던 엘로라는 식은땀을 흘렸다.

라엘 탓이었다. 경기가 시작된 지 얼마 지나지 않아 확실히 느낄 수 있었다. 지금 라엘은 검은 투구가 철천지원수라도 되는 듯이 죽일 작정으로 달려들고 있었다.

절대 적당히 하는 수준이 아니었다. 결승전보다 치열한 양상이 전개되었다. 상처라고 해 봤자 미미한 수준이었던 이전 경기와는 다르게 3분도 채 지나지 않아 검은 투구가 피를 보았다.

상처를 한 번 입기 시작한 후 계속 늘어나기 시작했다. 어찌어찌 막아서 큰 상처는 입지 않았으나 차라리 큰 상처를 한 번 입어 경기를 끝내는 게 낫다고 생각될 정도로 살벌한 경기였다. 라엘이 뿜어 대는 살기가 여기까지 느껴졌다. 보는 이들마저 기가 질리게 했다.

라엘이 사적인 감정을 섞어 가며 경기에 임하게 된 이유는 그리 멀지 않았다. 팔찌와 손수건. 그것이 라엘을 자극한 게 분명했다.

엘로라는 제 오라버니를 잘 알고 있었다.

그는 엘로라에게 당당히 손수건을 요구하지 못했던 과거에 불만을 품고 있었다. 라엘 또한 손수건을 받은 후 우승을 차지하여 엘로라에게 기쁨을 선사하고 싶은데 정식적인 출전을 금지당하는 동안 단 한 번도 하지 못했다. 사이가 좋지 못하다는 헛소문을 퍼뜨린 탓이었다.

라엘의 속마음을 먼저 알아본 엘로라가 따로 손수건을 챙겨 주었지만 밖에 나가면 누구에게 받았는지 밝힐 수 없는 손수건이 되었다. 죄를 지은 것도 아닌데 숨겨야 하니 불만이 쌓일 수밖에 없었다.

그래도 엘로라가 직접 수를 놓은 손수건이었기에 제 몸의 일부분인 것처럼 떼어 놓지 않았다. 너무 소중히 여겨 라엘이 비밀리에 연애하고 있다는 소문이 돈 적도 있을 정도였다. 이건 엘로라가 모르는 일이었다.

이렇듯 자신도 당당히 요구하지 못하는 손수건을 웬 시커먼 남자가 나타나서 들고 갔으니 라엘은 잔뜩 심술이 난 상태였다. 자세한 사정을 모르는 남들의 눈으로는 라엘이 과하게 경기에 몰입하고 있는 것으로 보였다.

열정적인 것이 나쁘다는 건 아니지만 너무 과하여 이러다 진짜 검은 투구가 죽는 건 아닌가 싶었다. 단번에 목숨을 끊는다면 주위에 있는 사람들 모두 두 눈 뜨고 지켜볼 수밖에 없었다.

엘로라는 제발 라엘에게 마지막 이성은 남아 있길 바랐다.

한 번에 훅 갈 수 있음을 검은 투구 또한 인식한 건지 검은 투구가 라엘을 필사적으로 막아 냈다. 일방적인 결투였다. 검은 투구의 실력이 만만치 않다고 생각했는데 거칠게 밀어붙이는 라엘을 보고 있자니 대륙 최고의 검이라 불리려면 얼마나 대단해야 하는지 실감할 수 있었다.

금세 라엘의 승리로 끝날 것 같던 경기는 검은 투구가 생각보다 잘 막아 내면서 제법 길게 이어졌다. 하지만 경기 내내 검은 투구가 흐름을 잡은 적은 없었다.

라엘은 조금의 빈틈도 보이지 않으며 경기를 이끌어 갔다. 당장 검은 투구가 진다고 해도 이상하지 않을 상황이었다.

자잘한 상처를 입을지언정 큰 부상을 입는 것만은 겨우 피하던 검은 투구는 지친 기색이 보이지 않았지만 계속 치고 들어오는 라엘에게서 심리적 압박감을 느낀 것인지 답지 않게 아차 하는 사이 옆구리에 상처를 입었다. 사각을 노려도 매섭게 알아채던 이제까지와 달랐다.

검이 꽤 깊숙이 들어갔다. 지금까지 경기 중 흘렸던 것과 비교도 할 수 없는 양의 피가 새어 나왔다. 다급히 상처 부위를 손으로 감싼 검은 투구가 라엘과의 거리를 벌렸다.

아직 경기를 계속할 수 있다고 판단하여 심판이 가만히 있는 듯한데 이 상태라면 아마 다음이 마지막 공격이 될 것이었다.

엘로라는 마지막인 만큼 혹 모를 희망을 위해 검은 투구가 온 힘을 다해 밀어붙일 것이라 예상했다. 항상 최선을 다하는 남자였으니.

두 사람이 검을 고쳐 잡았다.

팽팽하게 이어진 긴장감 속에서 라엘이 먼저 달려갔다. 피에 젖어 태양 아래 붉은빛을 띠는 라엘의 검이 위협적으로 검은 투구를 향했다.

그리고 검은 투구는…….

"저런."

검을 내려놓았다.

검은 투구의 검이 바닥을 뒹굴었다.

옆에 있는 아히발트의 감정 없는 감탄사를 들어도 제가 보고 있는 것이 진짜가 맞는지 확신이 서지 않았던 엘로라는 길쭉이 뻗은 검은 팔이 위로 향하는 걸 목격할 수 있었다.

그가 두 손을 들었다. 의미가 명백한 행동에 목을 벨 듯이 달려들던 라엘이 우뚝 자리에서 멈춰 섰다.

항복.

항복이었다.

"이변은 일어나지 않았군."

승부는 검은 투구의 항복으로 결판났다.

아히발트는 허무하게 내기에서 졌음에도 불구하고 어쩐지 안도하고 있는 듯했다. 원래 내기에서 이겨야 좋아하는 것 아닌가? 그사이 내기를 했다는 걸 잊었을 리는 없을 테고.

여전히 알 수 없는 아히발트의 속내에 의문을 표하는 사이 그가 여전히 원형 경기장에 시선을 준 채 물었다.

"내기에서 졌으니 약속대로 소원을 들어줘야겠지."

"저는 바라는 것이 없습니다. 이 내기는 무르도록 하지요."

"기껏 잡은 기회인데 너무 쉽게 물러나는 것 아닌가?"

"기회라 생각하지 않습니다."

황태자에게 감히 소원을 들어 달라고 말하는 간 큰 사람이 어디 있는가. 아무리 내기라고 하더라도 엄두가 나지 않았다. 아히발트가 '기회'라는 표현까지 써도 빌 소원도 없을뿐더러 괜히 책잡히기 싫은 엘로라는 적극적으로 뒤로 물러섰다.

"방금 했던 말은 못 들은 걸로 하지. 사람의 마음은 언제든 바뀔 수 있는 것이니까."

꺾을 수 없는 고집에 엘로라는 수긍하는 척했다.

당장은 고개를 끄덕여 놓고 잊고 살면 되는 일이었다. 그들은 앞으로 남남처럼 살 사람이었다. 내년쯤이면 아예 남으로 돌아설 예정이고. 오늘 아히발트가 자신에게 보인 관심은 변덕이라고 여겼다.

지금 당장은 약속했다는 사실 때문에 말만 하면 다 들어줄 것처럼 굴어도 아마 일주일만 지나도 엘로라의 소원을 들어줘야 한다는 사실을 잊어버릴 것이었다.

크게 신경 쓰지 않은 엘로라는 라엘과 검은 투구를 보았다. 사람들의 환호를 받으며 당당히 서 있는 라엘을 처음 보는 터라 낯설게 느껴졌다.

그래도 혈육이 승리를 했으니 축하해야 함이 올바른데 큰 부상을 입었기 때문인지 검은 투구에게 자꾸 시선이 갔다. 그는 항상 곧게 펴던 허리를 살짝 숙이고, 어설픈 걸음으로 퇴장하고 있었다.

그 뒷모습이 쓸쓸해 보였다. 단 한 번의 패배로 모든 걸 잃은 것 같았다. 무려 우승자의 자리까지 차지했는데.

"혹 걱정이 되는가?"

"무슨 말씀이신지."

"검은 투구를 쓴 자 말일세."

힐끗 아히발트를 보았지만 의중을 알 수 없었다.

무시할 수도 없는 노릇이라 엘로라는 소신껏 대답했다.

"……저와는 상관없는 일이지만 확실히 피를 많이 흘렸네요. 어서 치료해야 되겠어요."

"기뻐하겠군."

"예?"

"아니, 혼잣말이었네."

워낙 작게 말하기도 했고 주위가 시끄러운 터라 엘로라는 아히발트의 말을 제대로 듣지 못했다. 단지 아히발트가 즐거워 보인다는 것 하나만은 알 수 있었다.

딱히 중요한 말인 것 같지 않아 자세히 캐묻지 않은 대신 의아한 시선을 짧게 보냈다. 어느 부분이 아히발트를 즐겁게 한 건지 가늠이 가질 않았다.

웃고 있는 아히발트를 보다가 다시 검은 투구에게로 시선을 돌렸다.

"저 상태로는 한동안 달려가지도 못하고 요양해야 할 테지만 다 자업자득이지."

엘로라에게 들리지 않을 정도로 작게 중얼거린 아히발트가 검은 투구의 뒷모습을 지켜보다가 의자 등받이에 편히 몸을 기대었다.

결국 도전자의 패배로 끝이 난 무투 대회였다.

올해도 승리는 라엘에게로 돌아갔다.

16. 너와 나

16. 너와 나

결승전에서 보았던 에곤은 허상이었는지 만나지 못했다.

에곤과의 일을 매듭 짓지 못한 대신 얼떨결에 팔찌를 갖게 된 엘로라는 굉장히 찝찝한 기분으로 시간을 보낼 수밖에 없었다.

팔찌를 얻게 된 건 좋았다. 무투 대회에 참여하면서까지 얻으려 했던 목표였으니. 그러나 타인의 힘을 빌려 얻게 된 탓인지 찝찝함을 이기지 못하여 몇 번이나 아몬에게 선물하려다가 그만두었다.

고민 끝에 아몬에게 줄 선물을 따로 하나 더 챙기기로 했다. 아침 일찍 남장을 한 엘로라는 가게가 문을 열 때쯤, 일찍이 바깥에 나와 시내를 돌아다녔다.

딱 무엇을 사겠다고 정한 건 아니었다. 마음에 드는 물건이 있다면 그것의 값어치가 얼마든 선뜻 비용을 지불하고 돌아올 생각이었다. 그래서 행선지도 정하지 않은 채 마음이 이끄는 대로 아무 가게나 들어가 실컷 둘러보기만 하고 나왔다.

하지만 안타깝게도 딱 이거다, 하는 생각이 드는 물건이 없었다. 모든 것이 다 시큰둥했다. 물건뿐만 아니라 음식까지 선물 범위 안에 넣었으나 마찬가지였다.

몇 시간째 돌아다녀도 두 손이 휑했다. 하도 걸어서 발바닥이 아파 왔지만 쉬지 않고 걸었다. 잠깐 쉬는 시간마저 아깝게 느껴졌다.

가게에서 가게로. 아무 소득 없이 계속 돌아다니다 보니 어느 순간부터는 아예 기대를 버리게 되었다.

흐르고 흘러서 근처에 있다는 이유 하나만으로 가게에 들어갔다. 관성적인 행동이었다.

가게에 들어가니 내부에는 직원 한 명만이 카운터를 지키고 있었다. 꾸벅꾸벅 졸던 직원은 엘로라가 들어오는 소리를 듣고 퍼뜩 일어나 두 눈을 꿈뻑꿈뻑 깜빡이다가 흡 하고 크게 떴다.

손님이 왔으니 이제 졸지 않고 성실히 일할 것임을 알리고자 하는 듯했다. 직원이 보지 못하도록 작게 미소 지은 엘로라는 가게를 구경했다.

클라우디아의 팔찌를 카피한 제품은 이곳에도 있었다. 수도 내에 사랑을 이루고 싶은 남녀가 많은 건지 어딜 가도 보였다. 크기나 색, 질감 등은 조금씩 달라도 기본적인 디자인을 유지한 카피 제품이었다.

별다른 생각 없이 팔찌를 들어 손가락으로 쓸어내리던 엘로라는 손님이 들어오는 소리를 들었다. 아무도 없는 시간이 지나고, 손님이 하나둘씩 모여들 때가 된 듯했다.

다른 손님이 있음을 인식만 하고 계속 물건을 구경하고 있자니 그 손님이 가게 직원과 얘기하는 소리를 들을 수 있었다. 그다지 크지 않은 목소리라 정확한 내용은 알아듣기 힘들었지만 어쩐지 익숙한 남자 목소리였다.

엘로라의 머릿속에 자연스레 그 남자의 얼굴이 떠올랐다. 자주 떠올렸던 탓인지 곧바로 선명하게 그려 낼 수 있었다.

보고 싶은 걸까. 지금.

잠깐 멍하니 있던 엘로라가 빠르게 고개를 저었다. 머릿속에 있는 남자의 얼굴을 털어 내기라도 하려는 듯이.

아마 다른 여자와 시시덕거리고 있을 남자가 무엇이 좋아 보고 싶다는 생각을 하는가. 잠깐 감수성이 풍부해지기라도 한 모양이었다. 태양처럼 눈부시게 웃던 그 얼굴을 지워 낸 엘로라가 인상을 와락 구겼다가 폈다.

같은 공간에 있는 다른 손님의 존재를 애써 무시하며 물건을 둘러보았다. 그러다 남자와 가까워진 건지 지척에서 목소리가 울렸다. 바로 옆에서 말하는 듯, 또렷한 소리에 엘로라는 두 눈을 크게 떴다.

“불렀어?”

고개를 들었다. 이 이상 착각했다고 여길 수 없었다.

구경하던 물건을 내려놓고, 기척을 죽인 채 살금살금 소리가 나는 쪽으로 걸어갔다. 빼끔히 고개를 내밀자 찬란한 금발과 어울리는 잘생긴 얼굴이 시야에 담겼다. 오래된 사진처럼 빛바래 가는 기억과 한 치도 다르지 않은 얼굴이었다.

라하트였다.

기억 속 허구가 아닌 실체를 가진 그의 모습에 반사적으로 몸을 숨겼다. 다행히 라하트는 다른 곳을 보고 있었기에 엘로라가 도둑처럼 숨는 모습은 보지 못했다.

심장이 빠르게 뛰었다. 꼭 나쁜 짓 하다가 걸린 것 같은 꼴이었다. 잘못한 거 하나 없고 변장 중이라 알아볼 리가 없을 텐데 몸이 먼저 움직였다.

바짝 긴장한 채 숨어 있으니 누군가 빠르게 다가오는 소리가 들렸다. 화가 난 듯, 걸음에 힘이 실려 있었다.

“미쳤어요?”

“응?”

“아니, 그동안 어떻게 살았으면 그 잠깐 있었다고 온 동네에 얼굴이 팔리는 거예요?”

“아야, 아파.”

“꾀병 부리는 거 다 알아요.”

“진짜 아파.”

엘로라의 머릿속에 물음표가 가득 찼다. 지금 라하트와

대화하는 상대는 다른 이도 아닌 바로 검은 투구의 후견인이라고 주장하는 크리센즈인이었다.

라하트, 크리센즈인, 검은 투구, 아히발트. 각각 관계없어 보이는 사람들이 한 사람씩 거치면 모두 아는 사람이 되었다.

엘로라는 자신이 아는 그 크리센즈인이 맞는지 확인하기 위해 살짝 고개를 내밀었다. 기다란 녹색 머리칼이 보였다. 그리고 얼굴 측면이 살짝 보였다. 어디선가 많이 본 듯한 풍경이었다. 그들에게 들키지 않도록 곧바로 도로 숨은 엘로라는 기억을 뒤졌다.

구면이기 때문에 익숙한 것이 아니었다. 저 얼굴을 저 각도에서 본 적이 있었다.

"그럼 더 아파하세요. 그리고 지금은 그게 문제가 아니라 제가 만약 귀국한 후에 기사를 봤으면 어쩔 뻔했어요! 영문도 모른 채 의심을 받다가 뒤늦게 진상을 알아채고는 전하께 겨우 편지로 몇 줄 끄적이다가 말았겠죠. 으, 정말 상상만 해도 소름이 돋네요."

기사. 엘로라는 곧바로 라하트의 불륜을 다룬 기사를 떠올릴 수 있었다. 얼굴이 드러나지 않은 절묘한 각도여서 곧바로 알아채기 어려웠는데 헤어스타일하며 오뚝 솟은 코의 각도 같은 것들이 사진 속 인물과 일치했다.

하지만 달달한 연애를 즐길 것 같은 기사 내용과 다르게 크리센즈인은 치를 떨며, 닭살이 돋는지 팔을 문지르며 따졌다.

“이렇게 된 거, 책임져요.”

“책임?”

“전하처럼 쓰레기 같은 사람과 연애한다고 소문이 나다니. 헛소문이라도 소름 끼친다고요. 명백히 제 명예를 훼손하는 일이니 손해 배상 정도는 해 줘요.”

“……아.”

다른 생각을 하고 있었던 건지 말을 받아들이는 속도가 한 박자 느렸다. 어리벙벙한 대꾸에 크리센즈인이 경멸을 담아 라하트를 쳐다봤다.

“전하의 아내 되시는 분도 참 안쓰러운 사람이에요. 이런 쓰레기랑 결혼하다니.”

쯧쯧 혀를 차는 소리가 울렸다. 앞뒤 사정을 모른 채 들어도 진심이 가득 담긴 말이었다.

“너무한 거 아니야? 당사자 앞에서 쓰레기라니.”

“쓰레기를 쓰레기라고 부르지 뭐라고 부릅니까.”

“요즘은 나름 열심히 살아가고 있어.”

“웬일로 부정하시네요. 하긴, 그런 말도 안 되는 일을 벌였으니 ‘열심히’라는 말은 받아들여 주죠.”

“평가가 후하네.”

“득 될 것 하나 없는 일에 무모하게 뛰어들었으니 구경거리 값으로 추가 점수를 준 거예요. 원래 남의 집 불구경이 제일 재미있는 법이니까.”

차갑게 말하던 크리센즈인은 얘기를 하다가 화가 났는지 갑자기 언성을 높이기 시작했다.

"분명 남의 집 불구경이었는데! 왜 아는 척해서! 이 사달이 나요!"

"얼굴이 제대로 나오지 않아서 너라는 사실은 아무도 모를걸."

"아, 그래서 괜찮다는 말인가요? 그게 말이라고 하는 소리입니까? 전하 탓에 저희 상단 이미지가 바닥을 쳐서 망하면 책임져 주실 거예요?"

"이래 봬도 나도 황족인데."

"어쭈? 지금 빼기시는 겁니까? 황족이고 나발이고 행실이 그따위인데 존경심이라는 게 솟아나겠어요? 무슨 땅 파서 생기는 감정인 줄 아시나 보네. 그리고 저는 이곳 국민이 아니라 존경해야 할 의무도 없어요."

"존경의 의미보다는 이러다가 황족 모욕죄로 잡혀갈 수도 있다는 뜻이지."

"죄인의 땅, 볼흐라스."

"멋진 명칭인데 실제로 쓸 수 없어서 안타깝네."

비꼬는 것이 명백한 말에도 전혀 개의치 않아 하는 라하트를 크리센즈인이 살벌하게 노려봤다. 무슨 말을 해도 타격을 받지 않으니 벽에 대고 외치는 꼴이었다.

"기껏 일궈 낸 결과물인데 코 푼 휴지처럼 버리려 들지 마요. 그쪽이랑 이쪽은 사정이 다르다는 것쯤은 알고 있잖아요."
"알지. 그리고 그런 취급 한 적 없어. 걱정 마."
"아닌 것 같은데. 혹시 고의로 소문을 퍼뜨리기 위해 절 이용한 겁니까?"
"그럴 리가."
그렇게 말하며 라하트가 쓰게 웃었다.
"이제 그럴 필요 없어."
라하트의 진심이 와닿지 않은 건지 크리센즈인이 믿음직스럽지 못하다는 표정으로 라하트를 바라보았다. 타국에서도 라하트의 악명은 자자했기에 그간의 행적을 떠올리면 무슨 말을 해도 진정성이 느껴지지 않았다. 이를 놓고 말씨름을 하면 또 한도 끝도 없었기 때문에 자세를 삐딱하게 잡은 여자가 화제를 돌렸다.
"아히발트 전하께서 결혼하신다면서요."
"잠시."
여자가 말하는 중 주위를 두리번거리던 라하트가 여자를 스쳐 지나갔다. 의도적으로 대화를 피하는 듯한 행동이었다. 안 그래도 썩 기분이 좋지 않았던 여자는 잔뜩 골이 났다.
"말 돌리지 마세요. 믿음직한 정보원에게서 들은 이야기예요."
"그래서 실망했어?"
"꼴에 황족이라서 쌍욕을 할 수도 없고. 법보다 주먹이 가깝다는 사실을 깨닫기 전에 누가 들으면 오해할 말을 의도적으로 하지 마요."

"우리 형의 결혼에 관심이 많았잖아. 설마 하고 물어본 거지."

라하트는 가게에 전시된 물건을 쭉 둘러보며 가벼운 어조로 말했다. 그런 라하트의 걸음은 엘로라가 있는 쪽으로 향하고 있었다. 그들의 대화를 엿듣고 있던 엘로라는 대화의 흐름을 따라가는 것도 벅차서 라하트가 가까워지고 있음을 곧바로 눈치채지 못했다.

"한탕 할 수 있다는 생각이 들어서 확인차 묻는 거지, 사적인 감정은 없어요. 그래서 결혼 날짜가 정확히 언제예요?"

"당사자한테 물어봐."

"만나기 힘드니까 전하 같은 쓰레기한테 물어보죠. 그러게 누가 잉여 생산물처럼 처박혀 있으래요?"

"와, 너무해."

영혼 없는 외침이었다. 건성으로 대꾸하는 라하트의 목소리가 가까워진 것을 알아챈 엘로라가 자리를 뜨려고 했다. 그러나 눈치챘을 때는 이미 늦었다.

"안 그래?"

라하트의 얼굴이 엘로라의 시야에 가득 들이찼다.

불쑥 얼굴을 들이댄 라하트 탓에 엘로라가 깜짝 놀라 소리 없는 비명을 질렀다. 두 눈을 크게 뜨고, 입술을 살짝 벌린 엘로라의 얼굴을 보며 라하트가 기분 좋게 싱긋 웃었다.

"누가 있어요?"

짙은 보랏빛 눈동자와 마주하고 있다는 사실을 깨달은 엘로라는 황급히 고개를 숙였다. 변장을 하고 있다는 걸 잊지 않았으나 눈을 마주치고 있으면 정체가 드러날 것만 같은 두려움이 엄습했다.

건국제 연회가 있던 날 라하트가 취중에 했던 말 때문일 것이다. 잔뜩 취한 주정뱅이의 헛소리로 치부하고 싶어도 은근히 핵심을 찔러 올 때가 많았기에 방심은 금물이었다.

"처음부터 있었어."

"아, 끔찍하네요. 전하랑 함께 있는 건 타인에게 보여 주기 싫은데."

"저런. 주위를 더 살폈어야지."

"처음부터 알았던 사람이 할 말이에요?"

"난 떳떳하니까."

"저는 떳떳하지 않은 줄 알아요? 아니, 말을 말죠. 지금 이게 대화인가. 정말 전하랑 대화하는 시간만큼 아까운 게 없다니까요."

여자가 툴툴거리면서 다가왔다. 고개를 푹 숙인 엘로라는 이 상황을 어떻게 타개해야 할지 머리를 굴렸다. 너무 근처에서 남의 말을 엿듣고 있었다. 조금 멀찍이 떨어져 물건을 구경하는 척했다면 시치미를 떼기 용이했겠지만, 이렇게 가까이에서 아무것도 하지 않고 듣기만 한 건 엘로라의 실수였다.

사실 남의 말을 엿듣는 것 자체를 해서는 안 됐는데 상대가 라하트다 보니 저도 모르게 귀를 기울이게 되었다. 답지 않게 무례한 일을 저지르고 말았다. 빼도 박도 못할 현행범이니 역시 용서를 구하는 것이 옳았다.

"아는 사람이에요?"

"응."

"그러면 상관없겠네요."

이미 숙인 고개를 들지 못하는 것도 모자라 허리까지 굽힐 생각을 하고 있던 엘로라는 이상한 대화의 흐름에 고개를 번쩍 들었다.

아는 사람이라니? 라하트는 처음 보는 얼굴로 변장했는데. 이 자리에 있는 세 사람 중 안절부절못하는 건 엘로라뿐인 듯했다.

"할 말 다 했지?"

"아히발트 전하의 결혼식 날짜를 아직 듣지 못했어요."

"확정 난 거 없으니까 정 궁금하면 나중에 물어봐. 지금은 급한 일이 생겨서 어서 가 봐야 해."

"급한 일이라고 해 봐야 선술집에서 술이나 따고 있겠죠. 정말 타의 모범이 안 되는 남자라니까."

여자가 고개를 절레절레 저었다. 엄마 말을 듣지 않는 구제 불능의 십 대 청소년을 보는 듯한 시선이었다.

"아니, 데이트할 거야."

단호함까지 느껴지는 라하트의 선언에 여자는 가장 먼저 야유했다.

"와, 쓰레기. 유부남 주제에 불륜을 저지르는 거예요? 상대는 어쩌다 저런 쓰레기한테 걸려서 제 팔자를 꼬아 버린 건지. 얼굴이라도 보게 되면 위로의 인사를 건네고 싶네요."

"너한테 위로의 인사를 건네고 싶다는데?"

"예? 예? 저요?"

중간에 끼어서 그들의 대화를 듣고 있던 엘로라는 당황한 나머지 자신을 뜻한 게 맞는지 확인하기 위해 손가락으로 얼굴을 가리켰다. 자의식 과잉은 아니었던 건지 라하트가 고개를 끄덕임으로써 쐐기를 박았다.

"와, 폐기 처분 직전 쓰레기."

한 편의 희극 같은 상황에 크리센즈인이 크게 감탄하며 박수를 쳤다. 비꼬려는 의도가 다분한 행동이었다.

당황한 엘로라는 어떻게든 상황을 수습하기 위해 입을 열었다. 그러나 라하트의 행동이 더 빨랐다.

"저……."

"내가 내 신부님이랑 데이트를 즐기겠다는데 너무 심한 말 아냐?"

라하트를 제외한 두 사람 모두 경악했다.

환청을 들은 건 아닌지 의심해 볼 지경이었다.

"미쳤죠?"

"아니."

"오늘 뭐 잘못 먹었어요? 미쳐도 곱게 미쳐야지 젊은 나이에 이게 뭐람. 그쪽도 가만히 있지 말고 이 미친 자를 말려 봐요."

충격적인 발언을 한 라하트를 한 대 칠 기세로 여자가 말했다. 엘로라 또한 크리센즈인을 따라서 미쳤냐고 한마디 해 주고 싶었다.

변장은 완벽했다. 거울을 보고 몇 번이나 확인했으니 당연한 일이었다.

원래 얼굴과도, 못생긴 변장과도 다른 얼굴이었다. 붉은 가발을 쓰고, 창백한 낯짝에 주근깨가 자잘하게 찍힌 얼굴은 엘로라라는 인물을 연상시키기 힘들었다.

아무리 눈썰미 좋은 사람이라 하더라도 짧게 한두 번 봐서 구분이 어려우리라 확신할 수 있었다. 그런데 라하트는 일말의 의심 없이 지금 곁에 있는 청년이 자신의 아내인 엘로라라고 주장하고 있었다.

"세상에, 헷갈릴 사람이 따로 있지. 거시기 멀쩡히 달린 남자를 제 아내와 헷갈리다니. 짐승도 하지 않을 짓이에요."

제 의견을 굽힐 생각이 없는 듯한 라하트를 보며 여자가 질색했다. 정체를 숨기고 있는 엘로라가 직접 나서서 해명할 수 없으니 짐승 이하의 취급을 받을 수밖에 없는 라하트였다.

"침몰하기 직전의 배를 탄 기분이에요. 저는 깨끗한 인간관계를 만들고 싶으니 오늘 이후로 아예 모르는 사이 하죠."

"음, 웬만해서는 그 의견을 받아들이고 싶지만 지금 당장은 곤란해."

"노망이 났는데 안 된다니요! 아, 너무 끔찍해. 역시 이 나라와 접점을 가지는 게 아니었어."

"볼흐라스에 대한 악감정을 가지는 건 개인의 자유라지만 적어도 진실된 이유여야겠지. 난 노망나지 않았어."

"노망나지 않았다고 말할 때는 이미 늦었대요. 그쪽도 어서 한마디 해 봐요. 이 미친 자가 스스로 괜찮다고 믿으면서 거리를 활보하기 전에!"

"멀쩡하다니까?"

"당신은 존재 자체만으로 인간 세계의 대재앙이에요!"

여자는 거의 비명을 지르듯 외쳤다. 볼흐라스를 넘어, 인간 세계의 대재앙이 돼 버린 라하트는 작게 웃음을 터트리다가 엘로라를 돌아보았다.

이 상황이 얼떨떨한 엘로라는 아무것도 하지 못하고 있었다. 혹 그새 화장이 지워졌을까 봐 거울을 보고 싶다는 생각이 가장 먼저 들긴 했지만 섣불리 움직일 수 없었다.

다시 라하트와 눈이 마주치자 고개를 숙였다.

"내 신부님도 같은 생각이야?"

"……."

"아, 지금은 얼굴이 다르니 다른 이름으로 불렀어야 했나. 하지만 난 그 이름을 몰라서. 오랜만에 보니까 반가움이 컸거든. 미안해."

"……무슨 말씀이신지."

“네가 너라는 걸 알고 있으니까 내 앞에서까지 너 자신을 숨기려 들지 않아도 돼.”

“저는 숨기는 거 없습니다.”

“나름 열심히 신뢰를 쌓았다고 생각했는데 아직도 내가 믿음직스럽지 못한 건가.”

“당연하죠!”

대답은 다른 쪽에서 들려왔다. 쓰게 웃는 라하트 앞에 엘로라 대신 대답한 건 크리센즈인이었다. 그녀는 정말 미친놈 보듯이 라하트를 보고 있었다.

“내가 얼마나 믿음직한 사람인데. 너도 그 점은 인정하고 함께하는 거 아니었어?”

“믿음이라는 인간적인 감정보다는 전하의 돈과 명예 그리고 제게 떨어질 이익과 실패했을 때의 손해를 모두 계산해 본 후 수락한 협력 관계죠. 그러니 절 들먹이지 마세요.”

“너무 이해타산적인 발언이야.”

어찌 보면 인간미 없어 보이는, 거리를 두는 여자의 발언에 라하트가 절레절레 고개를 저었다.

“아내도 못 알아보는 미친놈인 걸 알았으면 일찍이 도망쳤을 걸요. 그때 내가 왜 도망치지 않았지? 충격받아서 굳은 듯한데 당신, 지금이라도 늦지 않았어요. 어서 도망쳐요!”

“안 돼.”

시종일관 웃는 낯짝이었던 라하트가 갑자기 웃음기 없는 얼굴로 엘로라의 어깨를 잡아 끌어당겼다. 라하트의 품에 안기게 된 엘로라는 두 눈을 크게 떴다.

"다른 사람이면 몰라도 내 신부님은 안 돼."

"미친놈."

혀를 쯧쯧 차며 여자가 고개를 저었다. 조금이라도 도망치는 걸 용서치 않겠다는 듯, 단호한 라하트의 말에 머릿속이 과부하 된 엘로라는 라하트의 품에 안긴 채 눈동자만 데록데록 굴렸다.

미친 인간의 밑도 끝도 없는 고집이 아니었다. 라하트는 확신을 가지고 있었다. 그에게 확신을 안겨 준 증거가 무엇인지 문득 궁금해졌다.

"어째서 제가 그……, 전하의 아내분이라고 생각하시는 거죠? 그분은 여성인 데다 못생겼다고 알고 있는데."

엘로라가 일부러 목소리를 더 낮추며 말했다. 자신은 남성이라고 재차 강조하듯. 하지만 그런 엘로라의 노력은 라하트에게 전혀 통하지 않았다.

"내 입으로 이유를 말하지 않아도 알고 있잖아?"

"그건 대충 때려 맞힌 후에 적당한 이유를 말할 수 없어서 있는 척하고 싶어 하는 작자들이 자주 하는 발언이죠."

냉정한 크리센즈인의 핀잔은 엘로라가 하고 싶은 말이기도 했다. 엘로라를 아예 모르는 이라도 저런 말은 할 수 있었다. 엘로라는 지금 성의 없는 말이 아닌 구체적인 설명을 듣길 원했다.

"내 진심을 매도하다니. 사랑의 힘이라고 말하고 싶지만 그렇게 말했다가는 정말 날 믿지 않겠지.”

세차게 고개를 끄덕였다.

사랑의 힘. 그런 무형의 존재는 엘로라가 아는 범위 내에 없었다. 그리고 사랑한다 하여 다들 상대를 꿰뚫어 보는 건 아니었다.

엘로라는 완벽하다고 자부하는 자신의 변장에 빈틈이 있는지, 그걸 알고 싶었다. 충분히 납득이 가는 이유라면 라하트가 단순히 미쳐 돌아 헛소리를 진실이라 믿는 인간이 아니라는 증거가 되었다.

“……얼굴, 체취, 목소리. 그 모든 것이 변해도 너라는 사실은 변치 않아. 네가 너이기 때문에 알아본 건데 이상할 것 없잖아?”

“저는 아예 다른 사람인데요.”

“정말?”

양심을 찌르는 ‘정말?’이라는 짧은 물음에 뜨끔한 엘로라가 살짝 고개를 들었다. 언제나 그곳에 있었던 보랏빛 눈동자가 또렷이 엘로라를 내려다보고 있었다. 시선이 교차했다. 서로의 눈동자가 숨김없이 드러나 있었다.

‘이렇게 맑고 예쁜 푸른 눈동자를 가진 사람은 내 신부님밖에 없지.’

아무래도 주정뱅이의 헛소리가 아니었던 듯했다. 실마리를 잡은 것 같았다. 어째서 라하트가 곧장 알아볼 수 있었는지. 어째서 라하트만이 엘로라가 엘로라임을 단번에 알게 되었는지.

“작정하고 숨긴다면 나도 알아보기 힘들어. 물론 그렇다고 해서 네가 너라는 사실은 변치 않으니 언제든 알아볼 자신은 있지만.”

모든 것을 꿰뚫어 보는 듯한 보랏빛 눈동자와 이렇게 가만히 마주 보고 있자니 발가벗은 기분이었다. 오로지 라하트뿐이었다. 못생긴 변장을 똑바로 바라봐 준 건. 그리고 눈을 마주한 건.

그때 라하트가 한 말을 기억해 내, 얼굴을 보자마자 방심하지 않고 고개를 숙였는데 이미 늦은 모양이었다. 라하트는 처음부터 자신을 아는 사람이라고 말했다. 그건 처음부터 알고 있었다는 뜻이었다. 낯선 소년의 겉가죽을 쓴 자신의 정체를.

라하트의 말대로 얼굴, 체취, 목소리. 심지어 신장까지 미묘하게 바꾸는 그야말로 완벽에 가까운 변장이었다. 보통 사람이라면 알아보지 못하는 게 당연한 일이었다. 인간이 기본적으로 보고 판단할 수 있는 사항을 모두 바꾸었으니.

하지만 완벽하다 자부하는 변장에도 엘로라가 바꿀 수 없는 부분이 있었다.

숨소리, 걸음걸이, 눈동자 등. 긴장하지 않은 채 있으면 자연스럽게 나오는, 본인도 모르는 습관이 이에 해당되었다. 보통 위 사항들을 통해 변장임을 꿰뚫어 본다는 게 가능한 일인가? 하는 의구심부터 들었지만 라하트라면 가능할지도 몰랐다.

이상한 데서 관찰력이 좋은 남자였다. 쉬이 얕봐서는 안 됐다. 건국제 연회에서 있었던 의미심장한 발언까지 합하면 더 이상 이 남자를 속이는 건 무의미해졌다.

어쩌면 그동안 완벽히 속였다 믿었던 타인의 삶까지 들켰을 수도 있다고 생각하니 일순 온몸에 소름이 돋았다.

지금 당장 들킨 게 문제가 아니었다.

"저런 미친놈은 상대하는 게 아닌데 제가 잘못했어요."

라하트의 말을 가만히 듣던 크리센즈인이 학을 뗐다.

반대로 엘로라는 주먹을 꽉 쥐었다. 이대로 계속 아니라고 잡아뗄 것이냐, 그도 아니면 순순히 진실을 밝히느냐. 선택의 기로에 서 있었다.

만약 아니라고 잡아떼면 라하트는 어쩔 수 없이 물러서줄 것이었다. 본인이 옳다는 걸 알리고자 무리하게 추궁할 남자는 아니었다.

그러나 그렇게 되면 물어볼 수 없게 된다. 어떤 변장부터 엘로라가 엘로라임을 알고 있었는지. 그에 대해 물어보려면 지금밖에 기회가 없었다. 나중에 가, 못난이 엘로라로서 만나게 되면 모른다고 잡아뗄 라하트의 얼굴이 선연했다.

여기 있는 사람은 엘로라가 아니라고 했으니 지금 일은 엘로라가 모르는 것이 되었다. 그러니 지금 벌어지는 일을 모른다고 잡아떼도 엘로라로서는 할 말이 없었다.

얄팍한 가면이었다. 당장 상황을 모면하기 위해 거짓말

을 반복한다 해도 찜찜함만 남을 것이 훤했다.

한숨을 내쉰 엘로라는 라하트의 품에서 벗어났다.

결단을 내릴 시간이었다.

"푸른 눈이라고 모두 저인 건 아니에요."

"알아. 다른 푸른 눈과 단 한 번도 헷갈린 적 없는걸."

결국 순응하자 라하트가 눈꼬리가 접어지는 화사한 웃음을 지어 보였다. 엘로라가 숨기기보다는 진실을 밝히리라는 걸 알았다는 듯한 얼굴이었다.

"봐, 내가 틀리지 않았지?"

"……예?"

잠깐 넋을 놓은 크리센즈인이 나라 잃은 표정을 했다. 엘로라가 한 말이 듣고도 믿어지지 않은 것 같았다. 엘로라는 만약 자신이 크리센즈인이었어도 저런 표정을 했을 거라 생각했다.

"정신 차려요! 돈으로 매수됐어요? 돈이라면 저도 많으니 저 자식이 준 것보다 배로 줄 수 있어요! 저 미친놈의 말에 동조했다가는 기세등등해져서 무슨 말을 해도 다 옳은 줄 안다고요!"

"매수된 거 아니에요. 그리고 목소리를 낮춰 줄 수 있을까요?"

다급하게 크리센즈인을 저지한 엘로라가 슬쩍 계산대를 보았다. 직원은 보이지 않았다. 크리센즈인이 라하트를 만났을 때부터 자리를 비켜 준 듯했다.

이 가게의 관계자인 듯, 라하트가 직원을 통해 그녀를 찾은 것이나 마치 누가 엿들을 생각을 아예 하지 않은 태도로 보아 혹여나 실수로라도 대화가 새어 나갈 일은 없을 듯했다.

엘로라는 대화의 주제가 주제인 만큼 언제라도 사람이 드나들 수 있는 문을 신경 쓰며 라하트를 보았다. 잔뜩 흥분한 크리센즈인에게는 미안한 일이지만 엘로라 또한 급했다.

"언제부터예요?"

"뭘?"

"언제부터 아셨어요?"

"내 목소리를 듣고 네가 살금살금 다가올 때부터?"

"그 뜻이 아닌 걸 알고 계시잖아요. 정확히 언제부터예요?"

"음……, 그러게. 언제부터일까."

기척을 죽인다고 죽여도 저 남자를 속일 수 없었다. 거의 가게에 들어온 순간부터 한 공간에 엘로라가 있다는 사실을 눈치챘다는 말이었다. 소름 돋을 정도로 예민했다.

심혈을 기울여 한 변장이 부질없는 것이 되었다는 걸 알게 된 엘로라가 인상을 와락 찡그렸다. 골똘히 고민하던 라하트는 엉망으로 구긴 종이처럼 변한 엘로라의 얼굴을 보고 작게 키득키득 웃고는 제 미간을 톡톡 치며 가리켰다. 형편없이 구겨진 얼굴을 펴라는 의미였다.

엘로라는 표정을 푸는 대신 날카롭게 라하트를 노려보았다. 못난이 엘로라라는 가면은 우연히 보여 줬다고 하더라도 이번에는 라하트 스스로 알아낸 것이었다. 자존심에 금이 갔다.

"아마 내가 널 사랑할 때부터였을까?"

빙긋 웃으며 라하트가 다정하게 속살거렸다. 퍽 로맨틱한 발언이었다. 하지만 엘로라에게는 통하지 않았다. 오히려 더 냉담해진 눈빛으로 라하트를 바라보게 된다. 이쪽은 진지한데 상대가 장난치는 것 같아서.

"전하께서 하는 말이 다 그렇듯, 진실이라 하더라도 농담처럼 느껴지는 대답이네요."

"받아들이는 건 내 몫이 아니니까."

소신을 다해 대답했다는 듯, 라하트가 어깨를 으쓱였다. 이보다 더 정확한 대답은 나오지 않을 듯했다.

팔짱을 낀 엘로라는 골똘히 생각했다. 내가 널 사랑할 때부터. 라하트는 언제부터 사랑에 빠졌을까? 그건 엘로라가 정확히 답을 낼 수 없는 물음이었다. 그리고 라하트가 고백한 이후 가장 엘로라를 괴롭힌 물음이기도 했다. 언제, 어떻게 그는 사랑에 빠졌을까?

"지금 둘이 짜고 저를 놀리고 있는 거죠?"

"그럴 리가."

"그럴 리가가 아니에요! 그렇지 않고서는 이런 상황이 일어날 리 없어요!"

멍하니 엘로라와 라하트의 대화를 듣던 크리센즈인이 잠깐의 침묵을 파고들었다. 격렬히 부정하는 그녀에게 동조할 사람은 안타깝게도 이 자리에 없었다.

가게에서 우연히 만난 소년과 청년 사이에 있는 붉은 머리칼의 남자가 라하트의 아내라니! 참으로 희한한 광경일 거였다. 눈앞에 증거를 들이대지 않는 이상 절대 사실을 믿지 않을 듯했다.

정상적인 반응이었다. 거의 발작에 가까운 현실 부정을 하는 크리센즈인을 보며 엘로라는 망설였다.

이미 자신이 엘로라가 맞다고 말하긴 했지만 끝까지 믿지 않는 그녀에게 의견에 신빙성을 줄 증거를 눈앞에 보여 줄 것인지 말 것인지. 이대로라면 라하트에게 매수당한, 혹은 라하트와 똑같은 미친 자가 될 것이었다.

이런 엘로라의 망설임을 눈치챈 라하트가 다정하게 속삭였다.

“믿을 만한 사람이야.”

“그걸 판단하는 건 전하가 아니죠.”

“내 비밀도 알아. 너도 느꼈다시피 입이 가벼운 사람은 아니야.”

“……전하의 비밀은 무엇인데요?”

궁금증을 이기지 못하고 엘로라가 조심스레 묻자 라하트는 그저 웃었다. 얘기해 줄 생각이 전혀 없어 보였다. 어쩌다 보니 비밀이 전부 밝혀진 엘로라로서는 제법 억울한 일이었다.

끝까지 제 비밀은 지키려는 라하트를 보고 있자면 무덤

까지 안고 갈 거라 생각했던 비밀이 너무나 허무하게 들통난 것 같아 살짝 골이 난 엘로라가 불퉁한 표정을 지었다. 그러자 개구쟁이처럼 웃은 라하트가 손을 들었다.

커다란 손이 제 얼굴 쪽으로 다가옴을 느끼고 살짝 눈을 크게 뜬 엘로라는 마치 뺨을 쓸어 주기라도 할 듯이 다가오던 손이 멈칫하더니 아무 일도 없었다는 듯이 내려가는 걸 지켜볼 수 있었다.

의식적인 행동이 아니었는지 라하트는 난처해했고, 엘로라는 살짝 당황했다. 하지만 약속이라도 한 듯이 서로 표정을 갈무리했다. 직접 닿은 것도 아니니 라하트의 돌발 행동을 눈감아 준 것이었다.

"네게 해가 될 사람은 아니라는 걸 한눈에 알아봤잖아. 본인의 감을 믿어."

"……."

"스스로를 배신하지 않을 거야."

라하트는 지금 엘로라에게 스스로를 믿으라고 등을 떠밀어 주고 있었다. 언제나 그렇듯, 라하트는 사람의 속마음까지 훤히 꿰뚫어 보고 있는 듯했다.

그윈일 때부터 크리센즈인이 좋은 사람이라는 걸 직감적으로 느낀 엘로라였다. 그녀에게 호의적인 감정을 가지고 있음을 라하트는 일찍이 알고 있었던 것 같았다.

하지만 아무리 호의적인 감정을 품고 있다 하더라도 누군가에게 정체를 밝힌다는 건 여전히 두려움이 남아 있었다. 정체를 드러내지 않는다면 오늘 만남은 없던 것이 됨에도.

이대로 헤어진다면 엘로라는 그녀를 알지만 그녀는 엘로라를 모른다. 지금 함께 공유하는 시간은 모두 무의미해졌다.

"솔직한 심정으로는 필요 이상의 위험은 지고 싶지 않아요."

"위험이라고 생각했지만 기회일 수도 있지."

"어떤 기회요? 제 정체가 만천하에 드러날 기회요?"

"마냥 부정적으로만 보지 마. 살면서 나쁜 일만 일어나는 건 아니니까. 나쁜 일이 있었으면 좋은 일도 일어나는 법이지."

"남의 일이라고 쉽게 말하는 거예요."

"어떤 결과가 나올지 모르는 미지의 세계에 발을 내딛는다고 생각하면 심장이 두근거리지 않아? 마치 내가 살아 있다고 알리듯, 쿵쾅쿵쾅 뛰게 되던데."

톡 쏘아붙이는 엘로라에게 악의 없이 순수한 흥분을 담은 채 대답했다.

진심을 담은 라하트의 말에 엘로라는 맥이 풀렸다. 당장의 선택으로 인해 나락으로 떨어질지 모른다는 부정적인 생각을 은연중에 반복해 온 엘로라와 대비되는 긍정적인 얘기였다. 라하트가 쾌락주의자라는 걸 떠올린다면 라하트다운 대답이기도 했다.

그가 이런 사람이기에 그들은 여기까지 올 수 있었다.

엘로라는 라하트를 만난 이후로 자신의 계획이 차례대

로 비틀어졌음을 떠올렸다. 꼭 도미노 같았다. 한 번 툭 건드리니 쌓아 놨던 것들이 무너지는 도미노. 라하트를 만난 근래 가장 엉망진창인 삶을 살아왔다 자부할 수 있었다.

"전하 앞에만 서면 예상 밖의 일만 일어나네요."

"계획대로만 살면 재미없잖아."

라하트의 입술이 호선을 그렸다.

"즐거운 일이 일어날 거야."

"……."

"어쩌면 너도 익히 알고 있는 즐거움이겠지."

항상 흐리멍덩했던 눈동자는 별을 담기라도 하듯 반짝이고 있었다. 생기 넘치는 그의 모습에 엘로라는 잠깐 그런 남자를 닮고 싶다는 생각을 했다.

그러다 이내 상대가 라하트임을 떠올리고 짧게 웃음을 터트렸다. 라하트를 닮고 싶다니. 스스로 생각해도 어이없었다.

만약 라하트를 만나기 전의 자신이 이런 생각을 했음을 알았다면 라하트를 따라서 술이라도 마셨냐고 핀잔을 줬을 것이었다.

익히 알고 있는 즐거움.

사람을 만나서 많은 감정을 나누는 것.

이 또한 라하트가 다 알면서 하는 말 같았다.

아몬과 헤어지고 아몬을 많이 그리워했음을 알면서.

반짝이는 보랏빛 눈동자를 가만히 보던 엘로라는 결심

끝에 현실 부정 중인 크리센즈인에게 다가갔다. 그녀는 말도 안 되는 일이라며 자신만의 세계에 빠져 있는 중이었다.

그녀의 이름을 몰랐기 때문에 조심스레 옷자락을 쥐어 잡은 엘로라는 시선을 끄는 것에 성공했다. 그리고 바깥에서는 절대 제 손으로 벗으리라 생각지 않았던 가발을 벗었다.

"세상에."

가발을 단단히 고정한 탓에 완전히 벗는 것은 어려워 반쯤 벗다가 말았다. 그래도 현재 겉으로 보이는 붉은 머리칼이 가발이라는 것을 알리는 데에는 충분했다. 은색 머리칼을 보이는 것 또한.

"가발 속 가발이에요?"

"아니요. 속에 있는 건 제 머리카락이에요."

살짝 넋을 놓은 채 묻는 크리센즈인에게 무심히 대꾸한 엘로라가 진짜 머리칼을 살짝 잡아당겼다. 머리칼이 두피와 함께 당겨지는 것이 느껴졌다.

아예 한 올 뽑을까 고민하다가 이 정도로도 괜찮을 것 같아 다시 가발을 썼다. 꽤 귀찮은 작업이었지만 한두 번 쓰는 것이 아니었기에 손쉽게 해냈다. 크리센즈인은 그런 엘로라를 말하는 고양이 보듯 보았다.

"소개가 늦어서 죄송해요. 지금 썩 좋은 얼굴은 아니지만 법적으로 라하트 전하와 혼인한 사이인 엘로라…… 가 맞아요. 혼전 성은 아르미트죠."

아직도 아르미트가 아닌 다른 성으로 타인에게 자신을

소개하는 것은 어색했다.

순간 자신을 '엘로라 아르미트'라고 소개할 뻔한 엘로라는 멈칫하고는 사족을 덧붙였다. 고비를 넘기고 무사히 마친 엘로라의 소개에 크리센즈인은 잠에서 깬 듯한 표정을 지었다.

"아르미트라면 그 마차 사고……."

"네, 맞아요. 그 사고로 어머니를 잃었어요."

"아, 제가 개인적으로 존경하는 분이 연관되어서 저도 모르게 말을 꺼내게 되었네요. 그 사고는 진심으로 유감입니다. 눈치 없이 얘기를 꺼내어서 죄송합니다."

"아니에요. 제법 긴 시간이 지났지만 크리센즈에서도 화제가 되었던 사고이니 '아르미트'라고 한다면 바로 떠올릴 수도 있죠."

썩 유쾌한 주제는 아니었기에 엘로라가 쓰게 웃었다. 어릴 적 있었던 일이라 또렷하게 기억나지는 않아도 죽음과 연관되었기 때문인지 물 먹은 솜처럼 마음이 무겁게 가라앉았다.

잠깐 어머니의 얼굴을 머릿속에 그리던 엘로라는 사고의 유일한 생존자를 떠올릴 수 있었다.

크리센즈의 영웅이자 엘로라가 개인적으로 좋아하는 크리센즈인. 그녀는 크리센즈의 영웅임과 동시에 엘로라의 인생 스승이었다.

짧은 만남이었지만 그녀가 엘로라에게 보여 준 잔혹한

현실과 조언은 잊을 수 있는 종류의 것이 아니었다. 하지만 그녀가 사고의 유일한 생존자였기 때문인지 그 뒤로 만나기는커녕 일부러 소식을 찾아보려 하지도 않았다. 사고 이후 고국으로 돌아갔다는 것만 알고 있었다.

“존경하는 분이라고 표현하셨는데, 그분과 아는 사이인가요?”

“그럴 리가요. 그냥 그분의 과거 업적을 선망하는 사람일 뿐이에요.”

“……그분은 잘 지내고 계시나요? 그 후로 관련 소문도 일부러 찾아보지 않아서요. 혹 관심이 있으시면 조금이나마 아실 것 같아서 여쭤봐요.”

“딱히 나쁜 소문은 들리지 않았어요. 잘 지내고 계시는 거겠죠.”

그 말을 끝으로 침묵이 내려앉았다. 입이 방정이라고 괜한 말을 꺼낸 것 같아 할 수만 있었더라면 제 입술을 때렸을 크리센즈인은 엘로라의 눈치를 보다가 화제를 전환했다.

“저는 모리카예요. 성은 없으니 편하게 불러요”

크리센즈의 평민은 성을 갖고 있지 않았다. 귀족이나 왕족만이 성을 갖고 있었는데 이는 계층의 특권을 강조하기 위함이라기보다는 그들에게는 성이 필요하기 때문이라는 게 옳았다.

여느 나라와는 사뭇 다른 크리센즈의 인식에 대해 지나가듯 들은 적이 있었던 엘로라는 가볍게 고개를 끄덕였다.

"제게 편하게 말하세요."

"그럴 수 없죠. 무려 저 미친놈과의 결혼이라는 엄청난 시련을 겪고 계신 분인데. 그리고 기본적으로 볼흐라스어는 경어로만 배워서 경어가 더 편해요."

"그 선생 놈이 반말을 경어라고 속여서 가르친 탓에 한바탕 뒤엎었던 적이 있었지. 그 뒤로 귀찮아서 그냥 배운 대로 쓰고 있지, 아마?"

"그런 말은 안 해도 되잖아요! 뭐, 어차피 일하려면 경어를 자주 쓰는 건 맞지만 불쾌한 일이었긴 하죠."

정체를 밝혔다 하더라도 공식적으로 이 자리에 서 있는 건 '엘로라 아르미트'가 아닐뿐더러 모리카의 나이는 엘로라보다 훌쩍 많아 보였다. 대략 잡아 이십 대 후반에서 서른 초반쯤으로 보여 말을 놓으라고 먼저 얘기를 꺼냈는데 놀라운 이야기가 나왔다.

실제로 그런 일이 벌어질 거라 생각지 못했는데 예상외로 빈번하게 벌어지는 모양이었다. 그들은 이 일을 단순한 해프닝 취급 하고 있었다. 엘로라가 놀라워하는 사이 대수롭지 않게 넘어갔다.

"소문으로는 언뜻 박색이라고 들은 것 같은데 아무리 봐도 이 미치광이 남자한테는 아까운 인물인 것 같네요. 빠른 이혼만이 답이에요. 인생은 길고, 이런 남자와 오래 엮여 봤자 좋을 것 하나 없어요."

"그 미치광이 남자 앞이라는 걸 계속 깜빡하나 봐?"

"들어서 뭐 어쩌려고요. 맞는 말이잖아요."

"하긴, 그렇긴 하지."

아니라고 말꼬리를 잡고 늘어질 줄 알았던 라하트가 순순히 인정했다. 수긍하는 그는 어쩐지 조금 우울해 보였다. 망나니니 쓰레기니 별별 말을 들어도 개의치 않아 하던 남자가 갑자기 우울한 기색을 보이고 있으니 엘로라로서는 당황스러운 반응이었다.

"가발이 불편하지 않아요?"

"익숙해서 괜찮아요."

"아무리 봐도 가발이 아니라 진짜 머리 같네요. 티가 거의 나지 않아요. 그리고 화장도 했네요."

"티가 나요?"

"아주 살짝. 가까이서 보면 티가 나요. 하지만 화장에 문외한인 볼흐라스 남자들은 알아보지 못할 거예요. 여자들도 가까이서 봐야 화장한 남자구나, 하겠죠. 얼굴 톤을 정리한 거예요?"

"그 외에도 이것저것……."

"이것저것?"

시작부터 끝까지 말하면 끝이 없었다. 단순히 얼굴 톤을 정리한 수준이 아니었기에 말끝을 흐리는 엘로라를 보며 모리카가 고개를 갸웃거렸다.

어색하게 웃은 엘로라는 정체까지 밝힌 마당에 더는 숨길 것도 없는 것 같아 사실대로 고백했다.

"이 얼굴은 제 얼굴이 아니에요."

"다른 사람의 얼굴 가죽이라도 뒤집어썼어요? 세상에. 그럴 수 있어요. 저 남자의 아내로 살게 되었는데 뭔들 못 하겠어요."

모리카가 라하트를 어떻게 인식하고 있는지 살짝 궁금해지는 대목이었다. 대체 그 비밀이라는 것이 무엇이고, 모리카에게 어떤 모습을 보여 줬으면 저런 반응이 나온단 말인가.

힐끗 라하트를 흘겨본 엘로라는 오해가 깊어지기 전에 정정해 주었다.

"뭔가를 뒤집어쓴 것이 아니에요. 배우가 연극을 하기 위해 변장을 한 것과 같다고 생각하시면 돼요. 살짝 화장한 것 같다고 했지만 실제로는 제 얼굴에 화장품이 겹겹이 쌓여 있는 상태죠."

실제로는 화장이 두껍다는 사실을 밝히자 깜짝 놀란 건지 두 눈을 동그랗게 뜬 모리카가 거리를 좁혔다. 그녀의 부담스러운 시선을 받으며 혹 모를 상황을 대비해 말을 덧붙였다.

"그리고 연극에 빗대어 표현했는데, 마치 연극처럼 저로서 이 자리에 있는 게 아니기 때문에 되도록 저를 부르지 말아 주세요. 지금은 보는 눈이 없어서 괜찮지만 만약 저를 알아보게 되더라도 제 실체가 밝혀질 만한 언급은 자제해 주세요."

"한두 번 해 본 솜씨가 아닌 것 같은데, 몇 년을 이렇게 살아온 거예요?"

"……조금 길어요."

머뭇거리던 엘로라가 두루뭉술하게 대답했다. 분명 그럴 리 없는데 화장이 지워지고 있는 듯한 기분이었다.

"엄청난 재능이네요."

꼼꼼히 엘로라의 얼굴을 살피던 모리카가 순수하게 감탄했다.

그녀는 화장 기술에 능한 사람을 자주 봐 왔지만 이 정도로 완벽에 가까운 수준에 도달한 사람은 처음 봤다며 엘로라의 뺨이 살짝 달아오를 만한 칭찬을 늘어놓았다. 너무 띄워 주는 것 같아 자리에서 도망치고 싶었다.

"아무리 봐도 대단한 사람 같은데 저와 크리센즈로 가지 않겠어요? 세상의 반은 남자인데 볼흐라스는 못 써먹을 남자로 가득해요. 그나마 황태자 전하가 나은 편이었는데 그 분은 애초에 바라보지도 못할 위치고. 이 나라는 망했어요. 그러니 도망칠 수 있을 때 도망쳐야 해요."

외모든 재능이든 탐나는 사람을 보면 함께 가자고 제안하는 것이 그녀라는 사람인 듯했다.

두 번째 만남인데 벌써 두 번이나 함께 가자는 제안을 받은 엘로라는 인기 많은 사람이 된 듯한 기분을 느꼈다. 그래도 반쯤 농담이라 여겨 진지하게 대답하지 않고 웃고만 있는데 라하트가 불쑥 끼어들었다.

"내가 있잖아."

"누구요?"

"나."

한 치의 망설임도 없는 라하트의 단호한 대답은 모리카의 표정을 험악하게 만들었다.

"봐요. 이 나라 망했다니까요? 큰 고생 시키지 않고 데리고 살 능력이 제게 있으니 함께 크리센즈로 가요."

"계속 내 신부님을 빼돌리려고 하는데 그러지 마. 어디에도 못 보내."

"여자가 가고 싶다고 하면 보내야지 뭘 당사자도 아닌 사람이 보낸다, 못 보낸다 참견을 늘어놓아요!"

"갈 거야?"

"예?"

설전은 라하트가 엘로라에게 의견을 묻는 것으로 끝을 보았다. 단숨에 두 쌍의 눈동자가 엘로라에게 모였다. 부담스러운 시선을 잔뜩 받은 엘로라는 이 상황이 난처하여 바로 대답을 내놓지 못하다가 저를 버림받은 강아지처럼 바라보는 라하트와 딱 눈이 마주쳤다.

결혼까지 하여 황가에 몸을 담고 있는 여자가 가긴 어딜 가겠는가. 끽해 봐야 수도 내를 구경하는 것이 다였다. 그런데 라하트는 엘로라가 간다고 말하면 정말 당장 떠날 것처럼 굴고 있었다.

"안 갈 거예요. 당장은 생각 없어요."

언젠가 이 나라를 떠나야 할 거라는 생각이 있었지만 수많은 나라 중 꼭 크리센즈에 가야 할 이유는 없었다. 그리고 떠난다 하더라도 아주 먼 미래가 될 것이었다. 그것을 염두에 둔 엘로라의 대답에 라하트는 꼭 큰 대회에서 이긴 듯이 뿌듯한 표정을 지었다.

"안 간다잖아. 더는 강요하지 마."

"생각이 바뀌면 언제든 말해요. 특히 저 미치광이와의 관계에서도요. 이혼은 서류 몇 장이면 할 수 있는, 아주 별것 아닌 일이니까."

이혼을 지나가는 벌레처럼 여기는 모리카의 발언을 일반적인 볼흐라스 여인이 들었다면 뒤집어졌을 것이다.

여기서 또 문화의 차이를 느낀 엘로라는 그냥 웃으면서 고개를 끄덕였다. 타국 사람을 만난다는 건 신선한 경험의 연속이라는 것을 새삼 깨닫게 되었다.

엘로라가 크리센즈로 오길 바라던 모리카는 예상외로 대화가 길어졌음을 깨달았는지 자리를 옮기자고 했다. 이에 라하트가 영문을 모르겠다는 표정을 지었다.

"바쁘다며."

"누가 전하랑 같이 간대요? 저희 둘만 나가서 맛있는 것도 먹고 재미있는 얘기도 잔뜩 할 건데요."

친근하게 엘로라의 팔짱을 끼며 라하트의 약을 올리는 모리카는 꼭 십 대 소녀 같았다. 이 상황이 재미있어 작게 웃음소리를 낸 엘로라는 라하트가 무언가 말도 안 되는 소리를 하기 전에 먼저 거절했다.

"죄송하지만 저는 할 일이 있어서 이만 헤어져야 할 것 같아요."

"무슨 일인데?"

"선물을 사러 나왔어요. 시간이 지체되었으니 빨리 가 봐야 해요."

"선물? 누구?"

자신의 이름이 나오길 기대하듯, 라하트가 두 눈을 반짝였다. 하지만 라하트가 아무리 두 눈을 반짝여도 그에게 떨어질 몫은 없었다.

"전하는 아니에요."

생각보다 대답이 단호하게 나왔다. 덕분에 라하트는 미련을 가지지 않고 단번에 나가떨어졌다. 반대로 선물 받을 이가 라하트가 아니라는 걸 듣고는 모리카가 매우 기뻐했다. 그녀는 쌍수 들고 엘로라를 도와주려 했다.

"필요한 게 있으면 말하세요. 저희 상단에서는 취급하지 않는 물품이 없으니까 바로 구해 드릴 수 있어요. 물론 값은 전하에게 달아 둘 테니 최대한 비싼 걸로 해도 돼요."

"안타깝지만 살 물건이 정확히 정해지지 않아서 제안을 거절할 수밖에 없네요."

"그러면 계속 돌아다니고 있는 거예요?"

"네."

"어머, 세상에. 시간은 소중해요. 제게 선물할 사람의 정보를 주면 맞춤 선물을 알려드릴게요. 쉽고, 빠르죠?"

상인이라는 소개가 틀리지 않았는지 돈 냄새를 맡은 모리카가 목소리를 한 톤 높이며 기대감에 부푼 얼굴로 엘로라를 바라보았다. 뜻밖의 제안에 엘로라는 최대한 그녀의 기분이 상하지 않도록 말을 고르며 거절했다.

"손이 가는 대로 고를 예정이라 굳이 그러지 않으셔도 돼요."

"제 맞춤 선물 서비스가 평이 안 좋은 적은 한 번도 없어요! 저를 믿으셔도 돼요."

"믿지 않는 게 아니에요. 그냥 제가 그 사람에게 무엇을 주더라도 스스로도 납득이 가지 않아서……."

얘기를 하다 보니 자연스럽게 본심이 튀어나왔다. 엘로라가 말끝을 흐리자 모리카는 꼭 처음 듣는 외국어라도 듣는 것처럼 이해가 되지 않는다는 듯, 고개를 갸웃거렸다.

"납득이라고 했어요? 비슷한 발음의 다른 단어는 아니죠? 상대가 좋아하는 걸 주면 되잖아요. 납득이 꼭 필요해요?"

모리카의 말이 옳았다.

보통 선물은 상대가 좋아하는 걸 주면 되었다. 그리고 그녀가 받았더라면 가장 기뻐했을 선물은 이미 준비되어 있었다. 얼굴도 모르는 이의 도움을 받은 덕에.

"상대의 기뻐하는 얼굴을 보기 위해 고심해서 고르는 거잖아요. 그 사람이 좋아하는 게 시체라도 돼요?"

"……볼 수 없어요."

"……."

"기뻐하는 얼굴을 더는 볼 수 없어요."

아몬의 웃는 얼굴이 자연스레 떠올랐다. 다시 한번 보고 싶지만 볼 수 없는 얼굴이었다.

"제가 해 주지 못한 게 너무 많아서 미련이 많이 남았나 봐요. 제대로 하지 못한 작별 인사를 대신해서 선물을 하려는 건데 원래 주려고 했던 물건이 문제가 조금 있어서 이러고 있네요."

어쩌다 보니 신세 한탄이 되어 버렸다.

시선을 살짝 내리깐 엘로라는 입술을 살짝 깨물었다. 얘기를 하다 보니 스스로의 마음이 확실히 정립되고 있는 기분이었다. 마음속에 꾹꾹 눌러 담았을 때는 애매했던 감정이, 아몬에게 매달리는 이유가 타인에게 얘기함으로써 스스로 확신할 수 있었다.

남에게 속마음을 털어놓는다는 것이 어색하고, 혹 민폐는 아닌지 눈치를 보게 되었지만 막상 말하고 나면 홀가분하다는 건 부정할 수 없었다.

엘로라의 진실된 고백에 곰곰이 생각하던 모리카가 조심스럽게 말을 꺼냈다.

"그 사람 또한 엘로라가 소중했다면 무엇을 받아도 기뻐했을 거예요. 하지만 지금은 그 사람이 기뻐하느냐, 아니냐가 아니라 엘로라의 마음이 문제인데……."

팔짱을 끼며 말을 고르던 그녀가 무언가가 퍼뜩 생각났는지 두 눈을 반짝이며 외쳤다.

"도와줄게요."

"네?"

"혼자 해서 해결되지 않는 일이 있어요. 제가 옆에서 도와줄게요."

"아니에요, 괜찮아요."

"사실 엘로라한테 부탁하고 싶은 게 있어서 그런 거예요."

잊고 있었던 라하트의 존재가 신경 쓰였는지 힐끔 라하트를 흘겨본 그녀가 가까이 다가오라고 손짓했다.

아무 의심 없이 모리카와 거리를 좁힌 엘로라는 그녀의 속삭임을 들을 수 있었다. 라하트가 듣지 못하도록 아주 은밀하게 얘기했다. 잠자코 조곤조곤 들려오는 그녀의 목소리를 듣던 엘로라는 두 눈을 크게 떴다.

"오늘 당장 하기에는 시간이 애매하니 내일 만날 수 있을까요?"

예쁘게 웃으며 묻는 모리카를 보며 살짝 고민하던 엘로라는 고개를 끄덕였다. 사실 그녀를 만나면 묻고 싶은 게 한 가지 있었다.

검은 투구의 정체. 수수께끼에 둘러싸인 그의 정체에 대해 라하트가 없는 자리에서 자연스럽게 물어볼 수 있을 것 같았다.

"내일 이곳으로 찾아오면 돼요. 잘 부탁할게요."

종이를 꺼내 빠르게 메모한 모리카가 그것을 엘로라에게 건네주었다. 언뜻 보니 묵고 있는 숙소의 위치인 듯, 여관의 이름이 적혀 있었다.

"저야말로 잘 부탁드려요."

"대체 무슨 대화를 나눈 거야?"

"무능력자는 빠져요!"

은근슬쩍 끼어들려는 라하트를 밀쳐 낸 모리카가 아주 기쁜 표정으로 엘로라를 보았다. 라하트에게 말할 때와 엘로라에게 말할 때의 목소리 톤이 확연히 차이 났다.

"생각보다 대화가 길어졌네요. 그러면 만남을 기약하며 헤어지도록 하죠."

"네, 내일 봬요."

마지막으로 차림새를 점검하고 가게를 빠져나가려는 엘로라를 보고 모리카가 라하트의 등을 떠밀었다.

"영 믿음직스럽진 않지만 그래도 명색이 남편이니 어서 바래다줘요"

"말 안 해도 가려고 했어."

"잘됐네요. 어서 가요. 앞으로 절대 얼굴 보지 말아요. 가다가 콱 엎어져서 발목이 부러진 탓에 제 근처에도 오지 마세요."

모리카는 살벌한 말을 웃는 얼굴로 쏟아부었다. 정말 라하트가 발목이 부러져서 근처에도 오지 않길 바라는 것이 느껴지는 모습으로 손까지 흔들어 주는 그녀를 보며, 엘로라는 어색하게 손을 흔들어 주었고 엘로라에게 달려온 라하트는 작은 한숨을 내쉬었다. 그렇게 그들은 가게를 빠져나갈 수 있었다.

"어디 갈 거야?"

"돌아갈 거예요."

어디로 돌아갈 건지 굳이 묻지 않아도 알 수 있었다. 황궁. 엘로라가 원래 있어야 할 궁으로 늦기 전에 돌아가야 했다. 선물은 모리카가 도와준다고 했으니 긴긴 방황을 잠깐 끝낼 때였다.

"어디까지 같이 갈 수 있어?"

엘로라가 일반적인 경로를 통해 궁을 빠져나온 것이 아니라는 걸 눈치껏 알아챈 라하트가 물었다.

비밀 통로의 정체를 밝힐 수도 없고, 관련 얘기를 할 수도 없어 최대한 그 존재를 숨기고 싶은 엘로라로서는 머뭇거렸다. 차라리 바래다줄 필요가 없다고 말하려고 입을 여니 눈치 빠른 라하트가 먼저 선수 쳤다.

"이 방향으로 가는 거라면 저기 있는 꽃집까지 데려다줄게."

"굳이 그러실 필요 없어요."

"저 정도 거리면 얼마 되지 않으니 괜찮잖아? 그리고 최대한 오랫동안 네 모습을 보고 싶어서 하는, 사심 가득한 일이니 실례된다고 생각하지 않아도 돼."

엘로라가 할 수 있는 모든 거절에 대한 이유를 차단했

다. 상대가 절박하게 나오니 어쩔 수 없이 고개를 끄덕일 수밖에 없었다.

신문 기사를 보고 혼자 라하트가 거짓 고백을 한 것 아닌가, 하는 오해를 하여 미안한 감정이 남아 있기 때문도 있었다.

"즐거웠지?"

"……."

"널 숨기지 않고, 거짓 없이 얘기할 수 있었잖아."

부드럽게 울리는 라하트의 목소리는 마치 엘로라의 속내를 훤히 들여다보고 하는 말 같았다.

"나를 숨긴 채 살아가다 보면 진짜 내가 어떤 사람인지 잊고 살게 돼. 그럴 때 편하게 얘기할 수 있는 상대가 있다면 내가 어떤 사람인지 자각할 수 있게 되지. 마치 꿈에서 깨듯이."

"꼭 지금 제 앞에 있는 전하가 진짜가 아니라는 듯이 말하시네요. 경험담이에요?"

"공감 능력의 차이지. 이래 봬도 공감 능력이 높거든."

"이제껏 느낀 적도 없어서 처음 알게 되었네요."

"누가 봐도 공감 능력이 높지 않아?"

"모리카 씨한테 그 얘기를 당당하게 할 자신이 있으세요?"

"음, 아니."

빠르게 고개를 저은 라하트가 작게 미소 지었다. 한마디 하려던 엘로라는 그 얼굴을 보고 그냥 입을 다물게 되었다.

두 사람은 침묵 속에서 나란히 선 채 앞으로 나아갔다. 아무 말도 하지 않은 채 꽃집까지 도달할 거라는 엘로라의 예상과 다르게 라하트가 말했다.

"있잖아, 손잡아도 돼?"

"방향 감각 때문이라면 죄송하지만 제 뒤통수라도 보면서 따라오세요. 최대한 멀리 떨어져 있는 것도 괜찮겠네요. 지금 모습으로는 내일 신문 1면에 전하의 성 정체성을 다룬 기사가 장식될걸요."

"나는 상관없어."

상관없다니. 설마 남자에게까지 손을 뻗은 건가? 의심 어린 시선으로 라하트를 보니 라하트가 눈꼬리가 휘어지게 웃으며 조곤조곤 속삭였다.

"남들이 다 오해해도 괜찮아. 오로지 너만이 진실을 알고 있다면."

보랏빛 눈동자가 엘로라를 빤히 바라보았다. 이렇게 마주 보고 있으니 심장이 간질거리는 느낌을 받은 엘로라가 먼저 시선을 피했다. 이상한 느낌이었다.

"얼굴 팔리는 일은 하고 싶지 않아요."

"그런 일 없도록 노력할 거야."

"……."

"약속할게."

간절함이 담긴 목소리에 이끌려 손을 내밀었다. 엘로라가 손을 내빼기 전에 빠르게 그것을 낚아챈 라하트는 소중한 것을 잡듯, 부드럽게 손을 잡았다. 손을 잡게 되니 심장이 간질거리는 느낌이 더 강해졌다. 엘로라는 고개를 살짝 숙인 채, 아까보다 더 빠른 걸음으로 나아가기 시작했다.

걸음이 빨라진 것을 알지 못한 건지 엘로라의 속도에 맞춰 걸어가던 라하트는 다른 얘기를 꺼냈다.

"신문 봤어?"

"신문이야 매일 보죠."

"그러면 봤겠네."

속으로 뜨끔했다. 신문을 통해 접한 가십 중, 라하트가 얘기를 꺼낼 만한 건 한 가지밖에 없었다.

한동안 엘로라의 머릿속을 괴롭혔던, 라하트가 바람을 피웠을지도 모른다는 오해. 모리카와 라하트가 찍혔던 사진이 자연스럽게 머릿속에 그려졌다.

"변명 같지만 신경 쓸 일이 많아서 기사가 나가는 걸 막지 못했어. 그 와중에 인터뷰 이후라서 건수를 잡았다고 생각하고 잽싸게 신문에 내보낸 모양이야. 하지만 보다시피 네가 오해하는 그런 사이는 아니야. 본인 입으로도 들었지만 사적인 감정이라고는 눈곱만큼도 느끼지 않고 있지."

다급하게 느껴지는 해명이었다. 이미 그들의 대화를 엿들어서 연애 감정이라고는 전혀 있을 수 없다는 걸 알고 있는데도 그는 최선을 다해 상황을 설명했다. 약간의 의심도 피하고 싶다는 태도였다.

"내가 올바른 사람이었다면 그냥 넘어갈 수도 있는 일이었는데, 이래서 평소 행실이 좋아야 하나 봐. 자업자득이지."

라하트가 쓴웃음을 지었다. 엘로라 또한 평소 라하트의 평판이 머릿속 깊숙이 박혀 있었기에 그가 한 고백이 거짓일지도 모른다고 생각했다. 그간 쌓아 올린 행적이라는 건 그렇게 쉬이 무너지는 게 아니었다.

고개를 들어 회의감에 젖은 그 얼굴을 가만히 보던 엘로라는 진실에 반하는 얘기를 꺼내 놓았다.

"무슨 말씀을 하시는지 모르겠네요."

스스로 들어도 무심한 목소리였다. 한 번도 라하트에 관한 기사를 보고 고뇌한 적 없는 것 같았다. 실제로 엘로라는 이렇게 행동하면 과거의 고뇌가 지워지기라도 하는 것처럼 굴고 있었다.

"저는 아무것도 보지 못했어요. 그러니 제게 참회하지 않아도 돼요."

"네가 신경 쓰든, 신경 쓰지 않든 결국 내 과실이니까 계속 너에게 사과하고 싶었어. 오늘 만나지 않았더라면 내일 찾아가서 무릎 꿇고 싹싹 빌었을 거야."

"왜 그렇게까지 하세요?"

"널 좋아하니까."

한 치의 망설임도 없는 대답이었다. 간결하고도 정확한 답이다. 본인의 감정을 숨김없이 드러낸 보랏빛 눈동자는 부담스러웠다.

좋아한다. 흔히들 말하는 남녀 간의 사랑은 사람을 참 약하고 비굴하게 만드는 것 같았다.

가까운 미래에 아무 상관 없는 사람이 될 걸 알면서도 그의 고백이 거짓일까 봐 두려워했고, 항상 당당했던 라하트는 무릎을 꿇는다는 발언까지 하고 있었다. 이런 게 흔히 말하는 사랑인 걸까? 엘로라는 알 수 없었다.

"전하와 만나지 않는 동안 계속 생각했어요. 전하와 저는 곧 헤어질 사이라는 사실을. 그러니 애쓰지 않으셔도 돼요. 이별은 불가항력이잖아요."

"그건……."

무슨 말을 하려던 라하트가 입을 다물었다. 하고 싶은 말이 많아 보이는 표정이었다. 수많은 언어를 고르고 있는 것일까. 엘로라는 여전히 무표정한 얼굴로 그런 라하트를 올려다보았다.

"내가 멋대로 굴어서 미안해."

"전하께서는 멋대로 군 적 없어요. 사람의 마음은 어찌할 수 없는 것이고, 사람이 한 번에 변할 수는 없잖아요. 하시던 대로 하면 돼요."

"그런 의미가 아니야."

"그렇다면 무슨 의미죠?"

비꼬거나 떠보는 것이 아니었다. 정말 몰랐다. 그가 어떤 의미로 말하고 있는지.

항상 사람들이 하는 말의 의중을 정확히 파악하고는 했

는데 라하트는 말 그대로 해독하지 못한 암호였다. 그가 하는 행동 하나, 말 하나 가볍고 쉬워 보이는 듯해도 결과적으로 엘로라는 의문을 표하게 되었다.

엘로라가 인형 같은 푸른 눈동자로 라하트를 빤히 바라보았다.

“아니야, 아직 술이 덜 깼나. 헛소리를 하고 말았네. 어서 돌아가 봐. 많이 피곤해 보여.”

라하트가 마주 잡은 손을 떼어 냈다. 꽃집에서 그리 멀리 떨어지지 않은 위치였다.

꽃집까지 함께 가자고 했는데 목표까지 도달하지 못한 채 작별을 고한다. 엘로라는 잠깐 손바닥을 내려다보았다. 손을 뗀 지 얼마 되지 않아 라하트의 온기가 느껴졌다. 아직도 그의 손을 잡고 있는 듯한 기분이었다.

“오늘 있었던 일은 함구해 주길 바랄게요.”

“당연히.”

주먹을 가볍게 쥐었다가 편 엘로라는 선선한 라하트의 대답에 만족하며 인사하기 위해 고개를 숙였다가 들었다.

더불어 정체가 밝혀지는 게 이렇게 쉬운 일이었나, 하는 생각이 들었다. 라하트 앞에 있으면 항상 이렇다.

“잘 가.”

그의 작별 인사를 들은 엘로라는 빠른 걸음으로 앞으로 나아갔다. 한참을 가다가 문득 뒤를 돌아보았다. 아무도 없을 거라 예상하며. 하지만 예상은 틀렸다.

라하트는 그 자리에 우뚝 서 있었다.

떠나지 않고 이쪽을 바라보는 그의 인형을 확인하자마자 불에 덴 듯 빠르게 고개를 돌렸다. 참으로 이상한 남자였다.

다음 날, 외출 준비를 마친 엘로라는 히나에게 간단히 상황을 설명하고는 모리카가 알려 준 장소로 이동했다. 그녀가 묵고 있는 여관이 맞는지, 모리카는 편안한 복장으로 엘로라를 맞이해 주었다. 바깥에서 볼 때와는 사뭇 다른 모습이었다.

"제가 너무 이른 시간에 왔나요?"

"아니요, 딱 맞춰서 왔어요. 어서 들어와요."

조심스럽게 안으로 들어간 엘로라는 주위를 둘러봤다. 풀지 못한 짐이 여기저기 한가득이었다. 오늘 막 여관에 입실한 것 같은 풍경이었다.

그녀가 여관을 자주 옮기는 것이 아닌 이상 볼흐라스에 꽤 오래 체류 중이니 바빠서 짐을 제대로 정리하지 못했다는 것이 옳았다. 바쁘다는 말을 언뜻 들은 듯한데 빈말이 아닌 진짜였다.

너무 오래 구경하고 있는 것도 예의가 아닌 터라 퍼뜩 정신을 차린 엘로라는 들고 온 짐을 꺼냈다.

"혹시 몰라서 이것저것 챙겨 왔어요."

"어머, 그러지 않아도 되는데. 저희 상단에서 여러 물건을 취급하고 있긴 한데 그중 화장품도 주력으로 유통하고 있어서 샘플로 갖고 있는 게 많아요."

그렇게 말하며 엘로라를 화장대로 안내했다. 과장하지 않고, 많은 양의 화장품이 화장대에 산처럼 쌓여 있었다. 특히 색조 화장품은 색깔별로 다 있는 듯했다.

"마음에 드는 게 있었으면 좋겠네요."

"필요한 건 다 있는 것 같아요."

"그러면 당장 시작해도 될까요?"

"네. 저는 괜찮아요."

기대 어린 표정으로 모리카가 냉큼 화장대 앞에 앉았다. 작게 웃음을 터트린 엘로라는 먼저 꼼꼼히 화장품을 체크했다.

오늘 이곳에 온 이유, 모리카가 만나고 싶어 했던 이유는 바로 엘로라의 화장술 때문이었다. 변장이라 부르는 게 더 옳은 이 기술이 탐나서 모리카는 엘로라와 따로 만나고 싶어 했다.

"오늘 하루 통째로 쉬기로 했어요. 이제껏 처음 있는 일이라 지금 몹시 두근두근 거리네요."

"최선을 다할게요. 원하는 얼굴이라도 있으세요?"

"지금 이 얼굴과 완전히 상반된 인상을 주고 싶어요."

"그것 하나면 되나요?"

"네, 저로 보이지만 않으면 돼요."

모리카의 결연한 표정이 화장대 거울을 통해 반사되었다. 다른 사람이 되고 싶다는 그녀의 말에 엘로라는 품고 있던 의문을 꺼냈다.

"계속 묻고 싶었던 질문인데 어째서 제게 그런 부탁을 하신 건가요?"

"살면서 한 번쯤 다른 사람이 되고 싶다고 생각할 때가 있잖아요. 유독 힘들 때 그런 생각이 자주 들어서 엘로라의 얘기를 듣자마자 '혹시 나도 될까?'라는 생각에 덥석 기회를 잡은 거예요. 인생은 한 번뿐이라 오롯이 지금의 삶에 집중해야 하는데 단 하루만이라도 그 모든 짐을 털어놓고 다니게 될 수 있으니 얼마나 재미있겠어요. 놓치면 다시 잡을 수 없다고 여겨서 조금 급하게 얘기를 꺼냈는데, 무리하거나 그런 건 아니죠?"

"네, 아니에요. 오히려 다른 사람을 꾸미는 건 손에 꼽을 정도라 지금 이 순간이 저도 즐거운걸요."

"엘로라는 참 다정하네요."

배시시 웃는 엘로라를 보며 모리카가 말했다. 갑작스러운 칭찬에 당황한 엘로라가 시선을 어디에 둘 줄 몰라 살짝 눈을 내리깔았다.

수줍은 엘로라의 모습을 지켜보던 모리카는 깊은 한숨을 내쉬며 투정 아닌 투정을 늘어놨다.

"이런 거 보면 그 사람은 참 운도 좋아요. 엘로라 같은 여성을 신부로 맞이하다니. 인복 하나는 분에 넘치도록 타고났다니까요."

모리카가 툴툴대는 것을 맞장구치지 않고 가만히 들었다. 라하트에 대한 얘기는 조금 자제하고 싶었다.

모리카와 엘로라가 아는 공통된 인물이라는 점에서 자주 언급될 수밖에 없는 건 당연했으나 웬만해서는 라하트에 대한 얘기는 피하고 싶은 엘로라였다.

가만히 입 다물고 있자 모리카가 진정했다. 잠깐 침묵이 내려앉고, 그 틈을 비집어 엘로라는 화제를 돌렸다.

"상반된 인상을 주고 싶다고 하셨는데, 원래 이목구비를 아예 바꿀 수 없어서 자연스럽게 완전히 뒤바꾸는 건 어느 정도 한계가 있어요. 최대한 노력해 볼 테지만, 이 점은 감안해 주셔야 해요."

"사실 어떤 얼굴이든 상관없어요. 제가 저라는 것만 못 알아보면 돼요."

고개를 끄덕인 엘로라는 화장품을 들었다.

이러고 있으니 아몬에게 화장을 해 주었을 때가 떠올랐다.

희미한 미소를 지은 엘로라는 모리카의 얼굴에 꼼꼼히 손을 대기 시작했다. 이제 변신할 시간이었다.

긴 시간 끝에 화장이 끝났다. 다행히 결과물이 썩 나쁘지 않아, 모리카는 아주 기쁜 표정으로 거울을 보자마자 소리를 질렀다.

"세상에! 대단해요, 엘로라!"

"마음에 들어요?"

"마음에 드는 수준이 아니에요. 얼핏 봐서는 정말 다른 사람이 되었네요."

"가발도 쓰면 완벽할 거예요."

"아, 가발도 준비해 뒀어요."

벌떡 일어난 모리카는 다양한 가발을 꺼내 놓고 어떤 것이 가장 어울릴 것 같은지 조언을 구했다. 고심 끝에 핑크색 가발을 고른 모리카는 엘로라의 도움을 받아 가발을 썼다.

"이대로 나가면 아무도 절 못 알아보겠죠?"

"웬만해서는 그럴 거예요."

"그 인간은 논외로 쳐야 해요. 어디까지나 일반인의 범주 안에서 생각하죠."

엘로라가 '웬만해서'라고 표현한 이유가 라하트 때문임을 빠르게 눈치챈 모리카가 말했다. 어쨌든 들킨 건 들킨 거였기 때문에 엘로라는 어색하게 웃었다. 이제껏 완벽하다 자부했던 기술이었는데 확신할 수 없었다.

"궁금한 게 있는데, 엘로라는 혹시 내가 될 수 있어요?"

"그러니까 모리카 씨로 변장할 수 있느냐는 말이죠?"

"네, 네."

모리카가 격렬하게 고개를 끄덕였다. 기대 어린 눈동자를 보고 있으면 농담으로라도 안 된다고 답할 수 없었다.

"저와 인상이 많이 다르셔서 힘들긴 하겠지만 불가능하지는 않아요."

"혹시 당장 해 줄 수 있어요?"

"시간이 걸릴 거예요."

"괜찮아요!"

"……그런데 의미가 있는 행동인가요?"

"나를 객관적으로 볼 수 있다니, 다신 없을 기회잖아요. 엘로라라면 소름 돋을 정도로 저와 똑같은 얼굴을 할 수 있을 텐데 그게 너무 기대돼요."

"저도 인간인지라 한계는 있어요."

"사람이 할 수 있는 최고의 실력이죠."

조금 이르게 모리카를 방문해서 다행이었다. 그렇지 않았다면 변장만으로 하루가 훌쩍 지나갔을 터였다.

엘로라는 모리카의 반짝이는 시선을 한 몸에 받으며 결국 가발을 벗고, 화장을 지웠다. 엘로라의 맨얼굴을 처음 보는 모리카는 작게 감탄했다.

"혹시 형제가 있어요?"

"오라버니가 셋 있어요."

"한 명은 요제프 아르미트일 테고, 나머지는 나이 대가 어떻게 돼요?"

"다들 요제프 오라버니보다 나이 차가 많이 나요. 그래서 제가 동생보다는 딸 같은 느낌이죠."

"흠."

자연스럽게 에곤을 떠올린 엘로라는 쓴 미소를 지었다.

"가족 관계는 왜 물은 거예요?"

"사실 엘로라랑 닮은 사람을 본 적 있어요."

모리카의 말을 듣자마자 짐작 가는 인물이 하나 있어 엘로라는 어색하게 웃었다. 화장을 옅게 했더니 맨얼굴을 보이자마자 바로 알아보다니. 엘로라의 맨얼굴이 크게 노출되었더라면 절대 무투 대회에 나갈 수 없었을 것이었다.

"그 사람, 얘기를 들어보니까 무투 대회에서 퍽 괜찮은 성적을 올렸다는데 이후로 들리는 소식은 없네요. 생긴 것도 미소년이라고 할 만큼 잘생겼고, 엘로라처럼 다정한 데다…… 곰곰이 생각해 보니 엘로라랑 목소리도 비슷한 것 같아요. 이름이 뭐였더라."

"제 주위에서 무투 대회에 출전한 사람은 라엘 오라버니밖에 없는데 그는 미소년이 아니에요. 세상에는 닮은 사람이 세 명씩 존재한다던데 그런 경우인가 보죠."

"아, 맞아. 그윈! 정말 몰라요?"

"……몰라요."

그 그윈이 엘로라 본인이라고 한다면 모리카가 배신감을 느낄지 몰랐다. 습관적으로 정체를 다시 숨긴 엘로라는 속으로 뜨끔했다. 다행히 모리카는 깊게 파고들지 않았다.

"그 정도로 닮기가 참 쉽지 않은데 신기하네요. 어쨌든 지금 화장할 거죠? 더는 방해하지 않을 게요. 어서 해요."

남몰래 식은땀을 훔친 엘로라는 모리카의 얼굴을 떠올리며 새로운 변장을 시도했다. 모리카가 현재 변장한 상태였기 때문에 오로지 기억에 의존하여 그녀를 닮도록 만들어야 해서 자칫하면 아예 다른 인물이 나올 수도 있었다.

그래서 중간중간 모리카에게 본인 얼굴과 닮은 것 같은지, 이목구비 모양 등을 물어보며 작업했다. 얘기를 나누다 보니 작업 자체는 평소보다 지체되어 모리카를 꾸며 줬을 때보다 시간이 살짝 초과한 후에야 완성할 수 있었다.

마지막의 마지막까지 확인 절차를 거친 엘로라는 옷을 갈아입고, 모리카의 머리칼과 똑 닮은 녹색 가발을 썼다. 평소 모리카가 즐겨 입는 패션 스타일로 골라서 더더욱 모리카와 닮아 보였다.

전신 거울 앞에서 한 바퀴 돈 엘로라는 나름 변장이 잘된 것 같아 흡족한 미소를 지었다.

사람을 정확히 한 명 지정해서 그와 닮도록 작업한 적은 없는 터라 살짝 걱정했는데 걱정이 무색해질 정도였다. 얼굴을 제공한 모리카 또한 쌍둥이 같다며 칭찬을 아끼지 않았다.

"창업해 볼 생각 없어요?"

"창업이요?"

"엘로라가 화장을 해 주거나 가르치면 순식간에 돈더미에 앉게 될 거예요!"

왜인지 마른침을 삼키는 모리카를 보며 엘로라는 에둘러 거절했다.

"화장하는 건 누군가에게 드러내고 싶다고 생각한 적이 없어서 천천히 생각해 볼게요."

"하긴, 볼흐라스에서 화장이라고 하면 숨어서 하는 느낌이죠?"

"그런 것도 있고, 그냥 제가 준비가 되지 않았어요."

엘로라의 웃는 얼굴을 본 모리카가 고개를 끄덕였다. 더는 강요할 수 없다고 생각한 모양이었다. 그렇게 어렵사리 외출 준비를 마친 그들은 가벼운 발걸음으로 번화가로 나갔다.

오늘 해야 할 일은 총 두 가지였다. 하나는 모리카의 변신, 다른 하나는 엘로라의 선물 고르기.

모리카를 변장시켜 주는 대신 선물 고르는 걸 도와주기로 했기 때문인지 모리카는 열성적으로 여러 물건을 추천해 주었다.

그녀는 번화가에 있는 가게를 다 꿰고 있는 것처럼 조금의 불필요한 걸음도 하지 않았다. 게다가 상인이라서 물건을 보는 눈도 좋아, 그녀가 추천하는 모든 것은 최상품이라고 할 수 있었다.

하지만 모리카의 도움에도 불구하고 썩 마음에 드는 걸 찾지 못한 엘로라는 한참 돌아다니다가 잠깐 쉴 겸 테라스가 있는 카페에서 음료와 디저트를 시켰다. 휴식 시간이었다.

"이런 식으로라도 수도 구경을 제대로 하는 건 처음이에요."

"볼흐라스에 자주 방문하셨을 것 같은데 처음이라고요?"

"너무 바빠서 이러다 죽는 건 아닐까 하는 생각이 들 때가 한두 번이 아니었거든요."

의자 등받이에 편히 몸을 기댄 모리카가 관자놀이를 꾹꾹 누르며 말했다. 생각만 해도 피곤한지 순식간에 얼굴에 피로감이 쌓였다.

"해외에서 일하게 되면 원래 하던 일의 배를 하게 돼서 썩 즐겨 하지 않아요. 직업 특성상, 이동해야 할 일이 많긴 한데 웬만해서는 다른 사람을 시키죠. 이번에도 다른 사람을 보내려고 했는데 일이 꼬여서 직접 왔어요. 그래도 덕분에 평생 잊을 수 없는 하루를 만들게 되었으니 계산은 정확하네요."

"일이 그렇게 힘든가요?"

"문제는 대부분 인간관계죠."

"……."

"그 미묘한 언어의 차이가 있잖아요. 제아무리 외국어에 통달했다고 한들 외국인과 대화하다 보면 의사소통에 문제가 생기고는 하죠. 그뿐만이 아니라 각 나라마다 문화도 다르다 보니 유리처럼 섬세하게 다뤄 줘야 해요. 상대가 나를 얼마나 얕잡아 보는 것과는 상관없이."

"볼흐라스가 유난히 힘든 건가요?"

"아니요, 대부분 다 비슷해요. 크리센즈와 비슷한 문화를 가진 나라보다 다른 문화를 가진 나라가 훨씬 많잖아요. 어쩔 수 없죠."

한숨을 푹 내쉰 모리카가 음료를 마셨다. 얘기를 하다 보니 목이 타는 듯했다.

"살아 보니까 역시 인생에는 일탈이 필요한 것 같아요."

"일탈이요?"

"하는 일에 불만을 느끼는 건 아니지만 매일 같은 일상이 반복되면 막연한 갈증을 느끼고는 하잖아요. 그럴 때 오늘처럼 하루라도 시간을 내 주는 게 원활한 인생을 사는 데에 좋은 활력소가 된다는 걸 다시금 깨닫게 되네요."

"즐거워 보여서 다행이에요."

"당신은 그런 경험 없나요?"

"……있죠."

변장하는 법을 터득한 이후로 같은 일상을 반복하고 있지 않았다. 되돌아보면 질릴 틈도 없이 참 여러 삶을 살았던 것 같았다.

만약 이 길을 택하지 않았더라면 모리카의 말에 완전히 공감할 수 있었을까. 엘로라는 공감하는 척할 수밖에 없었다.

"주위에서는 해외에 자주 가니 부럽다고 하는데 외국에 온 메리트라고 하면 아무도 날 모른다는 것이잖아요. 그런데 그간 일하느라 그걸 즐기지 못했어요. 거래처를 하도 왔다 갔다거려서 외국만 가면 아무도 날 모르기는커녕 아는 사람만 잔뜩 보게 돼요. 하지만 오늘 같은 날이면 실수로라도 아는 사람을 만난다 하더라도 모르는 사람이 되죠. 이렇게 있으니 남에게 얽힌 내가 아닌 나 자체를 알게 될 수 있어 좋네요. 정말 고마워요."

모리카의 기분은 변장한 이후부터 몹시 좋아 보였다. 잠깐이라도 처져 있을 때가 없었다. 계속 기회를 노리던 엘로라에게는 감사의 인사도 받은 지금이 적기였다.

"제가 하는 질문에 솔직하게 대답해 주실 수 있나요?"

"그럼요. 제가 아는 내에서 모두 알려드릴게요."

어떤 질문에라도 선뜻 대답할 듯이 모리카가 빙긋 웃었다.

"검은 투구는 누구죠?"

"아, 그건 일급비밀인데. 다른 질문은 없어요?"

검은 투구 얘기가 나올 거라 예상치 못했는지 모리카가 눈에 띄게 당황했다. 하지만 이대로 물러설 엘로라가 아니었다.

"아히발트 전하께서 검은 투구를 보고 후원하는 사람이라고 직접 말하셨어요. 상식적으로 볼흐라스의 황태자 정도 되는 인물의 후원을 받으면서 크리센즈 상인의 후원을 동시에 받을 리는 없겠죠. 누구 한 명은 그의 정체를 숨겨

주기 위해 거짓말을 하고 있다는 것인데, 대체 그가 누구길래 황태자 전하도 끼어 있는 거죠?"

조목조목 따지고 드는 엘로라의 말에 모리카는 정확한 의미를 알 수 없는 말을 중얼거렸다. 아마 크리센즈어로 욕하는 것이 아닐까 하고 쉬이 유추할 수 있었다. 생판 처음 듣는 외국어라 하더라도 욕설만큼은 빠르게 감지할 수 있었다.

"저는 알고 있지만 모르는 상태예요. 그러니 잊어 주면 안 될까요?"

"그가 제게 손수건을 청했어요. 잊고 싶어도 잊을 수 없는 인물이 되었죠. 언론에서 그날 있었던 일을 크게 다루지 않아서 자세히 모를 수도 있는데 충분히 큰 문제가 될 수 있는 행동이었어요."

"……문제요?"

"사회적으로 부도덕한 인간이라 낙인이 찍혔을 수도 있었다는 뜻이에요."

"설마, 그럴 리가."

"작은 것 하나에도 큰 의미를 갖는 것이 귀족 사회예요."

"아니에요, 그가 당신에게 해가 될 일을 할 리 없어요."

"왜 단정 짓죠?"

"아."

"그가 누구길래 저에게 호의적이라고 단정 짓는 거죠?"

모리카가 슬쩍 고개를 돌렸다. 때를 놓치지 않고 엘로라가 쉴 틈 없이 몰아쳤다.

"그가 저와 관련 있는 인물인가요?"

"아, 아니. 그런 뜻이 아니라 나쁜 사람은 아니라서 하는 말이에요. 누군가에게 부정적인 영향을 끼칠 일은 절대 하지 않는 사람이에요."

"한 사람에게는 좋은 사람이더라도 또 다른 이에게는 나쁜 이가 될 수 있죠. 그리고 아무리 좋은 의도로 한 행동이더라도 다르게 느낄 수도 있고요."

모리카는 엘로라와 눈을 마주치지 못하고 있었다. 식은땀을 잔뜩 흘리고 있는 듯했다. 난처해하는 그녀의 모습을 지켜보던 엘로라는 한 걸음 물러서는 척, 용건을 꺼냈다.

"사정이 있을 테니 정체를 묻지는 않을게요."

"정말요?"

"대신 검은 투구를 만나게 해 주세요."

활짝 웃던 모리카가 다시 난처한 기색이 역력한 얼굴이 되었다. 만나는 것마저 힘든 사람인 모양이었다.

"부탁할게요."

"만나서 무슨 얘기를 나누려고요? 혹시 복수라도……."

"그때 제가 느꼈던 감정을 떠올린다면 복수를 한다 해도 이상할 것 없지만, 확실한 결정은 그를 만나고 나서 할게요. 지금은 어째서 그런 행동을 했는지 알고 싶어요."

이 풀리지 않는 의문은 검은 투구만이 해결할 수 있었다. 무투 대회가 끝난 후에도 팔찌만 보면 찝찝함이 남아 있는 터라 확실히 풀고 싶었다. 그의 정체뿐만 아니라 그가 어째서 그런 행동을 했는지도 몹시 궁금했다.

정체를 알면 행동의 원인을 알 수 있을 거라고 직감적으로 느낄 수 있었지만, 정체를 다들 꼭꼭 숨기고 있으니 직접 부딪치는 수밖에. 그것이 엘로라가 내린 결론이었다.

"만나게 되면 얘기해 볼게요. 하지만 기대는 하지 말아요! 그는 지금 은둔 생활 중이니까!"

"알았어요. 긍정적인 답을 기대할게요. 그리고 의식하지 말고 고개를 살짝 왼쪽으로 돌렸다가 다시 보세요."

엘로라의 말에 살짝 의문을 표하던 모리카가 자연스럽게 고개를 살짝 왼쪽으로 돌렸다가 다시 엘로라를 보았다. 사뭇 진지한 표정이 된 엘로라는 목소리를 낮췄다.

"신문으로 얼굴을 반쯤 가리고 있는 남자 봤어요?"

"네."

"그가 우리를 미행하고 있다고 한다면 믿어져요?"

"미행이라니. 꼭 소설에 나올 법한 얘기이지만 아무런 근거 없이 하는 말은 아닐 테니 믿어요."

모리카의 목소리도 덩달아 낮아졌다. 하지만 그들의 표정만은 평소와 같았다. 디저트에 손을 댄 엘로라는 혀 위를 구르는 달달한 맛을 느끼며 남자가 있는 반대쪽 방향을 보았다. 마치 아직 그의 존재를 눈치채지 못한 듯이.

여관을 나오고, 가게를 둘러보고 있는 도중부터 미묘하게 주위를 맴도는 듯한 남자가 계속 거슬렸다. 삼십 대 후반에서 사십 대 초반쯤으로 보이는 남자는 평범한 인상을 갖고 있었다. 너무 평범해서 주위에서 흔히 볼 수 있는 볼흐라스 남자였다.

하지만 엘로라는 워낙 미행에 민감한 터라 금세 알아챌 수 있었다. 습관적으로 신경을 곤두세우고 있는데 저 남자가 계속 따라붙었다.

너무 과민 반응은 아닐까 하고 생각했는데 같은 카페에 들어오는 순간 반쯤 확신할 수 있었다. 남자는 엘로라와 계속 적당한 거리를 유지하고 있었다. 우연이 아니었다.

단지 의문이 하나 있다면 그들은 변장 중이라는 것이었다. 반응을 보니 모리카와 아는 사이도 아닌 듯했다. 그녀는 일 때문에 볼흐라스 내에서 만나는 사람만 만났다. 아예 생면부지의 인물이라는 뜻이었다.

가끔 여성을 대상으로 한 범죄가 있다던데 그런 경우가 아닐까 싶었다. 미행이라 하면 떳떳지 못한 일로 하는 일이니 당연히 부정적인 방향으로 추측이 이어질 수밖에 없었다.

"다 먹었어요?"

"네."

"그러면 자연스럽게 자리에서 일어나요. 의식하지 말고."

자리에서 일어났다. 카페에서 어느 정도 떨어진 후 슬쩍 뒤를 보니 남자가 앉아 있던 자리는 비어 있었다. 설마 하던 것이 현실일지도 모른다는 생각에 등골에 소름이 돋았다.

엘로라는 모리카를 이끌고 최대한 사람이 많은 곳으로 갔다. 주로 관광지 위주였다. 모리카의 얘기를 듣고 이 근처를 돌아다닐 계획을 짜고 있긴 했지만 미행이 붙었을지도 모른다고 생각하니 마음이 다급해졌다.

그건 모리카 또한 마찬가지였다. 겉으로는 태연해도 기껏 구경하게 된 관광 요소를 즐기지 못하고 있었다.

다행인 건 엘로라가 지리를 훤히 꿰고 있다는 것이었다. 자주 돌아다녀서 제집처럼 훤했다. 그 덕인지 계속 돌아다닌 후에야 의문의 남자는 자취를 감추었다.

"안 보여요."

"그 남자요?"

"네. 아까부터 계속 안 보여요. 제가 발견하지 못하는 이상으로 거리를 벌리면 사람이 많아서 추적하기 힘들 텐데 보이지 않아요."

"따돌린 거였으면 좋겠네요."

"아마 그럴 거예요."

말은 꺼내지 못했지만 속으로 계속 걱정하던 모리카가 한숨을 돌렸다. 모르는 인물이 미행을 한다는데 속 편히 있을 사람은 없었다.

아직 안심할 수 없지만, 그래도 남자가 보이지 않으니 엘로라 또한 긴장을 풀었다. 따돌렸다고 보는 것이 옳을 거다. 사람 많은 곳만 골라서 다녔는데 한 사람이 일정 거리를 벌린 채 쫓아올 수 없었다.

미행도 따돌렸으니 편안한 마음으로 관광지 위주로 구경하며 선물을 고르는 방향으로 의견을 모았다. 이대로 돌아가기에는 모리카에게 하루뿐인 기회였다. 정체 모를 사내 때문에 아쉬워한 채 끝낼 수 없었다.

그렇게 천천히 걷고 있는데 얼굴에 주름이 가득하고 검버섯이 핀 노파가 그들을 불렀다. 노파 앞에는 두 개의 보따리가 있었다.

"어여쁜 아가씨들. 미안하네만 짐 좀 들어 줄 수 있나? 생각보다 무거워서 꼼짝도 못하고 있다네."

"어디로 가시는데요?"

"어디, 보자."

게슴츠레 눈을 뜬 노파가 잘 보이지 않는지 두 눈을 껌뻑이더니 손가락으로 한 방향을 가리켰다.

"저쪽으로 쭉 가면 되네. 그리 멀지 않아."

"도와줘도 괜찮겠어요?"

"약자를 도우는 건 당연한 도리이죠."

"아이고, 마음씨도 착하지."

노파가 많은 사람 중에 엘로라와 모리카를 콕 집어 불러 도움을 요청했는데 그냥 지나칠 수가 없었다. 게다가 언뜻 보이는 그녀의 야윈 팔은 스푼 한 개를 들기에도 벅차 보였다. 늙고 연약한 노파를 무시한다면 계속 떠오를 게 분명했다.

모리카 또한 괜찮다고 하여 각각 하나씩 노파의 짐을 맡아서 들었다. 짐은 무엇이 들었는지 생각보다 묵직했다. 모리카가 맡은 짐 또한 마찬가지인 듯했다. 살짝 당황스러운 표정을 짓던 그녀는 이내 표정을 갈무리하고는 노파를 앞세운 채 걷기 시작했다.

쭉 가면 된다던 노파는 말했던 것과 다르게 계속 방향을 바꾸었다. 그녀는 유동 인구가 적은, 으슥한 골목으로 엘로라와 모리카를 데려갔다. 잠자코 따라가던 엘로라는 아까 미행 일도 있고 해서 최대한 큰길로 가고 싶었기 때문에 노파에게 한마디 했다.

"할머니, 지름길로 가시는 건가요? 여기는 너무 외진 곳이라 조금 돌아가더라도 큰길로 가는 게 낫지 않을까요?"

"큰길로 가면 너무 멀어. 얼마 남지 않았으니 조금만 더 힘내 보아."

처음 부탁할 때와 다르게 쌀쌀 맞은 대답이었다. 엘로라도 모리카도 이상함을 느꼈지만 상대는 노파였다. 여기서 짐과 노파를 내버려 둔 채 도망칠 수도 없는 노릇이었다.

금방 도와주고 헤어질 것이라 생각했는데 걸어도, 걸어도 도착하지 않아 팔이 아파 왔다. 힘이 들어 잠시 짐을 내려놓으려던 엘로라는 순간 손에 힘이 풀려 보따리를 놓치고 말았다. 엉성하게 묶여 있던 보따리가 강한 충격을 받자마자 풀렸다. 그리고 그 사이로 돌멩이의 겉면이 얼핏 보였다.

"이건…… 읍!"

노파의 짐이 돌멩이라니. 누가 보아도 이상했다. 이 사실을 모리카에게 알리려던 엘로라는 갑자기 누군가 등 뒤에서 입을 틀어막아 말을 이을 수 없었다. 위험하다. 머릿속에 빨간 불이 반짝였다.

상대를 쓰러뜨리기 위해 반사적으로 있는 힘껏 명치를 강하게 내리쳤다. 라엘에게 배운 호신술 중 하나였다.

공격은 정확하고 깔끔하게 들어갔다. 하지만 몸에 힘이 들어가지 않았다. 두 눈이 절로 감겼다. 남자가 입을 틀어막았을 때 이상한 향이 훅 끼쳤는데 강력한 수면제인 듯했다.

. 이 이상 반항할 수 없었다. 더는 안 된다는 걸 깨달은 엘로라는 모리카가 있는 쪽으로 눈알을 굴렸다. 모리카 또한 덩치 큰 남자에게 잡혀 있었다.

미행당한 건 맞았고, 그들은 포기한 것이 아니었다.

"윽, 여자가 뭔 힘이 이렇게 세."

엘로라를 잡은 남자가 중얼거렸다. 희미해져 가는 의식 속에서 엘로라는 노파의 재촉을 들을 수 있었다.

"돈은?"

"여기 돈이요. 몇 푼 더 얹어 놨으니 괜히 딴 데 가서 떠벌리지 마쇼!"

남자의 말소리가 끝나자마자 동전이 떨어지는 소리가 들렸다. 노파와 남자는 한패였던 것이다.

불길한 기운이 들었을 때 도망쳤어야 했는데 이미 늦었다.

돈을 받은 노파의 음산한 웃음소리가 머릿속을 울렸다.

그것을 끝으로 엘로라는 정신을 잃었다.

어둠이었다.

—4권에서 계속

그 신부를 믿지 마세요 3

초판 인쇄 2019년 3월 4일
초판 발행 2019년 3월 14일

지은이 윤온
펴낸이 신현호
편집부장 예숙영
편집 최은지
편집디자인 한방울
영업 · 관리 김민원 조인희
물류 이순우 최준혁 박찬수

펴낸곳 ㈜디앤씨미디어
출판등록 2002년 5월 1일 제117-90-51792호
주소 서울시 구로구 디지털로 26길 111 JnK디지털타워 503호
대표전화 (02)333-2513 팩스 (02)333-2514
전자우편 dncbooks@dncmedia.co.kr
디앤씨북스 블로그 http://blog.naver.com/dncbooks

ISBN 979-11-264-4647-6 (04810)
ISBN 979-11-264-4650-6 (SET)